新潮文庫

イノセント・デイズ

早見和真著

新潮社版

10684

目次

イノセント・デイズ

その朝、季節が動いたことを実感した。

東京拘置所、南舎房の単独室。巡視廊《じゅんしろう》越しの磨《す》りガラスに穏やかな青が透けて見える。ルーバーからかすかに差し込む陽はすっかり和らぎ、セミの鳴き声もいつからか地を這《は》う虫のものに変わっていた。

田中幸乃《ゆきの》は畳の上に正座し、小さく息を吐き出した。

テーブルの上にスケッチブックを広げ、外の景色を想像する。しかし、なぜかいつものように集中できず、うまく思い浮かべることができない。

近代的な拘置所に移送された日、最初に思ったのは、部屋の窓に鉄格子《てつごうし》はないんだな、ということだった。真新しい匂《にお》いを残す居室に、かつて人がいた跡はほとんどない。ただでさえ数の少ない女子の確定死刑囚だ。「死」の匂いもしなかった。

いつかドラマで見たように、格子越しに眺める空だけを楽しみにしていた。外の景色をうかがえないのだと知ったとき、はじめて独居で過ごすことの意味を理解した。

すぐに刑務官にスケッチブックを取り寄せてもらった。磨りガラスを見つめ、季節の草花を想像する。日記とともに季節の空を画用紙に描き出す作業は、判決が下ってからの六年間、欠かさず続けてきたことだ。

それなのに今日は筆を執《と》る気になれなかった。なんとなく気持ちが落ち着かず、四畳ほどの部屋を見渡してみる。

書棚の下段に封筒が一つ倒れていた。担当の弁護士を通じ、支援者からもらった手紙はこれまで三百通を下らない。すべてに目を通してきたが、心が揺れることはなかったし、ましてや決意は揺らがなかった。

ただ、その中に一人だけ、心に変化をもたらす者がいた。まるで定規で線を引いたかのような几帳面《きちょうめん》な文字に、無機質な茶封筒。「絶対に」という言葉が頻出する彼からの手紙は、必ず幸乃の心を揺さぶった。

倒れていたのは、春先に送られて来た彼からの手紙だ。横浜・山手《やまて》は桜が満開だということを伝える文面に抗《あらが》いようのない懐《なつ》かしさを感じ、同時にひどく動揺したことを覚えている。

そのときに最初で最後の返信を綴《つづ》った。うららかな春の陽が磨りガラス越しに差し込んでいた日のことを思い出しながら、幸乃は唇を嚙《か》みしめた。

廊下から折り重なるような足音が聞こえてきたのは、そのときだ。〈9時7分〉というデジタル時計の表示が目に入る。足音の中に聞き覚えのないものが混ざっていると悟ったとき、全身の筋肉が硬直した。

足音は部屋の前で止《や》んだ。

「1204番、出房しなさい」

女性刑務官は毅然《きぜん》と言いながらも、目を赤く潤《うる》ませている。話をする機会のあった唯一《ゆいいつ》の刑務官だ。そう年齢の変わらない彼女に申し訳ないという思いが真っ先に湧《わ》いて、幸乃は逃げるように視線を逸《そ》らした。卓上のカレンダーを視界に捉《とら》えた。

九月十五日、木曜日――。その日付に運命など感じない。長かった、あまりにも長すぎた生涯にようやく幕を下ろせるのだ。六年間、ずっと待ち望んでいた日だ。

読んでいた便せんを封筒に戻そうとした。中から桃色の紙片が舞い落ちた。拾い上げ、目の高さに掲げてみる。紙切れと思ったものは、蠟《ろう》でうすくコーティングされた桜の花びらだった。

春の香りが鼻先をくすぐった。錯覚という意識はなかった。それは拘置所に入ってからの六年間、どれだけ思いを巡らせてもついに感じることのできなかった外の匂いだ。

再び向き合った磨りガラスの向こうに、今度は鮮やかな景色を思い描けた。季節も、場所もずっと遠い。わずか十メートルほど先の隔てられた外の世界に、菜の花に囲まれた満開の桜の大木が揺れている。

いつの間にか乱れていた呼吸を、幸乃は懸命に整えようとした。

お願いだから静かに逝《い》かせて——。

見えない誰かに懇願しながら、意識を失うことを拒んでいた。それなのに目にしてしまった手紙の一節が、なかなか頭から離れない。

『僕だけは信じてるから。僕には君が必要なんだ』

優しかった彼の声が、どこか遠くで聞こえた気がした。

プロローグ 「主文、被告人を――」

裁判を傍聴することが趣味なんです。なんて飲み会で口をすべらせれば、間違いなく男の子から暗い女と敬遠された。でも、法廷には人生の悲喜こもごもがいつだって凝縮されていた。それがどんな事件の、どんな被告でも問われることは変わらない。お前はどうしてここにいるのか――？　それだけだ。

まだ十九歳のとき、「とっておきのデートスポット」などと言って私をはじめて裁判所に連れていったのは、大学の映画サークルの先輩だった。ほとんど傍聴人のいない法廷で、たまたま目にした窃盗犯は、必死に自分の人生を弁解していた。鼻白む裁判官に目もくれず、彼は一人真剣だった。

「これ、すごいですね。これはもうお金払って映画なんて観《み》てる場合じゃないですね」

私は放心したまま先輩の耳元でささやいた。

「だってこれこそ演技じゃないですか。なんとか罪を軽くしようとして、あの人、絶対に反省なんてしてないですよ。こんな人生のかかった大芝居、私はじめて見る気がします」

呆《あき》れた様子の先輩には二度と声をかけられなくなったけれど、私はその後も法廷通いを続けた。すぐに裁判を楽しむコツも見つけ出した。一つは、事件の流れを追いやすい公判初日、あるいは結審の日を狙《ねら》うこと。もう一つは、ドロドロとした怨恨《えんこん》のケースが多いから可能な限り女の被告人を探すことだ。

印象に残っている裁判はいくつもある。たとえば保険金目当ての毒物混入事件もその一つ。罪のない四人もの命を奪った女の顔を一目見ようと、その日、霞《かすみ》が関《せき》の東京地方裁判所には多くの人間が詰めかけた。私も抽選に臨み、幸運にもその機会を勝ち取った。

当選番号の記された抽選券を傍聴券に引き替え、私は定位置である後方の傍聴席に腰を下ろした。違和感を覚えたのは、となりに座った男の顔を目にしたときだ。銀縁のメガネに、視界を覆《おお》う長い前髪。スーツを着た三十歳くらいの男に連れの人間はいないようで、灰色がかった瞳《ひとみ》を神妙そうに法廷に向けている。

その顔がほんの一瞬卑《いや》しく映った。それがすごくいいと思わず感じた。この場で正義感を振りかざす部外者の方が、私にはよっぽど胡散《うさん》くさく感じられる。みんな柵《さく》の外から好奇心むき出しで眺めながら、心を痛めたフリをしているだけだ。この世にワイドショーなんてものがあることが一つの真理なのだと私は思う。

私は裁判そっちのけで男の横顔をうかがっていた。法廷が閉じると、席を立った男を追った。そして地下鉄の駅前で呼び止めると、先に無礼を詫《わ》びて、あらん限りの裁判論をぶつけてみた。彼は呆気《あっけ》に取られた顔をしていたが、すぐに苦笑し、「そんな単純なものでもないと思うけどね」と弱ったように肩を揺らした。

その日は連絡先だけ交換して、メールや電話で少しずつお互いのことを知っていった。はじめてのデートを皮切りにそれなりに若い男女らしいことを重ね、しばらくして私たちはつき合い始めた。

彼は見かけによらず面倒見の良い男だった。間もなくして始まった私の就職活動でも親身になってアドバイスしてくれた。「僕は公務員だから、民間のことはよくわからないんだけどね」と言いながら、エントリーシートの添削なども積極的にしてくれた。おかげで就職難と呼ばれるご時世にあって、私は早々に数社から内定を得ることに成功した。

「君はオヤジたらしだからね。生意気な女って、意外と上の人間には好かれるんだ」

彼はそう言って喜んでくれたけれど、私にはあまり響かなかった。どの内定先も自分の人生を捧《ささ》げるのに値する会社とは今ひとつ思えなかったからだ。

「ねぇ、公務員ってどうなの？」

つき合ってすでに一年が過ぎていた。今さらながらの質問に、彼は目をパチクリさせた。

「まぁ、僕はやりがいを感じてるけどね。でも、君には無理だよ。そもそも入れない」

「なんでよ」

「絶望的に役所が好むタイプじゃないんだもん。民間でやった方が合ってるって。だいたい君は正義感を持って働くっていう人間じゃないでしょ」

彼は意地悪そうに笑った。その見下したような一言にカチンときた……というわけではなかったけれど、私ははじめて公務員という仕事を意識した。「ふーん、正義感ねぇ」とつぶやいたその夜には、ネットで情報を漁《あさ》っていた。

四年生に上がる直前の春休み、私は大好きな法廷通いを封印し、公務員試験専門の予備校に通い始めた。彼と同じ都の職員に狙いを定め、五月に行われた一次試験、六月下旬の二次試験と順調に通過した。でも、これまでの就職活動で必ずあった手応《てごた》えがなぜか一向に得られなかった。

　そして迎えた三次試験で、私はやらかした。「ほとんど通る」と言われていた面接で、十八番《おはこ》であるはずの愛想がことごとく職員に刺さらなかったのだ。彼の指摘した「役所が好むタイプじゃない」が、見事に当たった格好だった。

　八月に入って不合格通知を受け取った私は、自分でも意外に思うほど落ち込んだ。

「どうする？　浪人する？」

　彼は慰めるでもなく尋ねてきた。

「ううん。もうキープしてたとこに行くよ。そんなに公務員になりたかったわけじゃないし」

　私の精一杯のつよがりに、彼はほくそ笑んだ。「そう？　じゃあ、もうこれはいらないか」と言ってカバンから取り出したのは、〈あなたの〝正義感〟を待っています〉という一文の記されたパンフレットだ。〈刑務官募集〉の文字も視界に入る。

「考える余地くらいあるのかと思ってね。前にもらっておいたんだ。言っておくけど甘い仕事じゃないよ。その覚悟が君にあるなら」

「まだ受けられるの？」

「実は願書も一緒にもらっておいた。ただ、締めきりが明後日《あさって》なんだ。自分で言っておいてあれなんだけど、考えている暇はあまりない」

その仕事については当然よく知っていた。足繁く通った裁判所で何度も姿を目にしていたからだ。彼の言う「覚悟」があったとは思わないけれど、そこにいる自分を思い描くのは容易《たやす》かった。

「うん、受ける。とりあえず試験だけでも受けてみる」

大急ぎで願書に記入し、人事院の事務局にまで持参した。並々ならぬ思いで試験に臨み、とくに二次の面接では都職員のときと同じ轍《てつ》は踏むまいと、志望動機も、自己PRも、私は徹底して自分を偽った。面接官の望むであろう受験者像をひたすら演じてみせたのだ。

でも、最後の質問を受けたときだ。

「この仕事において一番必要なものとはなんだと思いますか？」

年輩の面接官からそう尋ねられたときだけ、私は衝動的に素の自分をさらけ出した。

「正義感、って本当は答えるべきなのかもしれません。でも、私はその感覚が実はよくわかっていません。何度か傍聴させていただいた法廷で、記者の方や傍聴人を見て疑問に思ったことがありました。彼らの頑《かたく》なそうな正義感が世の中を良くしているとは私には思えませんでした」

しらじらとした空気が漂った。求められた答えでないことはわかっていた。最後に「身体《からだ》は小さいですけど、体力には自信があります」と、とってつけたように口にして、私はうすく微笑《ほほえ》んだ。内定の報《しら》せが届いたのは、秋も終わりに近づいた十一月のなかばだった。

その晩は興奮からかなかなか寝付くことができなかった。

「久しぶりに裁判でも見てきたら？　見える景色が今までと違ってるかもしれないよ」

とっくに寝ていると思っていたのに、彼は背を向けたままつぶやいた。私は暗闇《くらやみ》の中でうなずき、ベッドから這《は》い出て、ネットで裁判の情報を漁った。そして見つけた。メディアでもずいぶん報じられていた放火事件だ。〈田中幸乃〉という名前を、私はよく覚えている。

ある日の予備校からの帰り、彼と待ち合わせした近所の居酒屋で、私は見るともなくブラウン管のテレビを眺めていた。ちょうど夕方のニュースをやっているところだった。アナウンサーが見てきたような口調で放火犯について語っていた。その容姿と、生い立ち、抱えていたコンプレックスに、強烈な嫉妬心《しっとしん》……。

ブラウン管に映し出された薄幸そうな女の写真を見つめていたら、となりに座っていたカップルのささやき声が耳に入った。

「なんか、いかにもだよね」

男の方がつまらなそうに口にすると、彼女もすぐに同意した。

「なんでこういう女って他人に危害を加えるんだろう。学校にもよくいたよね、こういうヤツ」

話に交ざりたくなったが、その思いをこらえたことも覚えている。センセーショナルな続報が多く、望まなくても目に飛び込んできていた事件だった。その公判が近く、横浜地方裁判所で始まるという。

彼の寝息が一定のリズムを刻み始めたのを確認して、私は机にノートを広げた。そして傍聴の下準備とばかりに事件について調べ始めた。

情報はネット上に無数に転がっていた。私は無心でペンを走らせた。事件の概要を綴《つづ》ったノートは、瞬《また》く間に文字で埋まっていった。

◆

桜のつぼみがほころび始めた、三月三十日午前一時頃。ＪＲ横浜線・中山駅近くの木造アパートで火の手が上がった。消防の救出活動の甲斐《かい》なく、まもなく三人の焼死体が搬出された。

二階の角部屋から無残な姿で運び出されたのは、井上美香《みか》さん（26歳）と、彩音《あやね》ちゃん、蓮音《はすね》ちゃんの一歳の双子の姉妹。一家の主・敬介《けいすけ》さん（27歳）は勤め先の介護付き老人ホームに夜勤で出ていて、難を逃れたものの、美香さんのお腹《なか》には八ヶ月になる胎児もいた。また煙を吸い込むなどしてアパートの住民四名も重軽傷を負っている。

井上宅のドア前に灯油が撒《ま》かれていたことや、近くの川からその空き容器が見つかったことから、警察はすぐに放火の線で捜査を始めた。田中幸乃（24歳）が任意同行を求められたのは、事件当日の夕方のことだ。

幸乃は大量の睡眠剤を服用し、自宅で自殺を図ろうとしていた。踏み込んだ警察によって一命を取り留めた彼女は、目を覚ました直後に罪を認め、逮捕へと至った。

幸乃は敬介さんのかつての恋人だ。二人は一年半ほど交際したのち、事件の二年前に別れている。切り出したのは敬介さんの方だった。

そのとき、敬介さんはすでに美香さんと付き合っていた。しかし幸乃に明かせば逆上することは目に見えている。

ただ「別れたい」と繰り返した敬介さんに、幸乃は「納得がいかない」と食い下がった。それでも明確な理由を聞けないことに次第に激昂《げっこう》し、こんなことまで言ったという。

「もしあなたが私以外の誰かを守ろうとしているのなら、私はたぶんその女を許さない。すべてを消し去って、私も死ぬ」

二人の言い争いは二ヶ月以上続いた。捨てられることに怯《おび》えた幸乃の行動は常軌を逸した。敬介さんが前後して始めた介護の仕事中にも、幸乃からの電話はひっきりなしに鳴った。

慢性的な寝不足と吐き気から、敬介さんは精神的に追い込まれていった。そんな折、美香さんの妊娠が判明した。守るべきは自分の家族と言い聞かせて、敬介さんはなかば投げ出す形で幸乃との縁を絶つことを決めた。

携帯の番号を変え、実家の番号まで変更させた。住み慣れた川崎を離れ、友人を頼り横浜市緑区の住宅街に美香さんとの居を構えた。幸乃に知られることをおそれ、夜明け前に引っ越しするという念の入れようだった。前アパートの大家はもちろん、母親への報告や住民票の変更さえしばらくの間行わなかった。

幸乃からの連絡はピタリと途絶えた。だが二人の関係はか細いながらも続いた。敬介さんに幸乃からの百五十万円近い借金があったからだ。催促されたわけではなかったが、金を借りた恩と後ろめたさから、借金までうやむやにしようとはしなかった。

引っ越した月から、敬介さんは三万円ずつ幸乃の口座に振り込んだ。介護士としての十七万円ほどの給与で、家族を養い、その上での返済だ。生活は厳しかったが、決して欠かすことはなかった。

翌年には双子の女の子に恵まれ、苦しいながらも、幸せな日々が訪れた。だが返済を開始して一年半ほど過ぎた頃、敬介さんはあるミスを犯してしまう。それまで必ずネットバンクから行っていた振り込みを、自宅近くのＡＴＭからしてしまったのだ。それからわずか二日後、家族と駅前のスーパーへ出かけた敬介さんを、銀行の陰から幸乃が見ていた。

二人の視線はたしかに絡《から》み合ったが、その日は特段の接触はなく、幸乃は消えた。だが彼女は間を置かずに一家の前に姿を現すようになった。以来、家にいても常に視線がつきまとうように感じられた。そうした動揺につけ込むかのように、再び無言電話が鳴り始めた。

執拗《しつよう》なストーカー行為についに音を上げ、敬介さんが美香さんに事情を説明したのは、事件の前々月に至ってのことだ。

美香さんは敬介さんを糾弾した。そしてすぐに全額返すことを主張する。金を用立てたのは美香さんの父親だった。

美香さんは百万円ほどの残金を、書留の補償限度額である五十万ずつ、二通にわけて郵送した。そのうちの一つにはこんな手紙を同封した。

拝啓　田中幸乃様
まだまだ寒い日が続きますが、いかがお過ごしでしょうか。突然の手紙に驚かれたことと思います。井上敬介の妻の、美香と申します。

先日、主人から田中さんと以前におつきあいしていたこと、さらにお金をお借りしていたことを聞かされました。そんな大金を借りていたことにも、今でも返済が続いていることにも驚き、大きなショックを受けるとともに、妻としての力不足を痛感させられた次第です。

長い間大変ご迷惑をおかけいたしました。書留で失礼とは思いましたが、残金をご送金させていただきます。どうかお納めください。

ご迷惑をお詫びしますとともに、田中さんの今後の幸せを心よりお祈りいたします。

敬具　井上美香

だが、この手紙によって幸乃のストーカー行為が収まることはなかった。むしろ無言電話はそれまで以上に回数を増した。

二人は話し合いの末、ついに最寄りの警察署へ相談を持ちかけた。警察の対応は想像していたよりも早く、すぐに無言電話に対する〝警告〟を出してくれたが、拘束力は乏しかった。しばらくするとまた幸乃の影を感じるようになった。

事件当夜、休憩中の敬介さんの携帯が鳴ったのは、深夜一時過ぎだった。表示された美香さんの名前を目にした瞬間、敬介さんは強烈な吐き気に襲われた。直感的に幸乃にまつわる内容だと理解した。

呆然《ぼうぜん》と通話ボタンを押すと、これまで聞いたことのない轟音《ごうおん》が耳に飛び込んできた。必死に美香さんの名を呼びかけた数秒間が、敬介さんにはひたすら長く感じられた。

「ねぇ、パパ……。あの女だ……。あの女が外にいた」

細切《こまぎ》れのような声を聞いた瞬間、目の前に真っ白な世界が広がっていった。

それが敬介さんが聞いた、美香さんの最後の声だった。

◆

捜査は単純なものだった。アパート周辺での目撃証言や、美香さんからの最後の電話。幸乃の部屋から押収されたノートの存在。強盗致傷事件によって児童自立支援施設に入所していたといった過去も、充分に彼女の凶行を裏付けるものだった。

とくに注目を集めたのは幸乃の部屋で見つかった何十冊もの日記帳だ。そこには執拗に記された『死にたい』という言葉に混ざり、『納得いかない』『殺したい』『絶対に許せない』といった、敬介さんとその家族に対する恨みが綴られていた。

しかし敬介さんに別れを告げられた日以来、一日として欠かさなかった日記は、事件の数週間前に以下の言葉をもって唐突に終わりを告げている。

『いい加減自分と決別したい。今日をもってノートともお別れだ。こんな価値のない女を好きになってくれてありがとう。さようなら、敬介さん』

幸乃の逮捕前から、放火殺人事件の概要は派手に新聞紙面を賑《にぎ》わしていた。逮捕後は一転、幸乃の生い立ちや容姿についての報道合戦が始まった。

とくに週刊誌を中心とするメディアは、幸乃の顔について執拗に取り上げた。幸乃は事件の三週間前に大がかりな整形手術を行っていた。一部週刊誌には「犯行を隠蔽《いんぺい》するため」と断定するような記事があった。

　私生児として出生した過去や、その母が十七歳のホステスであったこと。養父から受けていた虐待《ぎゃくたい》に、中学時代に足を踏み入れた不良グループ、強盗致傷事件を起こして児童自立支援施設に入所していたという事実。そして出所後に更生し、真っ当な道を歩み始めたかに見えたものの、最愛の人との別れを機に再びモンスターと化していった経緯……。

　そういった、ともすればステレオタイプとも言える生い立ちや別れの状況を捉え、情状酌量《じょうじょうしゃくりょう》の余地ありと見る向きも一部にあった。だが、死刑適用の判断基準を提示した〈永山《ながやま》基準〉に照らし合わせれば、極刑は免れないとの見方が大勢を占めた。

　二つのテレビ局が競うように流した夏頃の報道も、そうした世論を形成するのに一役買った。

　一つは現場近くに住む白髪の老婆《ろうば》の証言だ。事件の晩、幸乃が現場周辺をうろついていたということを事細かに話した女は、「子どもまで巻き添えにして。あんな人非人、絶対に死刑にすべきですよ。神様が許しません」と、胸のペンダントを握りしめながらまくし立てた。

もう一つは、敬介さんらが住んでいたアパートのオーナー、草部猛《くさべたけし》さんのものだ。草部さんは地域の民生委員として長年活動。事件の一週間前にも近くの公園で少年グループの諍《いさか》いを収めるなどして、周辺住民の信頼は厚かった。

草部さんは被害者の美香さんと親しくつきあい、双子の姉妹のことも自らの孫のようにかわいがった。一家がストーカー行為に悩まされていることも聞いており、事件当夜も含め、幸乃を見かけるたびに声をかけた。美香さんには内緒で幸乃を自宅に上げ、諭そうとしたことも何度かあった。

はじめはつきまといという陰湿な行為に、義憤に駆られるばかりだった。しかし幸乃の抱える孤独や虚無は想像の範疇《はんちゅう》を超え、次第に純粋な興味から、いつしか守らなければならない対象へと捉え方が変わっていった。

草部さんもまた煙を吸い込み、入院を余儀なくされた事件の被害者だ。だが彼は退院直後、あるテレビ局の単独取材に応じ、複雑な胸の内を明かしている。

――田中容疑者の存在を知っていましたか。

「事件のあった頃は、三日に一度はあの子の姿を見かけてたよ。いつだってうつろな目をしていたけれど、たしかにあの夜の顔はひどかった」

――当夜の状況を教えてください。

「夜の八時か九時頃だったかな。大きな袋を持ってアパートの周りをうろついてたんだ。引き留められなかったことを本当に今でも悔やんでるよ。あの子に事件を起こさせたのは、実は私自身なんじゃないかとも思うんだ」

――どういう意味ですか。

「うまく説明できないけど、私にはみなさんと一緒になって、あの子だけを裁くことはできない。亡《な》くなった美香さんたちには申し訳ないけれど、事件があってから夢で見るのは田中幸乃の顔ばかり。それも手術なんてする前の、大人の顔色をうかがう女の子みたいな顔ばかりなんだ。もちろん、だからといってこの残酷な犯行を許せるわけではないけどね」

逮捕から半年が過ぎても尚《なお》、事件の注目度は高かった。とくに被害者一家の遺族の声、「何があっても極刑を望む」といった発言がメディアに載るたびに、世論は素直に共鳴した。

加えて、ワイドショーによって〈整形シンデレラ放火殺人事件〉などと命名された事件の公判は、ある側面において社会的な注目を集めていた。

裁判員裁判による初の死刑求刑となった〈上野マッサージ師殺人〉や、初の死刑判決が出た〈川崎バラバラ殺人〉、そして検察の死刑求刑に対し、市民がはじめて無罪の評決を下した神戸の連続強盗殺人事件。

裁判員裁判と死刑案件における多くの「初」を経るたびに、メディアは沸いた。そして裁判員裁判は制度開始からわずかの間にほとんどの「初」を迎え、すでに当然のものとして受け入れられたかのようだった。

そうした状況で起きた放火殺人事件と、その被告人・田中幸乃の登場は、久しぶりに記者たちの胸を弾ませたようだ。裁判員裁判において初となる「女」に対する死刑求刑——。身勝手な理由で母子三人を焼き殺した女を、はじめて市井《しせい》の人々が裁こうとしている。そのインパクトは小さくなかった。

放火事件の公判初日、幸乃の生い立ちを総ざらいしたワイドショーの司会者は、こう言ってコーナーを締めくくった。

「我々はきっと歴史の証言者なのでしょう」

そのしたり顔に嫌悪感《けんおかん》を抱きながらも、私の胸もしっかりと昂《たか》ぶった。

五日間に及ぶ一審の集中審理は、事件から季節を二つ越えた十一月の下旬に行われた。大学をサボり、四日目まですべての傍聴を希望し、でも抽選に漏れ続けてきた私は、判決の日もいつもと同じように家を出た。

横浜の官庁街に並ぶ銀杏《いちょう》の葉は秋風に吹かれ、黄金色に揺れていた。平日だというのに多くの人たちがスケッチブックを広げ、思い思いの色で染めている。

駅から裁判所に向かう途中、見知らぬ男が声をかけてきた。

「お姉ちゃんも何？　傍聴かなんか？」

キャンバスを前に、ベレー帽を目深にかぶった男は好々爺《こうこうや》然と微笑んでいる。

「いつもここで絵を描いてるけどさ。今日はとくにすごい人だよ。そんな注目されるような事件なんてあったっけ？」

「放火事件です。例の、緑区で母子三人が亡くなった」

「ああ、あれか。そういえば雑誌にも出てたっけ。〝シンデレラ〟とかなんとか呼ばれてる、整形の。あれはおっかない顔してるもんね。表情に人間らしさがないもの」

言葉とは裏腹に、男は楽しそうに肩を揺らした。

「ふーん、そうか。恐いよね。もう死刑だよね、死刑。裁判なんてするだけ税金のムダ。そんなクズ、早く殺さなくちゃダメなんだよ」

これまで報じられてきた内容を思えば、男の言い分はもっともだ。頭ではそう理解しつつ「殺す」という言葉の強さに、私は一瞬戸惑った。

「そうですね。たしかにそうかもしれません」

他に言葉は見つからなかった。男は満足したように首をすくめ、再び絵と向き合った。

「どうして人が人を殺すかね。狂ってるよ。世界はこんなに美しいのに」

声に惹《ひ》かれ、肩越しにキャンバスを覗《のぞ》き込んだ。たしかに暖色で彩られた優しい世界が、小さな枠の中に広がっていた。

裁判所の前は多くの人でごった返していた。マスコミに雇われたアルバイトの主婦や、慣れた様子の傍聴マニア、スケッチブックを脇《わき》に抱えた法廷画家など、雑多な人種が行儀良く列をなしている。

テレビで決定的な目撃情報を語っていた、白髪の老婆の姿もあった。彼女は検察側の証人として数日前に証言台にも立っていたはずだ。親類なのだろうか、老婆はこの場に似つかわしくない金髪の少年を従えている。顔を真っ赤に染めながら、説教するように彼の耳もとで何やらささやいている。

三十分ほど待ったところで当選番号が張り出された。関係者と一部の記者を除き、割り当てられたのは五十二席。そのわずかな椅子《いす》を巡って、最終的に千人近い人たちが集まっていた。

すし詰めの列が少しずつ動き出した。騒然とする輪に飛び込み、私も番号を確認する。手にした番号はホワイトボードに記されていた。確信があったわけではないが、当選すれば一転、必然という気がしてくるから不思議なものだ。

抽選用紙を紫色の〈公判傍聴券〉に引き替えてもらい、私は横浜地裁に足を踏み入れた。アナウンサーやニュース番組のアンカーマンなど、有名人の密度が一気に高くなった法廷前は、外とは比べものにならないほど緊張感に充《み》ちている。

十五時二十分になり、入廷が許された。記者たちが我先にと走り出す。釣られるように急ぎ足になり、私はいつもの右手後方の座席を確保した。他の傍聴人たちも次々と入ってきて隙間《すきま》なく席を埋めていく。

ほどなくして法服をまとった三人の裁判官が入廷してきた。彼らのどこか余裕に充ちた表情から判決内容は汲《く》み取れない。

今度は裁判官後方の壁の向こうから低い足音が聞こえてくる。男性三名、女性五名、補充メンバーを含めた八名の裁判員。裁判官たちとは違い、一般の市民である彼らの顔に宿った感情を読み取り、私は息をのみ込んだ。

向かって左手のドアがゆっくりと開いた。女性職員に連れられて田中幸乃が入廷した瞬間、法廷が大きくどよめいた。「静粛に！　静かにしてください！」と裁判官の一人が懸命に注意するが、ざわめきは消えない。

私も思わず声を漏らしそうになった。その容貌《ようぼう》はメディアで報じられていた写真はもとより、想像していたものともかけ離れていた。長年農作業に勤《いそ》しんできた老人のように背を丸め、肌は不自然なくらい青白い。目は絶えず泳ぎ続け、表情はこれ以上ないほどどうつろだ。それなのに手術のおかげか、顔だけは見事なほど整っている。

着席すると同時に、幸乃の姿は静けさを取り戻した法廷に溶け込んだ。彼女こそ主役で、ここにいる誰もがその一挙一動を見逃すまいと目を凝らしているのに、ふと瞬《まばた》きをした瞬間に姿を見失いそうになる。

周囲に無視され続けてきたという日記の記述が脳裏をかすめた。それが半生のキーワードであるかのように、彼女の日記には「必要とされたい」という言葉が散見された。

「起立！」という号令がかかり、全員が立ち上がる。着席をうながすと、裁判長はすぐに幸乃を証言台に呼び寄せた。

法廷全体を見渡せる位置から幸乃を見下ろし、裁判長は一度小さく目を伏せた。フィナーレは早々にやってきた。

「あなたに主文を言い渡す前に、判決に至った理由から先に述べたいと思います」

数名の記者たちが血相を変えて飛び出していく。刑事裁判における判決は主文から言い渡されるのが慣例だ。しかし極刑である場合は、その例から漏れることがほとんどだという。被告人が精神的に混乱をきたし、判決理由を聞いていられなくなるからと言われている。

私は決して幸乃から視線を逸らさなかった。うしろ姿から心の内は読み取れないが、目を背けることができなかった。

まるで深い海の底を泳ぐ魚のように、裁判長の声が法廷の中を揺らいだ。

覚悟のない十七歳の母のもと――。

養父からの激しい暴力にさらされて――。

中学時代には強盗致傷事件を――。

優しさを孕《はら》んでいた裁判長の言葉が、少しずつ固い表情に追いついていく。そして「たとえ被告人に有利な情状に鑑《かんが》みたとしても」という言葉が峠となった。次の瞬間には、言葉は完全に厳しいものに塗り替えられた。

罪なき過去の交際相手を――。

その計画性と深い殺意を考えれば――。

反省の様子はほとんど見られず――。

証拠の信頼性は極めて高く――。

判決理由とは本来誰のためのものなのだろう？　はじめて死刑判決の理由を聞いたとき、そう感じたのを覚えている。これから死を宣告される者に対し、だから納得しなさいというものなのか。それとも怒りに駆られた遺族や市民に対し、これをもって溜飲《りゅういん》を下げろということか。

朗読は十分以上続いた。ひりつくような緊張がさらにしばらく続き、裁判長は一度小さくうなずいた。沈黙の重さに耐えきれないと感じた、直後だった。

「主文、被告人を――」

それまでよりも一段高い声が法廷内に轟《とどろ》いた。

「死刑に処する！」

一寸の間もなく、今度は二十名近い記者が一斉に立ち上がった。椅子の音が鳴り響く。彼らの出ていった扉の向こうで「死刑、死刑、死刑！」「バカヤロー、違うよ」「整形シンデレラ、死刑だって！」という叫び声が飛び交っている。

裁判長が存在を知らしめるように咳払《せきばら》いした。

「願わくは、被告人が心の平穏を得んことを……」

最後にそう締めくくろうとしたとき、法廷内の空気がかすかに緩んだ。何人かの傍聴人はすぐに席を立とうとしたが、私は身動きが取れなかった。いつものような高揚感を抱けず、普段の自分が何をおもしろがっていたのかも思い出せない。

このとき胸にあったのは違和感だった。これまで見てきた法廷とは決定的に何かが違った。でも、その正体がつかめない。

一瞬の静寂を縫うようにして、弱々しい声が耳を打った。

「も、も、申し訳ありませんでした」

声に気づいた数人がゆっくりと振り返る。

「う、生まれてきて、す、す、すみませんでした」

そう続けた幸乃から、裁判長は視線を逸らした。目頭を拭《ぬぐ》う裁判員が何人かいた。検事の一人は肩を揉《も》みほぐし、弁護人たちは力なくうなずき合った。裁判は幕を閉じようとしていた。

さらなる異変があったのは、そのときだ。再び手に捕縄をかけられた幸乃が、引き寄せられるように傍聴席を振り向いた。

私はあわてて幸乃が見つめる相手を探した。大きなマスクをした若い男がうつむいている。その横にはテレビで目撃証言を語っていた老婆と金髪の少年が、後方では被害者の写真を持った遺族らしき女性が大きく目を見開いている。

幸乃が誰を見たのかはわからない。ただすべての事象を疑うような瞳の奥に、ふっと人間味が宿ったのは間違いない。それを証明するように、幸乃は直後に笑みを浮かべた。

傍聴人たちは不意に笑った幸乃を目撃し、息をのんだ。しばらく続いたざわめきのあと、先ほどよりも大きな悪意を含んで、法廷に多くの声が交差した。悲鳴のような叫び、幸乃を非難する女の声、それを制止しようとする警備員の怒声。

そうした喧噪《けんそう》を置き去りにして、幸乃は静かに法廷を去っていく。その背中に、私は懸命に問いかけた。ねぇ、あなたはどうしてそこにいるの――？　その理由が裁判で解き明かされたとは思えなかった。

裁判所を出た私は、他の傍聴人に群がるテレビカメラを横目に、銀杏の木を見上げた。裁判中ずっと抱いていた違和感の正体にふと触れた気がした。自分が刑務官になることは関係ない。女の被告人であったことも、裁判員裁判であることも、死刑判決も理由じゃない。幸乃は自分の人生をいっさい弁解していないのだ。何ひとつ抗《あらが》おうとしていない。そこだけはあきらかにいつもの裁判と違っていた。

私は呆然と裁判所を振り返った。胸をかすめたのは、いつか居酒屋で耳にした見知らぬ男の一言だ。

「なんか、いかにもだよね」

あの日は何も感じなかったはずの言葉に、なぜか強烈な嫌悪感が湧《わ》く。私は何かを決定的にはき違えているのではないだろうか？　そんな不安が胸に滲《にじ》む。

彼女の頼りない瞳が脳裏を過《よ》ぎった。あれが本当に〝悪魔〟の見せる顔なのか。私はいったい誰の法廷を見ていたのだろう。

裁判は終わったばかりだというのに、私は田中幸乃のこれまでの人生に、そしてこれから始まる日々に思いを馳《は》せずにはいられなかった。

第一部　事件前夜

第一章　「覚悟のない十七歳の母のもと――」

田中幸乃の死刑判決を知ったのは、裁判の翌日、静寂の立ち込める診療室でのことだった。

「あの、先生。私は先に失礼しますね」

丹下《たんげ》建生《たけお》の目の前にようやく色が伴った。見上げた先に、長年勤めてもらっている助産師が立っている。

「え、ああ。お疲れさま。また明日よろしくお願いします」

「もう、やだ。先生ったら、ボケッとして。ちゃんと戸締まりお願いしますよ」

頼りなさそうに微笑《ほほえ》んだ彼女にうなずきかけて、丹下は読んでいた新聞に視線を戻した。瞬《まばた》きすることも忘れ、視界がかすむのを自覚しても、〈田中幸乃〉という文字から目が離せない。

春先からしきりに報じられていた放火殺人事件の被告人だ。新聞やテレビなどでよく知る事件だったし、同年代の孫を持つ身として感じることも少なくなかった。ただ、今までまったく気づいていなかった。死刑という結末を知り、今頃になって記憶が呼び覚まされるとは。

かすかに脳裏に残る名前の下には〈24歳〉とある。写真の顔に、かつてここを訪ねてきた少女の姿が少しずつ重なっていく。

記事には田中幸乃に下された判決とともに、幸せに暮らしていた親子四人の生活の様子と、一人生き延びてしまった夫の苦悩とが綴《つづ》られていた。残忍な放火事件の容疑者というだけで、女は立派に〝悪魔〟に見えたが、腑《ふ》に落ちない記述もいくつかあった。

とくに裁判長による判決要旨の一部分だ。幸乃の母、田中ヒカルが出産当時十七歳であったことも、横浜でホステスをしていたのも間違いない。しかし、だからといってあの母に「覚悟」がなかったかと問われれば、その答えは絶対に「ノー」だ。彼女と自分だけが知っている、あの朝の匂《にお》いが鼻腔《びこう》によみがえる。

丹下は静かに目をつむった。瞼《まぶた》の裏を過《よ》ぎったのは、ヒカルがはじめて病院を訪ねてきた日のことではない。

自分が産科医としての道を歩み始めた、もう半世紀も前のことだった。

◆

丹下に自ら医師になることを望んだ覚えはない。四人兄妹の長兄として一人だけ医学部に通わせてもらい、国家試験も難なくパスした。京浜急行線日ノ出町駅から徒歩四分、横浜市中区の路地裏にたたずむ「丹下産婦人科医院」は、父が開業したものだ。

昭和三十四年、丹下は二十四歳で実家に戻った。知識を積んだ目で見た父の腕はきわめて堅実だった。しかし、ある一点において丹下は父と折り合いが付けられなかった。父は中絶を希望する女性の声を絶対に聞き入れようとしなかった。

当時は中絶手術をしない産科医は少なくなかった。戦後まもなく施行された「優生保護法」により、人工妊娠中絶はかろうじて法的な認可を受けてはいたものの、まだまだアウトローなイメージがつきまとった。

病院の評価や世間体を意識すれば、父の気持ちも理解はできた。だが、丹下の目には父が医師としていいとこ取りをしているようにも見えていた。

「せめて話だけでも聞いてあげるべきなんじゃないのかな」

ある日の夜、いつものように女性を追い返した父に、丹下はめずらしく強い口調で言った。父もすぐさま声を張った。

「産科医の使命は一つでも多くの命を取り上げることだ。粗末に扱うことではない」

「女性の苦しみを取り除いてやることも立派な使命だろ」

「お前がそう思うのなら、一本立ちしたときにやればいい。だが、私はそうは思わない」

父はそこで口をつぐみかけたが、断ち切るように顔を上げた。

「いや、それだけの覚悟が私にはない」

その後も似たような出来事が起こるたびに父とぶつかった。自分が病院を継いだときにはと、多くの場面を経るたびに丹下は心の中で唱えていた。

父が脳溢血《のういっけつ》で急逝《きゅうせい》したのは、そのやりとりをした二年後のことだった。昭和三十八年の秋、丹下は二十八歳になっていた。

父の死を契機に丹下は病院の方針を一新した。代替わりして一年が過ぎた頃には、時代の流れと、路地裏という立地も影響し、中絶を望む女性の数は激増していた。

丹下はどんな患者とも対等に向き合った。難産の末に赤ちゃんを取り上げたときも、診察台の上で嗚咽《おえつ》する女性に点滴の針を挿入するときも、さして気持ちに違いはなかった。患者に感情移入しないことは、心を安定させるただ一つの手立てだった。その思いは、自らの手で一人息子の広志《ひろし》を取り上げたときも変化はなかった。

経営はいたって順調だった。平日の休診を取りやめ、頼まれれば日曜も病院を開けた。訪ねてくる女性は一人では対処しきれぬほど多く、独り立ちした数年後には父の念願だった改築工事にも着手した。

真新しい壁に〝水子《みずこ》の館《やかた》〟と落書きされたときも信念は揺るがなかった。一人で思い悩む患者に手を差し伸べるのは、医師として当然のことなのだ。

「先生、本当にありがとうございます。もうこんなことは繰り返しません」

目を真っ赤に潤《うる》ませ、唇を嚙《か》みしめる女性の顔を見るたびに、丹下は何かを証明している気になった。


そんな心にさざ波が立ったのは、息子の広志が小学五年生に上がったときだ。「お前の父ちゃん、人殺し！」と、一部のクラスメイトから心ない嫌がらせを受けたのだ。陰口や無視がクラス全体に広がり始めた頃、妻の小百合《さゆり》が異変に気づいた。

小百合に問いただされた広志は、その晩の食卓ではじめて自分の身に起きていることを説明した。結果的に父親を非難する言葉だった。うかがうように丹下の目を見ながら、広志は申し訳なさそうに頭を垂れた。

その仕草に、丹下は無性に腹を立てた。

「お前も私の仕事を恥ずかしいと思っているのか？」

なぜか死んだ父の顔が脳裏を過ぎった。広志は驚いたように顔を上げたが、すぐにまたうつむき、弱々しく首を振った。丹下の気持ちは収まらない。

「何不自由なく生活して、人様以上に贅沢《ぜいたく》な暮らしをしておいて、まだ何か望むのか？どんな気持ちで私が……。お前たちのために、いったいどんな――」

自分でも言葉をコントロールすることができなかった。何を言っているのか。誰に、何を怒っているのか。広志は肩を震わせながら、小さく「ごめんなさい」とつぶやいた。

その晩、広志はベッドで泣きながら「僕もお医者さんになりたかった」と言ったという。なりたい、ではなく、なりたかった。小百合にそう漏らしたそうだ。

もともと会話の多い父子《おやこ》ではなかったが、それ以来、広志と話す機会はめっきり減った。イジメはまもなく収束したが、すぐに広志は反抗期に突入した。中学に入ると丹下と視線すら合わせようとしなくなった。

小遣いをいらないと拒み、高校に入ると相談もなくアルバイトを始め、受験する大学も自分で決めてきた。期待していたつもりはなかったが、広志は医学部を目指そうとはしなかった。京大の法学部に現役で合格し、やはり一人で決めてきた下宿先に巣立っていった日、丹下の心に小さな穴が予期せず空いた。

直後、小百合に胆管ガンが見つかった。幸いにも早期発見で、手術は成功したものの、前後して発症した自律神経失調症の影響で、小百合は目に見えて鬱《ふさ》ぎ込むようになった。

広志はたびたび電話を寄越しては「次の休みには必ず帰るからね」と小百合を勇気づけていたようだ。しかし連絡を受けてからの数日はかろうじて元気を取り戻すものの、すぐにまた闇《やみ》にとらわれるように、小百合の顔から生気は消えた。

大学四回生に上がる直前の三月、新学期を間近に控えた時期に、広志は連絡もなく病院を訪ねてきた。

「近々京都の下宿を引き払って、こっちにアパートを借りるから。単位はもうほとんど取り終えてるし、問題はない」

丹下は何も聞かされていなかったが、広志は在学中に司法試験をパスしていた。来春からの二年にわたる修習期間を経たあとは、横浜市内で法律事務所を探すつもりだという。

さらに驚かされたのは、自宅からほど近い山手のアパートに荷物を入れたその晩、広志が見知らぬ女性を連れてきたことだ。

「結婚するからさ、俺たち」

すでに報告を受けていたらしく、それどころか面識さえあったようで、小百合は顔をほころばせた。

「はじめまして。小西香奈子《かなこ》と申します」

礼儀正しく腰を折り曲げ、香奈子は京都訛《なま》りのある言葉で名乗った。言葉遣いは洗練され、どこか余裕を感じさせるのに、表情にはまだあどけなさを残している。

「今年、二十三歳になります。私も大学で法律を学んでいました。広志さんとは二回生の頃からおつき合いさせていただいております」

彼女の話を聞きながらも、丹下の視線はある一点に釘付《くぎづ》けになった。ゆっくりと視線を香奈子の顔に戻す。広志の口が先に動いた。

「もちろん産むよ。俺たちは」

その声に挑戦的なニュアンスは含まれていなかったと思う。言葉を反芻《はんすう》しながら、再び視線を香奈子のお腹《なか》に戻した。四ヶ月といったところだろう。どうしてそんなに急ぐのか、という疑問は湧《わ》いた。だが、丹下は「そうか」としか応《こた》えなかった。

このときに働いたのは、おそらくは打算だった。最愛の一人息子が戻ってきて、念願の孫ができるという。寝込んでなんかいられない。母として、祖母として、今こそ自分ががんばらなければ。小百合が奮起することを瞬時に期待した。

実際、小百合はその日を境に見違えるように元気になっていった。それから亡《な》くなるまでの半年間は、丹下家にとってもっとも平穏な時間だった。あと一つ贅沢を言えるのならば、孫の顔を見せてあげたかった。それだけが心残りだ。

母の亡骸《なきがら》の前で涙を堪《こら》える姿を見て、丹下ははじめて広志の性急な帰郷の理由を知った。小百合の死期を悟り、母と過ごせる最後の時間と思ったからこそ、嫌いな父とも顔を合わせた。それが証拠に、広志は初七日の法要を最後に再び丹下の目を見なくなった。

そんな二人の関係を香奈子が取り持とうとしてくれた。

「お義父《とう》さんには最初に赤ちゃんを見ていただきたいと思っています」

二人は自宅から車で二十分ほどのところにある大学病院で出産することを決めていた。それでも出産の際には一緒にいてほしいという。

「他で産むなんて本当に無礼なことだと思っています」

そう続けてくれた香奈子に感謝を述べつつも、丹下に立ち会うつもりはなかった。広志が望むはずもなかったからだ。

それを悟り、香奈子が画策したこととは思わない。だが予定日をいくらか過ぎ、心配し始めていた九月十四日の深夜。自宅前に車のブレーキの音が響くと、真っ青な顔をした広志が寝室に飛び込んできた。

「香奈子が破水したみたいだ。もう病院までもたないって。悪いけど、親父」

「彼女は？」

「車にいる」

「すぐに診察室に運びなさい」

丹下は顔に水を浴びて、頬を張った。蛍光灯の灯《とも》る診察室で、香奈子は脂汗《あぶらあせ》を浮かべて悶《もだ》えていた。初産だからとまだ安心していたが、子宮口の開きはすでに十センチを超えていた。すぐに分娩台《ぶんべんだい》に移し、いきませた。白衣をまとわせた広志には香奈子の手を握らせた。

部屋に入って十分足らずの出来事だった。深夜の診察室に、たくましい男の子の泣き声がこだました。

赤ちゃんの身体《からだ》を丁寧に拭《ふ》き取り、夫婦に抱かせ、丹下は洗面台の鏡越しに自分の顔を睨《にら》みつけた。背後からの泣き声に、気が急《せ》く。

心を鎮《しず》めようとあらためて頬を叩《たた》いた。ゆっくりと振り向くと、赤ちゃんを囲むようにして若い夫婦が顔を赤く染めていた。

「さぁ、親父」

今にも泣き出しそうな広志のもとに自然と歩が進んだ。ああ、小百合の目にそっくりだ。真っ先にそう思った。

「やっぱりお義父さんに名前をつけていただきたいと思うんです」

香奈子が赤ちゃんを抱きながらささやいた。姓名判断は数少ない趣味の一つ。いつか何気なく話した丹下に、香奈子はいたずらっぽく「では、名前はおじいちゃんに」と、お腹をさすって笑っていた。

その日は丹下も冗談と受け流したが、赤ちゃんを胸に抱く香奈子は笑っていなかった。ふと顔を向けると、広志も弱ったようにうなずいている。万が一、万が一と心に秘めていた名前が、自然と口をついて出た。

「ショウ、なんてどうだろう」

「ショウ？　どういう字ですか？」

「飛翔《ひしょう》の、翔だ。世界を翔《かけ》るという意味なんだが、どうだろう。ちょっと今時すぎるかな」

字画だけでなく、狭い世界でしか生きられなかった自分の人生を振り返り、精一杯の願いを込めたつもりだ。

赤面する丹下を見て、香奈子は顔をほころばせた。

「ううん、すごく素敵な名前。丹下翔くん、ママですよ」

広志も照れくさそうに「なんだよ。ちゃっかり考えてやがったな」と口にする。

「はい、おじいちゃん」と、香奈子から翔を手渡された。母親から引き離されたことに気づいた翔は、早速大きな声で泣き出した。

今まで自分がしてきたことを否定したくはないし、この仕事への誇りも、もちろん情熱も変わらない。

そう心の中で唱えながらも、不意に目頭が熱くなる。いくつもの誕生の瞬間に立ち会ってきたときも、同じように種を葬《ほうむ》ってきたときも、顔色一つ変えなかった自分がだ。

翔を胸に抱いたこのとき、胸の内で何かが揺れ動いたことを、丹下はたしかに感じていた。

以来、丹下は堕胎のための手術がどうしても行えなくなった。父から代替わりした頃と同じように噂《うわさ》が広まっていったのだろう。堕胎を希望する女性の数は少しずつ減っていったが、何も知らずに来院する女性も一定数いた。

田中ヒカルがはじめて病院を訪ねてきたのは、翔の一歳の誕生パーティーがあった翌日のことだ。街にうっすらと靄《もや》がかかり、九月だというのに肌寒い朝だった。

「できてるんだと思います。堕《お》ろしてください」

感情のない目で言った少女に、丹下は黙ってエコーを当てた。たしかに豆粒ほどの命が宿っていた。

「パートナーは？　今日は一緒じゃない？」

カルテを書き込みながら淡々と尋ねた丹下に、ヒカルは曖昧《あいまい》な表情を浮かべるだけで、口を開こうともしなかった。

若い看護婦に席を外させ、丹下は一人でヒカルと向き合った。保険証で彼女が十七歳であることはわかっていたが、高校生ではないだろう。仕事帰りなのか。安っぽいミニのスーツに身を包み、酒と香水が入り交じった匂いをまとっている。

しばらくの静寂のあと、ヒカルはしぼり出すようにつぶやいた。

「私には保護者もパートナーもいません。産むことなんてできません」

自分に言い聞かせるようにうなずいて、強い口調で続ける。

「私、十七年も生きてきて、一度も生まれてきて良かったと思ったことがないんです。

本当に一度もないんです」

先をうながした丹下を見つめ、ヒカルは自嘲《じちょう》するように首をひねった。そして訥々《とつとつ》と身の上話をし始めた。

物心ついたときには養父の性的な暴力は始まっていた。母の美智子《みちこ》はヒカルのSOSに気づかぬフリをし続けた。ヒカルは神経系の持病を抱えていて、気が昂《たか》ぶると意識を失うことが多かった。かといって母が助けてくれることはなく、養父の虐待《ぎゃくたい》も止《や》まなかった。

家の中はいつも養父の暴力に支配され、母は機嫌を取るのに必死だった。それでも二人きりになると、母は必ず「愛してる」と言って抱きしめてくれた。それなのに二人が離婚したとき、どういうわけかヒカルは養父の方に引き取られた。母はいつの間にか街からも消えていて、二度とヒカルの前に姿を現さなかった。

養父が再婚したあとも折檻《せっかん》は続いた。むしろそれまで以上に回数は増え、要求される内容もエスカレートしていった。

養母の連れ子はヒカルと同じ年の男の子だった。狭い家の中で彼はすぐ異変に気がついた。二人が十歳になった頃、その子によって養父とのことが友人たちに広められた。住んでいた群馬の小さな街に、噂は瞬《またた》く間に広がった。

仲の良かった小学校の友だちからも白い目で見られるようになった。中学校に上がると、無視は激しいイジメに変わった。はじめて手首にナイフを当てたのは十四歳のときだった。しかしこのとき、近所で自宅を巻き込む大きな火災が起きた。

たった今死のうとしていた自分が、気づいたときにはナイフを手に逃げまどっていた。その滑稽《こっけい》な姿に泣きながら笑って、野次馬の群れに交じって自宅が鎮火するのを見届けた。そして直後に、ヒカルは自分の人生にはじめて降り注いだ僥倖《ぎょうこう》を知った。昼間から居間で泥酔していた養父が逃げ遅れ、火の海の中で焼け死んだのだ。

住む家がなくなり、身寄りを失ったのと引き替えに、ヒカルは長く望み続けていたものを手に入れた。誰にも束縛されない自由と、人間として生きる権利だ。

翌日にはヒカルは避難所を抜け出し、歩いて東京を目指した。憎くて仕方がなかった。その養父があっけなく死んだ。あんな鬼畜のためにしくしくと泣いている。その自分のことが何にも増して憎かった。

「よくある話ですよね」

ヒカルはかすかに笑って語り続けた。上野で拾われてホステスとして働き始め、のちに横浜に流れ着いたこと。勤めている曙町《あけぼのちょう》の店で知り合った黒服の男と恋仲になったこと。一緒に暮らし出した頃から、男の暴力が始まったこと。妊娠したのを機に、男がヒカルの前から姿を消したこと。

丹下は何を感じればいいのかわからなかった。当然心は痛むものの、一方では週刊誌を読むようなしらじらしい気持ちも湧いた。本人の言うように「よくある話」に思えたのだ。

ただその切実な語り口調は、普通の十七歳のものとは思えなかった。

「けど、先生。私、ほとんどはじめて嬉《うれ》しいと思ったんです。検査薬で反応が出たとき、またあの人に殴られるってわかっていたのに、嬉しかった。でも育てる自信なんてありません」

他に来院する人がいないのは救いだった。丹下は静かにペンを走らせる。

「もし君が本当に堕ろそうと思っているのなら、もうあまり時間はない。すぐにこの病院を訪ねなさい」

丹下が差し出したメモを不思議そうに眺めて、ヒカルは首をかしげた。

「先生がやってくれるんじゃないんですか」

「すまないが、私にはもう無理なんだ」

「でも――」

「すまない」

ヒカルは尚《なお》も何か言いかけたが、それ以上食い下がろうとはしなかった。「そうですか」と小さく言い、丁寧におじぎをする。

去り際《ぎわ》、扉の前で彼女はもう一度こちらを振り向いた。

「私、やっぱり堕ろした方がいいんですよね」

丹下は思わず顔を背けた。これまでの自分だったら、迷うことなく「君自身が決めることだ」と言っただろう。その答えはおそらく間違っていないし、人生に責任を取れるのは結局は本人だけだと信じている。

それなのにまったく違う言葉が口をついた。頭にあったのは、小百合を見舞う広志の姿だ。

「私に言えることがあるとすれば、たった一人からでも大きな愛を受けていれば、子どもは道を踏み外さないということだ。本当に愛し続けられるのか。その覚悟が君にあるのか。大切なのは自信じゃない。覚悟なんだと私は思う」

人生がうまく転がらないことを子どものせいにする母はごまんといる。愛情が真っ直ぐ子どもに伝わるとは限らないことも身をもって知っている。それでも、丹下は言わずにはいられなかった。

意外そうに首をひねったあと、ヒカルはうすく微笑んだ。

「私自身が必要とされない子だったから、私は誰よりも子どもが欲しがるものを知ってます」

「欲しがるもの？」

「はい。私が生きている間は『あなたが必要』と言い続けます。見て見ぬフリはしないし、絶対に目を逸らさない。無責任かもしれないけど、覚悟だったら負けません」

「いや、母親らしい感情だ」

「名前も付けてたんです。イジメが始まった十歳の頃から」

「名前？」

「はい。女の子の名前。不思議と女の子っていう想像しかできませんでした。なんとなく、私が守ってあげられるのは女の子しかいないと思ってたんです」

黙ってうなずいた丹下を最後に見つめ、ヒカルは小さく息を吐いた。そして今度こそ静かに部屋を出ていった。

それで終わりと思っていた。紹介した病院で子どもを堕ろし、何事もなかったように夜の仕事に舞い戻り、ヒカルが自分の前に現れることはもう二度とないだろうと信じていた。

しかし、それから三ヶ月が過ぎた十二月のある日、もう十年近く勤めてもらってい
るベテランの看護婦が診察室の扉をノックした。
「先生、田中ヒカルさんという方、ご存じですか。カルテが見当たらなくて」
「ああ、その人なら覚えてるよ。大丈夫。通してください」
怪訝《けげん》そうに首をかしげた看護婦に導かれ、あの日とは違いラフなジーンズ姿のヒカ
ルが部屋に入ってきた。真っ先に目を奪われたのは、しっかりと膨らんでいるそのお
腹だ。
ついカッとなり、問い質《ただ》そうとした次の瞬間、丹下は息をのみ込んだ。ヒカルの表
情がまるで別人のように明るいからだ。
「先生の言葉をずっと頭で繰り返してました。自分に覚悟はあるのかなって、それば
かり考えてました。だったら産もうって思えました」
ヒカルは一字一句を噛みしめるように口にする。
「産もうって、君ね」
「結婚することになったんですよ。こんな私を受け入れてくれる人がいたんです」
「結婚？」
「はい。でも、大丈夫です。彼にはすべてを話しましたけど、甘えようとは思ってま

せん。私がこの子を絶対に守る。だから先生、診ていただけますね」

たった三ヶ月でヒカルはずいぶん大人びて見えた。その間に何があったのか。誰と、どういう経緯で結婚になど至ったのか。尋ねたいことはたくさんあったが、憑《つ》きものが落ちたかのようなヒカルを前に、それ以上立ち入ることはできなかった。

その日以来、ヒカルは定期的に訪ねてくるようになった。夫らしき男を病院の外で見かけたこともある。驚いたのは、彼がまだ幼い子どもをベビーカーに乗せていたことだ。もちろんヒカルとの間にできた子ではないはずだ。

夫は丹下が勝手に想像していた姿、たとえば髪を金色に染めていたり、まだ若かったりといったイメージとは違った。ヒカルより一回り以上年上に見える男は、いつも上等そうなジャケットに身を包み、柔和な笑みを子どもに向けていた。彼ならば……という安心感を抱かせる男だった。

「ちょっとお酒を飲み過ぎなところがあるんですけどね。でも今、一生懸命やめようとしてくれているんです」

ヒカルの明るさに引っぱられて、いつしか丹下の疑念は消えていた。「田中」から「野田」に姓を変えただけで、ヒカルは見事に変貌《へんぼう》を遂げた。出産予定月である四月を、気づけば二人で心待ちにするようになっていた。

そしてその日は、予定より一ヶ月ほど早くやって来た。

『野田と申します。先生、夜分すいません。あの、家内の様子が――』

他に誰もいない自宅で、そろそろ寝ようとしていたときだ。電話の向こうから、男のあわてた声が聞こえてきた。

ベビーカーを押す姿を思い出しながら、丹下は出血の有無を電話口で確認する。早産ではあるが問題ないとまず安心させ、病院に来るよう指示を出す。

すぐに連れられてきたヒカルは、唇を青くさせた夫とは裏腹に、落ち着き払っていた。

「早生まれになっちゃいましたね。かわいそうなことしちゃったな」

本当に申し訳なさそうな笑みを浮かべながら、ヒカルは自ら出産服に着替えた。出産にはそれから七時間ほど要した。線の細いヒカルには負担だったに違いない。

昭和六十一年三月二十六日、午前六時二十分。柔らかい朝の光と鳥のさえずりに包まれ、2480グラムという小さな女の子が誕生した。

「ほら、お母さんにそっくりだよ」

丹下は感じたままを口にしたが、ヒカルは真顔で否定する。

「ダメですよ。絶対にダメ。こんな目つきの悪い私に似たらかわいそう」

そう過剰に反応した次の瞬間、ヒカルは瞳《ひとみ》を潤ませた。赤ちゃんをおそるおそる胸に抱き、次第に声が大きくなる。赤ちゃんも釣られるように泣きじゃくった。入室させた夫はヒカルの背中をなでていた。ようやく嗚咽が収まってきた頃、ヒカルは赤ちゃんの手に頬を当てた。そして、何かを祈るように口を開く。

「ユキノ。生まれてきてくれて本当にありがとう」

「ユキノ？」

繰り返した丹下に、ヒカルはペンを走らせるマネをした。

「はい。幸せという字に、乃って書いて。幸乃。幸せになってほしいから。私が幸せにしてあげたいから。バカな願いかもしれないけど」

「いやいや、そんなことはない。うん、いい名前だ」

丹下は大きくうなずきながら、教えられた名前をメモに書き出した。

〈野田幸乃〉

なるほど、悪くない。名前全体の画数はしっかりと明るく、おおらかな人間になることを示唆《しさ》している。

やっかいな趣味を持ったものだと自嘲しつつ、安堵《あんど》してメモを破ろうとした。が、丹下ははたと手を止めた。

そして目を見開いたまま、気づかぬうちに違う名前を記していた。

〈田中幸乃〉

今度はまったく違う結果が導かれた。総画の十九画は病弱や不和を暗示する。社会性を現す十二画の人画は、孤独と精神的な不安を示していた。

しばらくボンヤリと名前を見つめたあと、丹下はようやく我に返った。そして強く首を横に振る。

いや、そうじゃない。姓名判断など気休めでしかないのだから。母親の愛こそ、覚悟こそが本物だ。そもそもなぜ旧姓で調べる必要があるというのか。不謹慎にもほどがある。

振り切るようにして、丹下は窓の外に目を向けた。尊い命の誕生を祝福するように、桜の花びらが舞っていた。春の、美しい朝だった。

丹下は静かにメモを破った。そして今度こそゴミ箱へ投げ入れた。

◆

あれから二十年以上が過ぎた。田中幸乃の死刑判決を伝える記事を読み返したとき、丹下建生は答えのない問いを延々と繰り返していた。

前屈《まえかが》みになり、もう一度新聞の中の女と亡くなった家族の写真を凝視する。自分の心変わりによって世に出た子と、失われた三つの命だ。

もしもあのときヒカルの願いを聞き入れ、中絶手術をしていたら、この母子三人の幸せは今も続いていたというのだろうか。

ある一つの画が脳裏に浮かんだ。我が子に手を上げる若い母親の画だ。運命が巡り、ヒカルが何かを叫びながら、か弱い幸乃を痛めつけている。

「私がこの子を絶対に守る」

そう言った彼女の覚悟を信じたかった。それは産科医としての自らの生き方を肯定することにも等しかった。

しかし「よくある話ですよね」というあの日のかすれた声とともに、そんなありきたりで暴力的なイメージが、いつまでも頭から離れようとしなかった。

第二章「養父からの激しい暴力にさらされて――」

田中幸乃に死刑判決が下された翌日、倉田陽子《ようこ》は三浦半島の高台に立っていた。西側に相模湾《さがみ》が見渡せる広大な霊園。一人息子の蓮斗《れんと》の手を握りしめ、陽子は久しぶりに訪れた父の墓を見下ろした。

「うわぁ、キレイなところですねぇ。母さん。海がキラキラしていますねぇ」

五歳になったばかりの蓮斗は墓参りそっちのけで、眼下の海に夢中になっている。話し方がおかしくなったのは幼稚園の年中に上がった頃からだ。園内で流行《はや》っている口調なのかと思っていたが、どうやら蓮斗だけらしい。

「そうだね。キラキラしてるね」

「今度は夏に来ましょうね」

「うん。そのときは妹も一緒だよ」

陽子がお腹をさすってみせると、蓮斗も目を細めてマネをする。二人で待ち望んだ女の子が出てくるのは三ヶ月後だ。

入念に墓石を磨き、花をたむけた。蓮斗も手を合わせ、ナムナムと言っている。その様子に笑みを漏らし、「帰ろうか」と呼びかけた陽子に、蓮斗は神妙そうに首をかしげた。

「ここには僕のおじいちゃんがいるのですか」

柔らかい声が鼓膜を打つ。陽子は「そうだよ。大井町のおじいちゃんとは別のね。お母さんのお父さん」と答えた。蓮斗の表情は不思議そうなままだ。

「お母さんにきょうだいはいないのですか？」

「いたよ。お母さんにも妹がいた」

「その人はどこ？」

「死んじゃったんだ。お母さんがまだ九歳のときに死んじゃった」

意外と鋭いところのある子だ。蓮斗は何かを探るように陽子の顔を見上げていたが、少しすると諦《あきら》めたように息を吐いた。

「そうですか。じゃあ、お母さんの妹ちゃんもこの中にいるんですね」

蓮斗は墓石を優しくなでた。昨日は流れなかった涙が不意にこみ上げる。必死にこらえて、空を見上げた陽子の耳の奥に、いつかの父の言葉がよみがえった。「お前、お姉ちゃんじゃないのかよ」と叱《しか》られた日の声が、たしかに聞こえた。

陽子は視線を空から蓮斗に戻し、次にゆっくりとカバンを見つめた。中身は海にでも投げ捨てようと持ってきたものだ。

妹が……、田中幸乃がくれたうす汚れたテディベアが、不安げに顔を覗《のぞ》かせている。

◆

陽子は、母のヒカルが大好きだった。優しい父を信頼していた。そんな二人以上に、妹の幸乃を心の底から愛していた。横浜・山手にあった野田家は、太陽の光を燦々《さんさん》と受け、リビングには家族四人の笑い声がいつもあふれていた。

一つ違いの幸乃は身体《からだ》が小さく、幼い頃から病気がちな子だった。四歳のときには肺炎をこじらせて死の淵《ふち》をさまよったこともある。気が昂《たか》ぶると意識を失う持病があって、だから楽しみなことが控えているとすぐに調子を悪くした。

陽子が小学四年生、幸乃が三年生に上がる直前の三月二十六日。幸乃が八歳になる誕生日。この日は同じ山手に住む男の子二人と、数年に一度という流星群を見にいく予定だった。

だけど、よほど楽しみにしていたのだろう。夜のパーティーで大好きな肉じゃがをたらふく食べ、母が手作りのケーキを運んできた頃、興奮した幸乃は眠るように倒れてしまった。

「ああ、またか。たしか去年の誕生日もそうだったよな」

父が幸乃を優しく抱きかかえた。不憫《ふびん》そうな表情とは裏腹に、その口調はどこかのんびりしている。以前は幸乃が倒れるたびに顔を真っ青にしていたくせに。

そういう陽子もあわてない。あまりによく気を失うのと、同じ持病のある母が心配ないと言うのとで、いつからかほとんど動揺しなくなった。たいていの場合、数分から数十分、長くても一時間くらいで幸乃は目を覚ます。この日も三十分ほどすると、自分の居場所を確認するように目を瞬《また》かせた。

自室のベッドで、幸乃は天井の小窓を恨めしそうに眺めながら口を開いた。

「ああ、またやっちゃった。つまらないな。お姉ちゃん、もう行っちゃった？」

「ううん、まだだよ。っていうか、あんた置いてはいかないよ」

「お姉ちゃん、ごめんね。ユキの病気が治ったらみんなで星見にいこうね」

前に母から病気の名前を聞いたことがある。その言葉は難しすぎて陽子には覚えることができなかったが、気を失った幸乃を抱きしめながら「ごめんね。お母さんのせいで」とこぼした表情は今でも忘れられない。

「当たり前じゃん。翔《しょう》や慎《しん》ちゃんだって、ユキの身体が良くなるのを待ってるんだから」

「ホント？　ユキ、あの二人のこと大好きだよ。〝丘の探検隊〟に入れて嬉《うれ》しいんだ」

「そうだね。二人とも待ってるよ」と、陽子はうなずいた。

〝丘の探検隊〟は、陽子と同級生の丹下翔が作ったグループだ。「トンネル脇《わき》の小山に秘密基地を作ったんだ。陽子も幸乃ちゃんを連れて遊びにこいよ」と誘ってくれたのがきっかけだった。

「基地までは結構急な坂を上らなきゃいけないんだけど、陽子なら平気だろ？　問題は幸乃ちゃんだけど、みんなで助ければなんとかなるよな」

翔はアニメのヒーローのようにイジメを嫌い、いつだって弱い子の味方をする。

「じいちゃんを継いで医者になるか、父さんと同じ弁護士になるか。悩むぜ」などと一丁前のことを言いながら、それを冗談と思わせないくらい成績は群を抜いていいし、家は裕福だ。

少しだけ開いた窓から優しい風が吹き込んだ。ベッドの上で幸乃の頭をなでながら、陽子は翔に行けないことを伝えなければと思っていた。

それを気取ったのだろう。幸乃が諭すようにつぶやいた。

「いいよ。お姉ちゃんは行ってきて」

「ヤだよ。あんたがかわいそうじゃん」

「ううん、見てきて。それでユキにもどんな星だったか教えて」

表情は柔らかいが、口ぶりはしっかりしている。普段は優柔不断なのに、一度言い出したらきかない子だ。身体はたしかに強くないけれど、意志まで弱いわけではない。

陽子はそう自分に言い訳をした。翔に夜会えるという喜びを、妹のせいにしてごまかした。

「じゃあ、ホントに行っちゃうよ？」と念を押すと、幸乃は顔いっぱいに笑みを浮かべた。

「お姉ちゃん、一緒に百歳まで生きようね。それで、二人でいっぱい星を見ようね」

街は流星群を見ようとする人でにぎわっていた。おかげで一人の夜道を恐がることなく、家から走って十分ほどのところにあるトンネルにはすぐ着いた。

暗闇の中で二人と落ち合うと、陽子は喜びを隠しきれずに翔としゃべった。だから
「ねぇ、幸乃ちゃんは？」という声に気づくまでに、しばらくかかった。

尋ねてきたのは陽子たちの数歩うしろを歩いていた、佐々木《ささき》慎一《しんいち》だ。慎一は陽子た

ちの一つ下の学年で、幸乃の同級生。分厚いレンズのメガネをかけて、いつも前髪を垂らしている。背が低く、瘦《や》せぎすで、決して快活ではないけれど、翔に負けず劣らず正義感の強い子だ。とくに幸乃のことに関しては誰よりもハッキリとした物言いをする。

幸乃は歩くのが遅く、いつも友人たちに置いていかれる。でも〝丘の探検隊〟のメンバーだけは幸乃のスピードに合わせて歩く。慎一の口にした「せめて僕たちだけは幸乃ちゃんを待っててあげようよ」という一言がきっかけだった。

「あ、そうだ。今日、幸乃来られないの」

陽子はあわてて慎一を振り返る。浮かれているのを見透かされた気持ちになった。

「どうして？」

「いつもの失神。パーティーのときにまたやっちゃって」

「幸乃ちゃん、平気？」

「平気だよ。出てくるときはもう元気だった。どんな星空だったか教えてねって」

陽子は努めて明るく説明した。翔も「そうか、それは残念。俺と慎ちゃんでプレゼント用意してたんだぜ」と笑みを見せたが、慎一の表情は晴れない。

さらに十分ほど山を上って辿《たど》り着いた秘密基地は、周囲を背の高い桜の木に囲まれ、繁華街のネオンを遮断していた。見上げればきっと満天の星を見渡せるとわかっていたが、そうするには勇気が要った。慎一の表情があまりに暗く、幸乃に対する裏切り行為に思えたからだ。

みんな無言で地面を蹴《け》っていた。重苦しい沈黙の時間を過ごしたあと、慎一が言った。

「やっぱり幸乃ちゃんがかわいそうだよ」

陽子たちに口をはさませまいとするように、強い口調で続ける。

「僕たちは四人で〝丘の探検隊〟なんだ。一人でも欠けたら意味ないよ」

少しの沈黙のあと、翔がくしゃくしゃに顔をほころばせた。

「だな。じゃ、今日のところは解散だ。星を見るのは幸乃ちゃんが治ってからっていうことで」

結局、三人とも一度も空を見上げなかった。それは必死に上った斜面を下り、再び整備された県道に出て、「一応、陽子は女だから」と二人が家の前まで送り届けてくれるまで続いた。

「じゃあ、俺たちはここで。幸乃ちゃんによろしくな」

大きく手を振り上げた翔を、慎一が「ねぇ、翔ちゃん。プレゼント」と引き留める。

「あ、そうか。すっかり忘れてた。はい、これな」

翔は背負っていたリュックからプレゼントを取り出した。陽子は受け取りながら、なんとなく二階の部屋に目を向けた。

「良かったら上がっていかない？　あの子に直接渡してあげて」

翔に包みを返しながら、陽子は言った。「さすがにそれはまずいだろ。おばちゃんに見つかったら怒られる」と翔は首を振ったが、陽子も折れなかった。

「大丈夫。バレずに出てこられたんだもん。またバレずに入ればいいだけだよ」

「そうだね。幸乃ちゃんに直接手渡してあげよう」

先に覚悟を決めたのは慎一だ。背中を叩《たた》いた慎一をちらりと見やり、翔は「悪いヤツら」と意地悪そうに微笑《ほほえ》んだ。

目配せしながら、三人で階段を上った。音を立てないように部屋の戸を開くと、案の定、幸乃はベッドから天井の小窓を見つめていた。青白い夜の光にさらされた妹がいつになく儚《はかな》げに見えた。

驚く幸乃の口を優しく押さえ、陽子は耳もとでささやいた。

「みんな幸乃と一緒に星を見たいんだって。だから四人で空を見よう」

ベッドに陽子と幸乃が、床に翔と慎一が寝そべって、天窓を見上げた。誰も口を開こうとしなかった。尋ねたいことはたくさんあるはずなのに、幸乃も無言で夜空を見つめている。

どれくらいそうしていただろう。物音を立てるのがイヤで、身動きも取れずにいた頃、一粒の光が窓の向こうを駆けた。

「あっ。見た？　今の」

翔が押し殺した声で問いかける。視界いっぱいに広がる夜空ではなく、限られた大きさの窓を見ていたのが良かった。「うん、見たよ」と慎一が言えば、「ユキも見た」と幸乃も興奮を隠しきれないように口にした。

それから五分ほどにわたって、窓の向こうを次々と星が流れていった。ベランダに出ればもっと多くの星が見られるとわかっていたが、そう言い出す者はいなかった。きっとみんな同じ景色を見ていたかったのだと思う。少なくとも陽子はそうだった。

爛々《らんらん》とした瞳《ひとみ》で夜空を見上げながら、翔が誰にともなくささやいた。

「誰かが悲しい思いをしたら、みんなで助けてやること。これ、丘の探検隊の約束な」

幸乃のことを指して言っているのは明白だ。それなのに、当の幸乃が「うん、そうしよう。ユキがみんなを守ってあげる」と真っ先に賛同した。「僕もだよ。僕もみんなを守るから」と慎一もすぐに同調する。

私も何か言わなくちゃ。そう焦《あせ》りながら、陽子は翔の横顔に見惚《みと》れていた。そのとき、部屋にフラッシュのような光が差した。ぼやけていたみんなの輪郭がハッキリと浮かび上がる。

何が起きたのかわからなかった。あわてて見上げた窓の向こうに、光の残像が尾を引くように残っていた。

「すごい……。すごい、すごい、すごい！　ねぇ、みんな見た？」

尻上《しりあ》がりに声が大きくなっていった幸乃の問いかけに、「うん、見たよ」「俺も見た。今のはちょっとやばかった」と、慎一と翔も放心したようにうなずいた。

陽子は一人見逃した。それどころか探検隊の誓いも自分だけ言えていない。

「あ、あのさ、みんな……」

陽子がようやく口を開きかけたとき、再び部屋の中が明るくなった。今度は先ほどのような幻想的なものではない。天井の蛍光灯がついたのだ。

「ちょっと、あんたたち。何してるの」

心臓が小さく音を立てた。母のヒカルが戸の前に立っている。細い身体に、ウエーブのかかった薄茶の髪の毛。ハッとするほどの白い肌に、陽子が憧《あこが》れてやまない切れ長の目。

表情は厳しかったが、母は微笑んでいるようにも見えた。本気で怒っているわけではなさそうだ。その証拠に、母は四人分のマグカップとお皿、そしてケーキをお盆に載せている。

母はまず翔と慎一に電話してくるようにうながした。二人が出ていくのを見届けると、無言で紅茶を注ぎ、ケーキを取りわける。幸乃が食べ損ねたバースデーケーキだ。カップから上る湯気を眺めているところに、二人が戻ってきた。「スゲー。超うまそう」と声を上げた翔を、母はたしなめるように見据える。

「いやぁ、ごめんね、おばちゃん。どうしても四人で星を見たくてさ。俺が言い出したんだ」

本当はそうではないのに、翔が代表して謝った。

「お母さん、なんだって？」

「二十分くらいで迎えにくるって」

「慎ちゃんのとこは？」

「うちもそれくらいって言ってました」

「そう。じゃあ、それまでみんなでケーキ食べて待ってよっか。あなたたち、コソコソしてても見つかるんだからね。隠れてするくらいならやるんじゃないの」

母はようやく優しい笑みを浮かべた。みんなの緊張が解けていく。誰からともなく「いただきます！」の声が上がり、無我夢中でケーキをほおばった。

「ああ、うめー！　これ、何？　おばちゃんの手作り？」

目を輝かせて質問する翔に、母はしてやったりという顔で「おいしい？」と切り返す。みんなでいるときはいつもそうだ。母と翔は同じ目線でやり合っている。

「超おいしいよ！　いいなぁ、陽子のおばちゃん。美人だし、若いしさ。っていうか、おばちゃんって何歳なの？」

「二十五だよ」

「スッゲー！　やっぱり若《わ》っけー！　名前は何？」

「ヒカル。カタカナで、ヒカル。野田ヒカル」

翔は目をパチクリさせた。慎一にゆっくり顔を向け、今度は陽子を振り返る。翔が何を思うのか、言われなくてもわかった。陽子自身、それを不満に思っているからだ。ヒカルとか、幸乃とか、みんなかわいい名前なのに、どうして私だけ〝陽子〟なの？

ふて腐れながらそんな疑問をぶつけるとき、母は必ず弱った目を父に向ける。父もまた一度は顔を背けるのだが、すぐに思い出したように「どうしてだ？　素敵な名前じゃないか。お父さんが付けたんだぞ」などと呆《ほう》けたことを口にする。

父は何もわかっていない。そもそも「お父さんが付けた」という点が不満なのだ。名前に限らず、幸乃のあらゆるところに母の遺伝やセンスが感じられる。一方の陽子は確実に父の血を濃く継いでいる。元気の象徴のような黒い肌も、骨太を隠せない広い肩幅も、風邪さえ引かない健康体も陽子には恨めしい。

そしてもう一つ、陽子には決定的な不満がある。母のログセだ。母と幸乃が二人でいるときのやり取りを、陽子は何度か聞いている。

「幸乃、いつもつらい思いをさせてごめんね。お母さんを許してね」

「どうして？ ユキ、べつにつらくないよ」

「そう、ありがとう。でも、幸乃はお母さんに似ちゃったから」

ここぞとばかりに甘える幸乃に、その髪の毛を優しくなでる母。まるで二人で秘密を共有するような場面を目撃するとき、決まって陽子の心はささくれ立つ。

「ねぇ、翔ちゃん。プレゼント」

消え入りそうな慎一の声に、陽子は我に返った。翔は「あ、また忘れてた」と舌を出して、リュックから板状の包みを取り出し、幸乃に渡した。

「嬉しい。開けていい？」

男の子二人がうなずくのを見て、幸乃は包装紙を解いていく。中から出てきたのは三十色入りのクレパスだ。

「幸乃ちゃん、絵を描くの好きだろ？　慎ちゃんが決めたんだぜ」

翔が言うと、慎一は照れくさそうに鼻先をかいた。幸乃は嬉しいことがあると必ず眉間《みけん》にシワを寄せる。その幸乃の頭を母がなでた。こちらは母のクセだった。

「そうだ。お母さんからも。ちょっと待っててね」

母はそのまま部屋を出ていき、一分ほどで戻ってきた。手に紙袋を持っている。みんなの視線が集まる中で出てきたのは、ピンクのテディベアだ。家族で買い物に出かけたとき、横浜のデパートで見つけ、幸乃と二人で大騒ぎしたものだった。

「え。ユキ、もうプレゼントもらったよ」

幸乃は困惑した様子でつぶやいた。母は平然と笑みを浮かべる。

「あれはお父さんからのプレゼント。で、こっちはお母さんから。幸乃、いつもがんばってるからね。お父さんには内緒だよ」

陽子はモヤッとした思いが芽生えるのを感じた。もちろん今日は幸乃の誕生日だ。頭ではそう理解しつつ、ずっと欲しかったぬいぐるみを前に気持ちを抑えることができなかった。

それを察したかのように、母は陽子が思ってもみないことを口にした。

「で、こっちは陽子に。やっぱりお父さんには内緒だよ」

母は再びぬいぐるみを袋の中から取り出した。幸乃のものとまったく同じテディベアだ。このサプライズには、陽子よりも幸乃の方が喜んだ。「お姉ちゃん、やった！　ユキのと一緒だよ」という歓声が響く。

そのとき、父が一階からギターを持ってやって来た。幸乃とあわててぬいぐるみをベッドの下に押し込んだ。

「なんだよ。お父さんだけ仲間はずれにするなよなぁ」

冗談めかして言う父に、翔がふざけて「おじちゃん、ちゃんと飲んでる？　今日はいいぶれーこーだよ。まーまーお一つ」などと手酌のマネをする。父は「なんだ、翔。一緒に飲むか？」とやり返したが、母が「お父さん！」とたしなめた。

みんな一斉に笑い声を上げた。冗談と受け止めたのだろうけれど、陽子は母の本当の気持ちを知っている。父は酒癖が良くないのだ。だから陽子たちが物心ついたときには、もうお酒をやめていた。懐《なつ》かしむようにしていた二人の会話を、いつか聞いてしまったことがある。

父はつまらなそうに口をすぼめ、渋々といったふうにギターを抱えた。

「じゃあ、お母さんたちが迎えにくるまで歌ってようか」

翔を中心に天窓を眺め、みんなで『星に願いを』を歌っているとき、陽子は〝幸乃〟という名前に憧れるもう一つの理由を思っていた。陽子は「幸せ」という言葉が好きなのだ。かわいい妹がいて、キレイな母がいて、優しい父がいて、大好きな友だちがいる。いつも何かに守られていて、幸せだった。

「十一月にまた流れ星があるんだよ。今度こそみんなで一緒に見にいこうね」

慎一が言い聞かせるようにつぶやいた。視線が幸乃に向いていることに、きっと陽子だけが気づいていた。

四年生の一学期を終え、夏休みに入ると、クラスメイトの中には塾通いを始める子たちも出てきた。でも、探検隊のメンバーにはまだいない。私立中を受験するはずの翔も「まだ早い。今は小学校生活をエンジョイする」などと鼻で笑っていた。

夏休みは家族で恒例の旅行へ出かけた。お墓参りも兼ねた旅先の三浦半島で、ちょっとした事件が起きた。二人そろって持ってきていたテディベアが、ホテルをチェックアウトする際、一つなくなっていたのだ。

陽子には幸乃がなくしたのだという確信があった。前夜、父に連れられて近くのコンビニエンスストアへ出かけたとき、幸乃は大切そうにぬいぐるみを抱えていた。それを持って帰ってきた記憶がない。

そう主張した陽子に、幸乃は目を見開いて反発した。

「ユキのだもん！　この左手のところにシミがあるのはユキのだもん！」

「あんた言ってることメチャクチャ。私がぶどうジュースこぼしたとこあんたも一緒に見てたじゃない。返しなさいよ」

「イヤだ。絶対イヤ。ユキの大事なもの取らないでよ。お姉ちゃんのバカ！」

その表情からはいつになく強い意志が感じられ、陽子は怯《ひる》みかけた。でも、母からもらった大切なぬいぐるみを前に簡単に引っ込むわけにもいかない。しまいには取っ組み合いになった二人の間に、父が割って入った。そして迷う素振りもなく言い放った。

「おい、陽子。お前、お姉ちゃんじゃないのかよ。ぬいぐるみぐらい譲ってやれよ」

父の鋭い目は陽子にだけ向いていた。あまりにも悔しくて、やり切れなくて、たまらず助けを求めた母は、たしなめるように幸乃の方を見つめている。

ああ、またたと、瞬時に思った。またこの組み合わせだ。父と自分。母と幸乃。どうして必ずこういうふうにわかれるのだろう。

ゆっくりと視線を戻した幸乃は、今度は一転、顔を青白くさせている。呼吸を整えようと努めている。気を失うときの前兆とすぐに気づき、陽子はそれ以上言うことができなかった。

幸乃と仲直りできないまま、夏休みが明け、新学期を迎えた。そして陽子は自分を取り巻く微妙な空気の変化を感じた。仲の良かったクラスメイトたちが、なぜか陽子を避けるようになっていたのだ。

幸乃も同様のことを感じたようだ。学校からの帰り道、たまたま一緒になった幸乃は思ってもみないことを尋ねてきた。

「ねぇ、お姉ちゃん。ゴサイって何？　ホステスってなんなの？」

妹の口から突然出てきた単語に、不意を突かれる思いがした。陽子にも正確な意味はわからなかったが、言葉がまとうあやしい雰囲気は感じられた。

「誰がそんなこと言ったのよ」

「なんとなく。みんながユキを見て笑ってる気がするんだよね。ゴサイの子って」

「誰が言ってるか知らないけど、そんなの無視してな。イヤだったら慎ちゃんに相談しなよ」

「ああ、そうか。うん、そうするね」

そう答えながらも、幸乃の表情は晴れなかった。そして二人をさらにモヤモヤとさせる出来事が、この日の帰りに起きた。いつも公園の前で井戸端会議をしている何人かのお母さんが、陽子たちを見るなり視線を逸らしたのだ。

たまに母も輪に加わっておしゃべりをする人たちだ。その中には慎一の母親もいる。もちろんみんな顔見知りだし、普段は会えば挨拶《あいさつ》くらい交わしている。

幸乃が不安そうに手を握りしめてきた。

「いい？」

握っておいてから聞いてくる幸乃に、陽子は無言でうなずいた。すると直前にあった出来事など忘れたかのように、幸乃は顔をほころばせた。

「やっぱりあのテディベアはお姉ちゃんにあげるね」

「あげるってどういう意味よ？　あれは私のだったって認めるってこと？」

「ううん、そうじゃないけど」

「だったらいらない。あんたが認めるまでは絶対に受け取らない」

「でもさ……。だって。ユキはお姉ちゃんと仲直りしたいから」

幸乃はおずおずと陽子を見上げ、覚悟を決めたように続けた。

「じゃあ一緒に遊ばない？　あのテディベアで一緒に遊ぼうよ」

ふと見下ろした幸乃は額に汗を浮かべている。絶対に手を離すまいとするように、陽子の歩くペースに合わせている。胸がちくりと痛んだ。

「うん、わかった。そうしよう。でも、忘れないでね。あれは私のなんだから」

「もう、お姉ちゃんってホントに強情っ張りなんだから」

そう笑う幸乃を見ていたら、身が引き締まる思いがした。この子は私が守ってあげなくちゃいけないのだ。

背中に母親たちの目を感じながら、陽子はあらためて心に誓った。


この日を境に、陽子たちに向けられる冷たい視線は数を増した。とくに幸乃はつらい目に遭っているようだ。久しぶりに手をつないだあの日以来、多くを語ろうとはしないけれど、学校から戻るとベッドに横たわってしまうことが少なくない。

誰に相談していいかもわからなかった。いや、本当はわかっていながら、それをぶつける勇気を持てなかった。

母の様子もあきらかにおかしかった。それは新学期になってから陽子たちが直面している問題と結びついている気がしてならなくて、さらに陽子の気を沈ませた。

刺すような日差しがいくらか和らぎ、街の景色が輪郭を取り戻し始めたある日、陽子はようやくキッチンにいる母に呼びかけた。

「ねぇ、お母さん――」

小窓から西日が差し、キッチンを赤く染めていた。その中で包丁を握る母の姿は一枚の絵のように美しかったが、陽子は手のひらに汗を滲《にじ》ませた。母はまな板を叩き続けていた。刻んだキャベツはとっくに細かくなっているのに、包丁を振るうのを止めようとしない。

生まれてはじめて母を見て恐いと感じた。物音を立てないように振り返ると、陽子は一目散に外へ出た。向かう場所は一つしかなかった。途中、例の母親たちが話し込んでいる姿が目に入ったが、陽子の方から無視した。

トンネル脇の秘密基地で、翔と慎一は木登りをして遊んでいた。陽子を確認した二人の反応は正反対だった。

「おーい、陽子！　なんだよ、お前来るなんて言ってたっけ？」

翔が満面の笑みで手を振る一方で、慎一は気まずそうに目線を逸らす。木から下りてきた二人に、陽子はありのままを説明した。ここ最近の違和感をすべて吐き出した上で、あらためて問いかけた。

「ねぇ、後妻の子ってどういう意味？　知っていることがあったら教えてよ」

うろたえる慎一だけでなく、翔まで厳しい表情を浮かべたのは意外だった。

「お願い。幸乃も苦しんでるんだよ。知っていることがあるなら教えてよ」

しばらくして出てきた翔の答えは、陽子が望んでいたものとは違っていた。

「誰がなんて言ってるか知らないけど、おばちゃんはいい奴《やつ》だよ。それは俺が保証する」

「違う！　そんなこと聞きたいんじゃない！」

「でも、俺が知ってるのはそれだけだ！　おばちゃんはいい奴なんだ！」

そのとき、慎一が力ない笑みを浮かべて二人の間に割って入った。

「あの、僕、先に帰るね」

言葉を認識するのに、少し時間がかかった。

「何よ、それ。逃げないでよ」

慎一は振り返りもせずに歩いていく。あまりにも悔しくて、不安で、背中を睨《にら》んでいたら涙がこみ上げてきた。

翔が小さくため息をついて、陽子の肩に手を置いた。

「なぁ、陽子。今は耐えろ。つまらない噂《うわさ》なんてすぐに消えてなくなるから」

二人の間に差す木漏れ日が風に揺れた。翔の声はいつものように優しかったけれど、陽子には問題を先送りにしているとしか思えなかった。

泣くのをこらえて家に戻ると、玄関に革のはげた赤いヒールの靴が置かれていた。母のものではない。母はこんな品のないものを履かないし、そもそも傷《いた》んだままにしておかない。

玄関正面の階段に、電気もつけずに幸乃がポツンと座っている。

「何してるの？　あんた寝てなきゃ――」

幸乃は口に人差し指を当てた。

「お母さんが怒られてる。恐いおばさんが来てるんだ」

「恐いおばさん？」

そう繰り返しながら、陽子はリビングの戸に目を向けた。物音は聞こえない。でも、不穏な空気は感じた。ここにいるべきではないと瞬時に悟った。

陽子は幸乃を連れて二階に上がった。日が暮れ、いつもの夕飯の時間も過ぎ、ついに二十時を回った頃、ようやく一階から音が聞こえた。

すぐに降りていこうとする幸乃を制し、陽子は窓から外の様子をうかがった。小柄な女が足早に玄関から出てくる。幸乃の言う「恐いおばさん」と女はなかなか結びつかなかった。白いサマーコートを羽織ったうしろ姿は若々しく、二十代にも見えたからだ。

女は街灯の前ではたと足を止め、こちらを振り返った。陽子はあわててカーテンの脇に身を隠した。白い街灯に照らされた女性は、遠目にも化粧の濃さが目立った。服装も含め、必死に若作りはしているものの、二十代でないのは間違いない。

女性はなぜか微笑み、再び背を向けて歩き始める。違和感は一瞬にして胸に広がり、すぐにたしかなものとなって全身を貫いた。左足をわずかに引きずる女の歩き方を、陽子はいつか見た覚えがある。

たしか夏休みが明ける直前に、慎一が公園で話し込んでいた女だ。薄ピンクのノースリーブにミニスカートという若作りした格好は気になったが、最初はそれだけだった。だが女は遅れて公園にやってきた陽子を見て、顔色を変えた。そして逃げるように立ち去った。

慎一は「いや、道を聞かれたのがきっかけで」と言うだけだった。さらに遅れてきた翔を交えて他の話題に夢中になり、それ以上のことは聞かなかった。すっかり忘れていたけれど、足を引きずる特徴的な歩き方はたしかに記憶に残っている。

幸乃の手を引いて階段を下りると、暗がりの部屋で母は声を殺して泣いていた。呆《ぼう》然《ぜん》と見つめることしかできなかった陽子と違い、幸乃は母に駆け寄った。

「お母さん、泣いてるの？　泣かないで。大丈夫だよ。ユキが守ってあげるから」

優しく背中をなでる幸乃を見ていたら、なぜか母を奪われるという錯覚に襲われた。あわてて母に近寄り、陽子も母の背中をさすった。母は驚いたように二人の顔を見比べ、すぐに一緒に抱きしめてくれた。

「ごめんね。お母さんは二人のお母さんだからね。絶対にどこにも行かないよ」

母の言っている意味がわからなかった。でも母は質問を許さないというふうに首を振り、涙を拭《ぬぐ》った。

「ああ、もうなんかごめんね。ご飯作らなきゃね。何が食べたい？」

「肉じゃが！」と、すぐに笑みを浮かべた幸乃を、陽子はとがめた。

「面倒なことを言わないの。簡単なものでいいじゃない」

「でもユキ肉じゃが大好きだもん」

「いいよ、作ろうね。肉じゃが。ちょっとだけ待っててね」

さらに一時間ほどして帰ってきた父を交え、久しぶりに四人で食卓を囲んだ。いつもより遅い夕食に父は怪訝《けげん》そうな顔をしたが、母が必死に目配せして何も言わせなかった。

陽子以外の誰もがとりとめのない話題を探し、話して、笑っていた。直前に泣いていたのがウソのように、母も目を細めている。

久しぶりに家族がそろった食卓は、いつになくにぎやかだった。そのにぎやかさが沈黙を拒むためだけに作られたものに思えて、陽子にはうす気味悪く感じられた。


母は家を訪ねてきた中年女性について説明しようとはしなかった。ならばもう一度慎一に聞こうと思っていた矢先、あの事故は起きた。女性が訪ねてきた数週間後のことだ。いつ出るかわからない持病の失神を理由に、父に運転することを禁じられていた。その母が起こした自動車事故だった。

大雨の降る夕刻、かすかに冷える家で父から電話をもらったとき、陽子は大切にしてきた世界が打ち破られたことを敏感に察知した。

事故現場の近くを通って、タクシーで駆けつけた病院は、ひっそりと静まり返っていた。この瞬間、母が命を懸けて戦っているという熱気がどこにもない。

陽子たちの姿を確認しても、父は力なくうなずくだけだった。損傷が激しいことを理由に亡骸《なきがら》と対面させてもらえなかったあたりから、陽子の記憶は曖昧《あいまい》になる。現実なのか、夢なのか。幸乃がどんな顔をしていて、自分が何を感じているのか。把握するのが難しくなった。

以後、鮮明に記憶に刻まれた出来事はいくつもない。そのうちの一つは通夜《つや》のとき、母を避けていた近所の母親たちが、人並みに涙を流していたことだ。

父は瞳を潤《うる》ませながら、律儀《りちぎ》に礼を言っていた。その横で幸乃は声を上げて泣いていた。陽子は一人だけ泣けなかった。一丁前に目にハンカチを押し当てる母親たちにしらけ、「あんたたちのせいだ」と口だけを動かした。冷たい空気に唇が乾き、いくつもの裂け目ができた。

警察や病院、葬儀関係者とのやり取りなど、父は雑事を粛々とこなした。せめて父が父らしくいてくれることが陽子にとって救いだった。でも、父の心もしっかりと壊れていた。

初七日の法要を終えた夜、なぜか父方ばかりの親戚《しんせき》や会社関係者などが全員帰り、事故以来はじめて家族だけで食事をした。

母だけがいないテーブルで、父はかつて姉妹が見たことのないほど泥酔した。そもそも父が酒を飲むところさえ陽子が目にするのははじめてだった。通夜の晩も周囲に酌をするだけで、自分では決して口をつけようとしなかった。

その父が、まるで水を飲むように酒を胃に流し込んだ。陽子にはどうしたらいいかわからなかった。止めてくれる母はもういない。

陽子は幸乃の手を引いて二階に上がろうとした。でも、父はそれを許さない。

「逃げるなよ、陽子。家族だろ？」

緊迫した空気を裂くように、卑屈な笑い声が耳を打つ。

「なぁ、陽子。お母さんの病気の名前ってなんだったっけ」

父は独り言のようにつぶやき、続けた。

「ごめんな。俺があいつから強引に免許を取り上げておけば良かったんだ。俺のせいだよな。全部俺のせいなんだよな」

父が自分を「俺」と呼ぶのをはじめて聞いた気がした。そんな懺悔《ざんげ》のような言葉を皮切りに、父は一気にまくし立てた。突然母を批判するような暴言を吐いたかと思えば、次の瞬間には後悔を口にしてむせび泣く。脆《もろ》く、繊細で、頼りなく、これ以上なく弱々しい。

背を丸める父こそが、守るべき子どものようだった。陽子の胸の中に「赦《ゆる》してあげたい」という不思議な感情が芽生えた。母の代わりを務めなければ。そんな気持ちも一緒に湧《わ》いた。

それを悟ったかのように、父の言葉も少しずつ甘えたものに変わっていった。

「なぁ、陽子。俺を許してくれないか」「陽子はお母さんのハンバーグが好きだったもんな」「お母さん、陽子のことをいつもかわいいって言ってたぞ」「陽子が娘で良かったとも」「陽子のことを」「陽子がな」……。

父はなぜか陽子にばかり語りかける。ふと視線を落とすと、幸乃は顔を青くさせ、どこか一点を見つめている。

「大丈夫？」という陽子の問いかけに、幸乃は首をひねるだけで、何も答えなかった。

「もういいよ。上に行こう。そうでなくてもここのとこ調子悪いんだから」

それを無視して、幸乃はゆっくりと父に歩み寄った。目の前に立ちつくす幸乃を、床に座り込んだ父が不安そうに見上げる。しばらく二人の視線は交わり合った。先に耐えられなくなったように視線を逸らし、父は深い息を吐き出した。

「やめてくれ。そんな冷たい目で見ないでくれ」

そう言う父の方が、陽子にはずっと冷たい顔をしていると思えた。幸乃は父のもとから離れない。逆にしゃがみ込んで、座っている父に目線を合わせた。

聞き慣れた優しい声が部屋の中に漂った。

「お父さん、泣かないで。もうユキも泣かないから。許すよ。ユキはお父さんを許すよ。だからお願い。泣かないで」

うなだれる父の肩に、幸乃は手を置いた。父は身体を揺するのをやめようとしない。

幸乃はめげずに背中を抱きしめようとしたが、父はわずらわしそうに手を払いのけた。そして、ゆっくりと拳《こぶし》を握りしめる。

それは一瞬の出来事だった。陽子が止めに入る暇もなく、鈍い音が四方の壁を震わせた。しばらくして我に返ると、幸乃が左の瞼《まぶた》を押さえ、無言でうずくまっているのが目に入る。

父はグラスに残っていた酒を一気にあおり、倒れている幸乃を見下ろした。

「俺に必要なのはお前じゃないんだ。必要なのはヒカルの方だ」

言葉がゆっくりと耳に滲む。父の言っている意味がわからない。ただ、絶対に幸乃に聞かせてはならないということだけは理解できて、陽子は跪《ひざまず》き、幸乃を胸に抱きしめた。

幸乃は目をボンヤリと見開いて、「ご、ごめん。ごめんなさい」と口にした。そしてゆっくりと陽子の顔を仰ぎ見た。

「お姉ちゃんもごめんね」

そんな一言を残し、幸乃は顔を青白くさせながら、眠るように意識を失った。祭壇にあった母の遺影が胸をかすめる。幸乃だけに母から遺伝した持病。小さな身体がさらに軽くなったような錯覚を陽子は抱く。

以前、その瞬間はどういう気持ちか尋ねたとき、幸乃は屈託なく笑って答えていた。

「身体があったかい空気に包まれてね。気持ちがいいんだ。目の前が真っ白になってさ、天国にいるみたいなんだよ」

幸乃を胸に抱いたまま、陽子は卑屈に笑う父を睨み続けた。翔の言った〝探検隊の約束〟が脳裏を過《よ》ぎる。

大丈夫、私が守ってあげるから——。

そう思う気持ちにウソはないのに、その上を塗り固めるようにして、父の言った「必要なのはお前じゃない」という言葉が、陽子の心を支配した。

その夜から父はいつもうつろな目をしていた。父の脆さを突きつけられるたびに、陽子は翔と慎一を愛《いと》おしく思った。

だからある日の夕方、まだ瞼の青あざが引かず、学校を休んでいた幸乃が突然「二人に会いたい」と言い出したとき、陽子の胸は弾んだ。

「身体は平気？」

陽子の質問に、幸乃は力強くうなずいた。「本当ね？」と念を押しても幸乃がうなずくのを確認したときには、すでにその手を引いていた。

幸乃のペースに合わせて歩くことが久しぶりにもどかしく感じられた。母の葬儀以来の再会だ。秘密基地で二人の姿を見つけると、陽子はもう笑みをこらえることができなくなった。でも、男の子たちの反応はまったく違った。慎一が幸乃の顔を冷たく見つめ、呆然と口を開いた。

「誰にやられた？」

いつになく棘《とげ》のある口調だった。弱ったように顔を向けてくる幸乃に、陽子はたじろぎそうになる。直感的に、守らなければならないのは父の方だと悟った。

「違うの。ちょっと階段で転んだだけで」

そんなドラマのようなセリフが口をつく。

「そんなのウソだよ」と、慎一は嘲笑《あざわら》うように目を伏せた。

「ウソじゃないよ」

「絶対にウソだ！　おじさんがやってるに決まってる。みんなそう言ってるぞ。知らない人なんていないんだ！」

一転して声を荒らげた慎一の顔を、陽子は無意識に張っていた。

「ちょっと待ってよ。みんなって誰？　誰が何を言ってるの？　勝手なこと言わないで！」

慎一は頬を押さえてうつむいたが、伸びた前髪越しに鋭く陽子を睨んでくる。その挑発的な表情に、さらに身体が熱くなる。陽子はもう一度右手を振り上げたが、間一髪のところで幸乃が腕にしがみついた。

「本当だよ！　お姉ちゃんの言うことは本当だよ。だから、みんな仲良くしてよ！」

幸乃はそのまま泣き崩れ、釣られるように慎一も目を赤くした。黙って見ていた翔でさえ鼻をすすっているというのに、陽子はまた一人泣けなかった。通夜のときと同じだ。どうして自分だけ疎外《そがい》されている気持ちになるのだろう。

「ねぇ、翔。教えてよ。何が起きてるの？　私たちのこと、誰が、なんて言ってるの？」

すがるような思いで尋ねたが、翔は首を振るだけだ。

「とにかく今は耐えろ。噂なんてすぐに消えるから。幸乃ちゃんのためにもお前はがんばれ」

「でも」

「大丈夫。絶対にもうすぐ終わるから」

断言するように翔は言ったが、心の鬱《ふさ》ぐ日はそれからも続いた。現状を突き動かす何かが起こることを期待しながら、その何かが起きることこそ恐かった。このままでは終わらないという予感がいつも身体にまとわりついていた。

だからその電話がかかってきたとき、陽子は嫌悪感《けんおかん》を覚えつつも、同時に安堵《あんど》するような気持ちも抱いた。秘密基地で翔たちと会った数日後のことだ。

『田中美智子と申します』

名前に覚えはなかったけれど、陽子はすぐに察した。いつか公園で慎一と話していた、そして家で母を泣かせていたあの女だ。

「タナカミチコさん」

その一文字、一文字を胸に焼き付けるように繰り返す。女は淡々と『陽子ちゃんね？　こんにちは。お父さんはいるかしら？』と告げてきた。

不在を伝えると、女はあっけなく引き下がった。冷たい沈黙が一瞬受話器を伝ったあと、女はとってつけたように付け足した。

『このたびはご愁傷《しゅうしょう》さまね』

大人たちは誰も教えてくれないが、陽子には母が事故前に会いにいこうとしていたのはこの女だという思いがある。それと同時に、あらぬ噂を流しているのも彼女なのではないかという疑いもあった。「ご愁傷さま」という他人事《ひとごと》のような言い草を聞いたとき、これから何かが起きるのだという予感は確信に変わった。

案の定、女は日を置かず再び家を訪ねてきた。父はやはり彼女の存在を知っていたようだ。一瞬怯んだ表情を浮かべたものの、すぐに彼女を部屋に招き入れた。

二階で寝ている幸乃に気づかれないように、陽子はリビングの戸に聞き耳を立てた。鼻にかかった女の声だけが聞こえてくる。内容はここ数日、イヤでも陽子の耳にも入ってきた陰口と同質のものだった。

ギャクタイのことはもう……。

サイバンという方法だって……。

ヨウイクヒさえ払ってくれれば……。

セッカンの噂も……。

陽子はすぐに聞いていられなくなった。逃げるように二階へ上がり、寝ている幸乃を無言で抱きしめたが、しばらくすると部屋の戸が乱暴にノックされた。

飛び起きた幸乃と一緒に目を向けると、女が頬を赤く染めてドアの前に立っていた。女は陽子に目もくれず、幸乃のもとへ歩み寄る。

「ああ、幸乃ちゃん」

そう言ったまま大げさに泣き崩れる姿は、ただ自分に酔いしれているだけのようで、陽子には不気味としか思えなかった。

しかし、幸乃は何かを確認するように目を瞬かせたあと、突然女の背中をなで始めた。きっと本能的に腕が伸びたのだろう。見間違えてもおかしくないほど、たしかに女の背格好はなぜか母とよく似ていた。

女は驚いたように顔を上げた。

「幸乃ちゃん、ごめんなさい。私にはあなたが必要なの。私にはもうあなたしか頼れる人がいないから。必要なの」

黄ばんだ歯を見せながら、女は父と対極の言葉を口にする。家族の弱みに土足で踏み込まれたようで、陽子は直視していられなかった。

父と女の間でどういうやり取りがあったのか知らないが、その夜、とりあえず一晩だけという期限付きで、幸乃は女に引き取られていった。

陽子はしつこく理由を問い質《ただ》した。父は「時期が来たら」と繰り返したが、これ以上何かを先延ばしにするわけにはいかなかった。

父は酒の瓶に手を伸ばしかけたが、陽子は許さなかった。先に瓶を奪い、キッチンのシンクに叩きつける。粉々になったガラス片を見つめながら、陽子はあの夜のことを口にした。幸乃に手を上げた蛮行を父に突きつけなければならなかった。

父はまるで今はじめて知ったかのように目を見開いたが、しばらくすると「わかったから。もうわかったから」と繰り返し、かぶりを振った。

そして頼りない目で陽子を見つめ、肩で息を吐いた。自分で詰め寄っておきながら、陽子にはだいたいのことが想像できた。

父は堰《せき》を切ったように語り始めた。陽子の実母は出産後すぐに亡《な》くなっていること。ヒカルとは横浜の飲食店で知り合ったこと。十七歳の母のお腹《なか》に幸乃がいたこと。それを知った上で、父がすべてを引き受けようとしたこと。母が父を受け入れてくれたこと。あの女が幸乃にとっての祖母であること。私たちが本物の母娘《おやこ》じゃなかったこと。姉妹じゃないこと……。

「でも、俺たちは本当に愛し合っていたんだよ。もちろん幸乃のことも愛している。それだけは本当だ。信じてくれ」

うなだれる父の言葉にウソはないのだろう。私たちはきちんと幸せだったし、家族であることを疑ったことも一度もない。

でも、だからこそ許せなかった。たとえ血なんか繋《つな》がっていなくても、私たちはたしかに家族だった。母娘だったし、姉妹だった。事故のせいなんかじゃない。酒に酔ってのあの暴挙が、大切にしていたすべてのものをぶち壊した。母だけでなく、最愛の妹までも、父は私から奪い取ろうとしている。

父は肩を落とし、子どものように泣き始めた。いつになくか細く見えるその身体を、陽子は力の限り殴り続けた。

幸乃も今、同じ話をあの女から聞かされているのだろうか。だとしたら、あの子はこれからどうなってしまうのだろう？

必死に幸乃の笑顔を思い浮かべようとしてみたが、なぜか思い出すことができなかった。

翌日、陽子は翔を公園に呼び出した。翔ならば。翔だけは。そう胸の中で懇願しながら、洗いざらいぶつけた言葉は、ほとんど彼に響かなかった。

所在なげに地面を蹴り続け、翔は面倒くさそうに頭をかいた。

「それはもう俺たちじゃどうにもできないよ。もう大人たちが決める問題だ」

「何よ、それ。つらいときはみんなで助けるって言ったじゃない」

「でも、俺たちまだ子どもだしさ。どうしようもないことなんていくらでもあるよ」

陽子は次の言葉が出てこなかった。そのとき、幸乃があの女に手を引かれ、坂を上ってくるのが視界に入った。たしかにこちらを向いたはずなのに、幸乃は気づかぬフリをして歩いていく。

翔に別れも告げず、陽子は放心したまま幸乃を追った。家に飛び込むと、玄関先で父と女が話をしていた。「しばらくは群馬の方で……」といった声を無視し、二階の部屋へ駆け込むと、幸乃は無表情のまま身支度を整えていた。

あまりにも急な展開についていくことができなかった。陽子は何も言えないまま、ただ背後から幸乃を抱きしめた。

幸乃の表情は変わらなかった。口にしたのも一言だけだ。

「これ、お姉ちゃんにあげるね」

幸乃は左手にシミの付いたピンクのテディベアを差し出してきた。一つ一つが人生を決定づける重要な局面であるはずなのに、淡々と目の前を過ぎていく。

三十分ほどかけて、幸乃は準備を終えた。去り際《ぎわ》、本当は伝えたいことが山のようにあったのに、陽子は何も言い出せなかった。

テーブルの上の母の写真を一瞥《いちべつ》して、先に口を開いたのは幸乃の方だ。

「私もお母さんと同じ病気で死ぬのかな」

「何バカなこと言ってるのよ。そんなわけないじゃない」

「なんで言い切れるの？」

「だって、いいことだってあるかもしれないよ」

「そんなのないよ」

「あるよ」

「どんな？」

「だから、たとえばそれは――」

陽子は必死に気持ちを奮い立たせた。

「逆に命を救われることだって」

でも、言葉はそこで途切れた。自分で言っていて興ざめする。そんなことがあるはずない。幸乃もつまらなそうに鼻で笑った。

玄関で父が待っていた。頭を垂れた父の「本当にすまなかった」という言葉に、幸乃は小さく首を横に振った。

女に手を引かれて家を出ると、翔と慎一が待っていた。幸乃は二人のこともちらりと見やっただけで、やはり何も言わずに歩き出す。

女は自分のペースで先を歩いた。引きずられるようにして、幸乃は懸命にあとを追う。お願いだからその子のペースに合わせてあげて――。

そう心の中で叫んだあと、陽子は震える声をしぼり出そうとした。でもその間際、男の子の声が轟《とどろ》いた。

「味方だからね！　僕だけはずっと味方だよ！」

翔と慎一のどちらの言葉かはわからない。坂の下に消える直前、幸乃は一度だけこちらを向いた。翔たちは安堵したように手を振ったが、陽子は一人息をのみ込んだ。

それははじめて見る妹の顔だった。何かに怯《おび》えたような表情をして、人を疑《うたが》うような空虚な瞳を浮かべている。陽子の知っている幸乃から、大切な何かが丸ごと失せてしまっている。

「誰よ、あの子……？」

そんな言葉がひとりでに漏れた。十一月、しし座の流星群が多く観測された日のことだ。

妹の姿がすべて坂の向こうに消えたとき、母の事故以来ずっとこぼせないでいた涙が、ようやく頰を伝っていった。

◆

倉田陽子が妹の存在を忘れたことは一日もない。でも毎日がめまぐるしく過ぎていき、幼少の頃の思い出が少しずつ霞《かすみ》に捕らわれていくにつれて、どこかに存在するはずの幸乃という人間から現実味は消えていった。

だから最初にニュースであの事件を知ったときも、不思議なほど動揺はしなかった。もちろんすぐに記憶はよみがえったし、メディアの報道に釘付《くぎづ》けにはなったけれど、自分から何か行動を起こそうとは思わなかった。冷たい言い方かもしれないが、他に数多《あまた》ある絵空事のような事件にしっかりと紛れ込んでいた。

ただその中に二つ、陽子の心をざらつかせる報道があった。それはあの優しかった母を無責任なホステスと、三年前に他界した父を酒乱の虐待《ぎゃくたい》養父と一方的に断じたものだ。

父はあの日を最後に今度こそ酒を止《や》めた。そして以後、一滴たりとも飲まなかった。だからといってあの夜の蛮行を許すことはできないけれど、あの人が自らの罪を受け止め、最期《さいご》の瞬間まで生ききったのは間違いない。

父が幸乃に手を上げたのは一度だけだ。それは誰よりも陽子がよく知っている。にもかかわらず「養父からの執拗《しつよう》な虐待」などとメディアはしきりに喧伝《けんでん》した。誰かが面白がって吹聴《ふいちょう》しているとしか思えない。だとしたら、いったい誰が？　あの頃の近所の主婦たちの蔑《さげす》んだ顔が今でも鮮烈に目に浮かぶ。

海から吹き上げる風が身を切った。つないでいた手に思わず力がこもり、蓮斗が

「痛いよ。母さん」と顔をしかめる。

「え？　ああ、ごめんね。蓮斗」

そう言いながら、陽子はあらためてカバンに目を落とした。そして十数年分黄ばんだテディベアを取り出した。

左手の部分には今でもシミが残っている。陽子は「おじいちゃんが寂しがるからね」と言い訳するようにつぶやいて、ぬいぐるみを供花の横にそっと置いた。

「百歳まで生きようね」

そう天真爛漫に言っていた妹の人生がもうすぐ閉じる。そのことに言いようのない恐怖を覚えるが、あの日流れた涙はもう陽子の頰を伝わない。

第三章「中学時代には強盗致傷事件を――」

田中幸乃の死刑判決を知った日、小曽根理子《おぞねりこ》は重たい十字架から解放されるような錯覚を抱いた。

今から四年前の秋のことだ。判決の一報を伝える夕方のニュース番組を見つめていたら、一緒に何かしらの感情が芽生えたことも覚えている。でも、その〝何か〟がなんであったか、ずっと思い出せずにいる。

「それでは小曽根先生、よろしくお願いいたします。生徒諸君は拍手で迎えてください」

教頭先生に招かれ、理子は舞台袖《そで》の席を立つ。その間際《まぎわ》、ステージ後方の大仰な横断幕が目に入った。

〈小曽根理子先生　講演会　演題『〝今〟を生きる覚悟』〉

小さく一つ咳払《せきばら》いし、理子は体育館を埋めつくす八百人近い生徒たちと相対する。

「駒山高校のみなさん、はじめまして。小曽根理子と申します。大半の生徒さんにとって、私の話は退屈なものだと思います。そういう人たちはどうぞ遠慮なく寝ていてください。ですが今日、人生まで変わってしまう人も中にはいるかもしれません。そういう人の邪魔にならないよう、くれぐれもいびきなどかかないように」

壇上に立つと必ず感じることがある。ああ、こんなにも一人一人の顔がよく見えるのかといういまだ新鮮な驚きだ。

堂々と寝ている子、スマホを覗《のぞ》いている子、友だちとじゃれ合っている子、真剣な眼差しを向けてくれる子。つい〝生徒〟という一括《ひとくく》りで語ってしまいそうになるけれど、当然ながらそれぞれに違う顔がある。没個性なんてあり得ない。

六十分という時間をかけて、伝えたいことはいつも一つだ。覚悟を持って〝今〟を生きて欲しいということだけだ。死ぬときに後悔しない決断を今こそするのだということを、理子はなんとか伝えようと努めている。

毎度のことながら、生徒たちから熱など感じない。でも、理子はそれが表層的なものであることを知っている。後日、学校から送られてくる生徒たちの感想には、驚くほど熱っぽい言葉が綴《つづ》られている。

理子は時間通りに話し終えた。拍手が止《や》むタイミングを見計らい、教頭が問いかける。

「では、質疑応答の時間とします。質問のある生徒はいますか？」

ここからの流れもいつも変わらない。たいていの場合、生徒会長らが必死に考えたのであろう質問を投げかけてくるだけだ。それに答えているうちに予定の時間はあらかた埋まる。

今日も同じような流れで進んでいった。が、いつもと違うことが一つあった。会を締めくくろうとした教頭に食い下がるようにして、一人の女子生徒が手を挙げた。

「お、小曽根先生、あと一つ……。あ、あと一つだけお願いします」

黒い制服の群れの中で立ち上がった少女を見て、理子は「あっ」と声を漏らした。全身の筋肉が強《こわ》ばるのが自分でもわかった。

病的なほど白い肌に、老人のように丸まった背筋、ひょろりと高い身長と、一向に定まらない視点。見るからに質疑応答で手を挙げるタイプでない彼女は、一生懸命身の上話を口にする。

「わ、私にはもう取り返せないかもしれない大きな悔いがあります。そ、それを今から取り戻せるのか不安です。先生のお話をうかがっていたら、ほ、本当に恐くなりました」

そして、意を決したように少女が顔を上げたときだ。

「お、小曽根先生には、そういう経験はありませんか」

少女が消え入りそうな声で尋ねてきたとき、理子は一つの謎《なぞ》が解けた気がした。膝《ひざ》が唐突に震え出す。しがみつくようにテレビを見つめる卑《いや》しい自分の顔が、突然胸を過《よ》ぎる。

そう、忘れていたわけではない。あの日、田中幸乃の死刑判決のニュースを知ったとき、真っ先に胸をかすめたのは「これで逃げ切った」という虫酸《むしず》の走るような安堵《あんど》感《かん》だった。

「わ、私は、だから私は――」

しかし、理子の声はそこで途切れた。体育館に静寂が立ち込める。いくつもの怪訝《けげん》そうな視線を押しのけるようにして、少女が上目遣いに見つめている。

直前までのおどおどした様子がウソのように、その黒い瞳《ひとみ》は理子の心の中まで見透かしているかのようだった。

◆

「ねぇ、理子。あなた少年法って知ってる？」

小曽根理子の読んでいた文庫本がうすい影で覆《おお》われた。見上げると、クラスメイトの山本皐月《やまもとさつき》が笑みを浮かべて立っていた。

「おお、皐月ちゃん。どうもどうも」

理子は条件反射的に愛想を振りまいた。皐月は理子の手もとを見下ろすと、呆《あき》れたように息を吐いた。

「また読書ー？　今度は何読んでるの？」

昼休み、横浜市立扇原《おうぎはら》中学校の屋上にはめずらしく他の生徒の姿はない。自分で切り出したはずの〈少年法〉のことには触れず、皐月の話題は当然のように次に進む。

皐月が話しかけてくれることは今でも単純に嬉《うれ》しく思う。でも、緊張から身体《からだ》が強ばってしまうのも変わらない。それを解こうとするように、ようやく柔らかくなり始めた五月の風が頰をなでた。皐月のしなやかな髪がなびき、シャンプーの香りが理子の鼻先をくすぐった。

「じゅーん・えあー？　何これ。面白いのー？」

皐月は理子から本を奪い取る。

「うん、『ジェーン・エア』だね。面白いよー。ちょっと少女趣味ではあるんだけどさ」

「ふーん。どんな話？」

「いわゆる〝シンデレラ・ストーリー〟ってやつ。不幸な女の子が人生を切り拓《ひら》いていって、最後は好きな人と結ばれるの。でも、ありがちな他力本願的な話じゃなくて、自分の力でってとこがミソなんだ。その文庫はとくに翻訳が良くってさ。私、もう何回読んだかわからないよ」

自分の趣味に興味を持ってもらえたのが嬉しくて、つい早口で言ってしまう。「ふーん。私もなんか読んでみよっかなー」と、皐月は誰よりも黒の濃い髪をいじりながら首をひねる。

その端整な横顔を眺めながら、理子は今さらながら不思議に思う。どうして皐月は私と仲良くしてくれるのだろう？　みんなの輪の中心で、いつも不満なさそうに笑っているのに。私なんて何ももたらすことができないのに。

「あれ、そういえば今日は恵子《けいこ》ちゃんと良江《よしえ》ちゃんは？」

理子は今気づいたふうを装《よそお》った。二人は皐月の小学校の頃からの友人だ。理子を含めた四人は扇中《おうぎちゅう》で一年生のときからのクラスメイトだったが、その頃はほとんど接点を持たなかった。二年生になって理子があとから輪に入った。

「べつにー。一緒じゃないよー。なんでそんなこと聞くのー？」と、皐月はいつも間延びした話し方をする。

「いや。どうしたのかと思ってさー」

釣られるように語尾を伸ばして応《こた》えながら、理子は少し安堵した。二人のときと、他の子と一緒のときとでは皐月の態度はまったく違う。簡単に言えば前者は優しく、後者は刺々《とげとげ》しい。もちろん理子は前者の皐月が好きだし、本当の皐月は心根の優しい子だと思っている。

理子は胸を弾ませながら皐月とおしゃべりを続けた。内容はファッションのことが大半だ。メイクどころか、皐月と親しくなるまでは服だって母のセンスに任せていた。それが今では毎月のファッション誌チェックを欠かさない。皐月が教えてくれた新しい世界だったし、見つけてくれた新しい自分だ。

「あ、そういえば私誕生日近いんだよね。パーティーするから理子もおいでよ」

皐月の語尾から「ー」が消えた。こういうときは真面目《まじめ》な話をしているか、でなければ機嫌が悪いかのどちらかだ。

「へぇ、そうなんだねー。おめでとう。五月の何日かって実は前から気になってたんだ」

「なんで五月って知ってるの？」

「いや、ほら。皐月っていう名前がさ」

「ああ、そういうこと」と、皐月はつまらなそうに視線を逸らした。皐月が名前を好んでいないことは知っている。もっと今っぽいのが良かったのだと、いつか真顔で言っていた。

そのときはまだ遠慮があったし、周りに他の子もいたので言えなかった。でも、理子にはずっと伝えたい思いがあった。

「私は好きだよ。皐月っていう名前。かわいいよ。儚《はかな》げで、繊細でさ。私なんて理だよ？　名字なんて小曽根だし。〝おぞましいね〟って、何度言われてきたことか」

皐月は耐えられなくなったように噴き出した。それだけのことが理子には身悶《みもだ》えするほど嬉しい。今でも泣き虫で、教室でまったく目立たない自分だけれど、皐月と一緒にいるときだけは強くいられる。理子はあらためて実感する。

この昼休みはほとんどの時間を皐月を独り占めできた。背後から「あ、やっと見つけた！」という声が響いたのは、始業十分前のチャイムが鳴った頃だ。

皐月と一緒に振り返ると、恵子と良江が我先にと駆け寄ってきた。

「あ、理子もいたんだ？」

良江が息を切らしながら口を開く。心がこもっていないことはあきらかだ。二人はいまだに自分を受け入れてくれていない。皐月に従っているだけだ。

「うん、さっきたまたまここで一緒になったんだよー」

理子も心の内を気取られないよう口にする。

「っていうか、お前らこそどこにいたんだよ。探しただろ」と、皐月もまた冗談ぽくはあるけれど、いつもの言葉遣いで膨れてみせた。

二人から四人になっても、他愛のない会話は続いた。空気が変わったのは、体操着姿の三年生が校庭に出てきたときだ。理子がひそかに憧《あこが》れている遠山光博《とおやまみつひろ》の姿があった。

「あれ、遠山先輩じゃね？」という声に、ふと現実に引き戻される気がした。恵子が意地悪そうに笑っている。良江も白い歯を見せた。

「ハハハ。すごいねー。今日も前髪キメキメだ」

「なんか茶髪になってるし。中三デビューとか恥ずかしくないのかな」

「まーねー。でも、あの先輩って意外とモテるんでしょ？　悪い噂《うわさ》も結構聞くし」

「へぇ、そうなんだ。わからないもんだね」

一般論だよ、一般論。べつに私とは関係ない。そう思い込もうとした矢先、ねちっこい二つの視線がほとんど同時にこちらを向いた。口を開いたのは良江の方だ。

「いやぁ、理子のセンスって結構えげつないよねー」

「な。そこかよって感じがハンパじゃない」

そう応じた恵子の言葉に、皐月は手を叩《たた》いて喜んだ。理子も釣られて笑みを浮かべる。楽しくなんてないはずなのに。絶対に誰にも言わないでねと、皐月に頼んでいたはずなのに。

「ああ、授業かったりーなー。バックレちゃおっか？」

そんな皐月のグチを聞きながら、みんなだらだらと立ち上がる。そのとき、視界の隅に見覚えのある影を捉《とら》えた。

鬱陶《うっとう》しく前髪を垂らし、垢抜《あかぬ》けないメガネ越しに不安げな目を向けている。顔は不自然なほど青白いのに、身長はここにいる誰より高い。

「ちっ。またあいつかよ。っていうか、こっち見んな！」

恵子が皐月の思いを代弁するように言い放った。でも、彼女は怯《ひる》まない。あなたには用がないとでもいうふうに、理子だけを見つめている。

みんなに悟られぬように、理子は小さく首を振った。となりのクラスの田中幸乃は、何かを確認するようにうなずいた。

その手に文庫が握られている。数日前に理子が貸した、エミリー・ブロンテの『嵐が丘』だ。

その日の放課後、吹奏楽部の練習が長引き、帰る準備を始めた頃には、陽はすっかり暮れていた。周囲には深い影が差し、上空の雲が近くの繁華街のネオンを反射させている。

理子は待ち合わせの公園に急いだ。約束の時間を一時間以上過ぎている。さすがに帰っているだろうと思っていたから、「理子ちゃん」という声が背後から聞こえたとき、理子は心の底から驚いた。

「なっ！　ちょっ、幸乃？」

素っ頓狂な声が口から漏れる。

「あ、ごめん。驚かしちゃって。そんなつもりはなかったんだけど」

幸乃は恨み言を言うでもなく、小さな声で謝罪した。待っていてくれたら絶対に謝ろう。直前まで思っていたことを忘れて、理子はたまらず腹を立てる。

「ちょっと驚かせないでよ！　もっと違う言い方あるでしょ！」

「ご、ごめん。ホントにごめんね、理子ちゃん」

そう言って理子は先を歩き出した。幸乃がついてくる気配はない。うんざりしながら数メートル先で振り返ると、幸乃は地面を蹴《け》って揺れていた。

「ほら早く。行くよ、幸乃！」

理子が手招きすると、幸乃は今にも弾《はじ》けそうな笑みを浮かべた。ああ、かわいいなぁと、理子はいつもの思いを胸に抱く。

幸乃は安堵したように口を開いた。

「ごめんね、理子ちゃん。昼休み。私、つい声かけそうになっちゃって。ちょうど『嵐が丘』の上巻を読み終えたところだったんだよ。だからつい話しかけたくなっちゃって」

「すらすら読めた？」

「うん。読めた。もっと難しいかと思ってたんだけど」

「でしょ？　あれもやっぱり翻訳がいいんだって」

「うん。試しに図書館にあるやつを見てみたんだけど、全然頭に入ってこなかったよ」

幸乃はいつも理子の心をくすぐることを言う。普段ならここから嵐のような小説ト

「もう知らないよ！」

ークが始まるはずだ。それなのに、今日はなかなか乗りきれない。『嵐が丘』という素敵な物語を共有できる日だというのに、うまく会話に集中できない。

その理由はわかっている。直前に幸乃が口にした「つい声かけそうになっちゃって」という言葉が、胸に引っかかっているからだ。

理子は気まずさを感じずにはいられなかった。「学校では絶対に声をかけないで」と、それは日ごろから幸乃に口酸っぱく言っていることだ。


幸乃と親しくなったのは、皐月から声をかけられたのとほとんど同じ、二年生に上がってすぐの頃だ。

当初、理子は幸乃のことが好きではなかった。というよりも、学校中に幸乃を好いている子はいないと思う。根暗で、地味で、誰からも相手にされない怪しい子。そんな認識がみんなの間で広まっている。

でも、先に声をかけたのは理子だった。

「あ、『ジェーン・エア』」

たまには皐月たちと離れ、一人で過ごしたいと思った昼休みの屋上だった。理子にいきなり話しかけられ、幸乃は読んでいた文庫本をあわてて隠した。

「いいよね！　その本。私も好き。え、それってどこの版？」

「どこのって……」という幸乃の声は震えていた。へぇ、こんな声をしているんだと、理子は妙に新鮮な気持ちを抱いたのを覚えている。

挙動不審な幸乃から、理子はもどかしくなって本を奪った。本には図書館のシールが貼《は》られていた。仮名遣いのやけに古くさい、理子の苦手な出版社のものだ。

「ねぇ、ちょっとここで待ってて。すぐに戻ってくるから。待っててね！」

呆《ほう》けた顔をする幸乃を置いて、理子は教室に走った。ロッカーの中に自分の好きな翻訳のものがある。どうしてもそれを幸乃に読ませたかった。

その日は強引に本を押しつけただけだった。それから一週間ほど過ぎたある日の放課後、学校の正門前で、幸乃が理子の帰りを待っていた。

「あ、あの、すみません。お、小曽根さん」

風にかき消されそうな声だった。振り返ると、幸乃は視線を逸らしながら会釈《えしゃく》した。怪訝そうな吹奏楽部の友人たちを先に行かせると、幸乃は「す、すごく面白かったです」と貸していた本をカバンから取り出した。一瞬呆気《あっけ》に取られ、理子はすぐに噴き出した。

「です、って何よ。同級生じゃん！」

そう言って幸乃の細い肩を叩いた日から、二人の距離は飛躍的に縮まっていった。気づいたときには幸乃の言葉から丁寧語が消えていて、「小曽根さん」という呼び方も、いつからか「理子ちゃん」に変わっていた。幸乃と一緒にいる時間は皐月たちと遊ぶのと同じように、理子にとって学校生活を彩《いろど》る大切な要素の一つだった。

でも、そんな二人の関係にいきなり暗い影が差し込んだ。

「あいつ、やばいよね。絶対危ないって」

やはり屋上でのことだった。一緒に弁当を食べていた皐月がポツリと漏らしたとき、理子は彼女が何を言っているのか一瞬わからなかった。

「うん、ちょっとねー」

「っていうか、あいつっていつもここにいるよな」

良江と恵子も示し合わせたようにうなずいた。二人をつまらなそうに見やったあと、皐月は冷たい目をもとの場所に向けた。視線の先に幸乃がいた。

「あいつ、宝町《たからちょう》から通ってるんだって。でも、昔から住んでいたわけじゃないんだよ。宝西《にし》小のヤツら、誰もあいつのことなんて知らないって。あり得なくね？　それって最近越してきたってことでしょ？」

皐月は一息にまくし立てた。理子たちの通う扇原中学校は、三つの小学校の卒業生が集まってくる。大きく分類すれば、お金持ちの家庭が多い、理子の出た万永小学校。中流家庭がほとんどの皐月たちの峰内《みねうち》小学校。そして労働者の街として知られる宝町を学区に抱える、宝西小学校といった具合だ。

「ああいう何考えてるのかわからないブスに限って、キレると何するかわからないよね」

「ああ、それわかる」

「絶対に絡《から》まない方がいいよ。理子もいいね？」

恵子と良江がへらへらと笑う。「ブス」という言い草にカチンと来て、理子はすぐにはうなずけなかった。今年の〈ミス扇中〉の噂もある皐月はともかく、ハッキリ言って恵子たちなんかより幸乃はずっと魅力的だ。

はじめてみんなに反発したい気持ちが芽生えた。でも、皐月が先回りするように口を開いた。

「わかったね、理子。返事は？」

口調は冗談めかしていたけれど、目は笑っていなかった。言いたかったことはのど元で消え失《う》せ、理子は「はい」と答えていた。

翌日、他に誰もいない屋上に幸乃を呼び出し、理子は頭を下げた。

「ごめん、幸乃。学校ではもう話しかけないで。こんなこと言ってホントにごめん」

目を伏せた理子に、幸乃は理由を求めてこなかった。ただ優しく微笑《ほほえ》んで、視線を港の方に逸らしただけだ。

学校での会話を禁止された日以降、理子はますます幸乃を愛《いと》おしく感じるようになった。すぐに連絡先を交換して、毎晩のように電話した。放課後にこっそり待ち合わせては、好きな小説の話をした。幸乃が家に遊びにきたこともあるし、母とも仲良くやっている。

理子はあるとき自分の心の中のある思いに気がついた。それは自分だけが幸乃のかわいさを知っているのだという、優越感にも似た思いだ。

与えてくれる者と、与える者。守ってくれる者と、守るべき者。皐月との関係性とは正反対だけれど、幸乃もまた理子に強さを与えてくれる大切な友だちの一人だった。

「本当にお邪魔しちゃっていいのかな？　こんな遅くに」

そのために公園で待ちぼうけを食ったというのに。理子の家を目の前に、幸乃は今さら不安そうに目を泳がせる。

頼りない背中を押して、わざわざ幸乃にチャイムを押させた。きっと直前まで苛《いら》ついていたに違いない。母は不機嫌そうにドアを開けたが、幸乃の顔を見ると柔らかく微笑んだ。

ダイニングテーブルには色とりどりのおかずが並んでいた。おいしそうと感じるより先に、頭の中で万国旗がはためいた。

「イッツ・ア・スモール・ワールドって感じだね」

そんな理子の冗談には応えず、幸乃は小さく喉《のど》を鳴らす。

「肉じゃがだ」

「は?」

「肉じゃががある」

たしかに昨夜の残りの肉じゃがが申し訳なさそうにテーブルの隅に載っている。

「何それ。肉じゃがってそんなにめずらしいんだっけ?」

理子がポカンと口を開くと、幸乃はやっと笑みを滲《にじ》ませた。父が出張でいないからということで、以前から企画していた夕食会だ。その席で幸乃は一心不乱に肉じゃがを頬張った。「本当に好きなのね」と、母は感心したように目を細める。多くのおかずがまだ皿に残っている中、肉じゃがの器だけあっという間に空になった。

普段は滅多に飲まないくせに、母は早々に二本目のビールの口を開けた。そして楽しそうに切り出した。

「ねぇ、幸乃ちゃんってごきょうだいは？」

ああ、出たよと、理子はうんざりする。前に皐月を招いたときも、母はしつこく質問を繰り出した。どこに住んでいるのか、月の小遣いはいくらか、両親は何をしているのか、もう彼氏はいるのか……。

目に見えてムクれていた皐月とは違い、幸乃は淡々と質問に答えた。

「いません。一人っ子です」

「そう。だったらいつでも遊びにいらっしゃい。理子も一人だからさ。色々と心配なんだ」

「ちょっとやめてよ。お母さん」

理子は恥ずかしくて口を挟む。

「だって、ホントのことだもん。幸乃ちゃんなら安心だし」

不快な顔を見せた理子を無視し、母は再び幸乃と向き合う。

「ねぇ、幸乃ちゃん。もしもこの子が悪いことに手を出しそうになったら、あなたが止めてちょうだいね。お母さんが悲しむよって。悲しむ人がいるんだよって、きついこと言っちゃっていいからね」

どうやら母は酔っぱらっているようだ。いつになくよく笑う母とは対照的に、理子の気持ちは鬱《ふさ》いでいった。母の言葉の裏に、皐月の影を見たからだ。

せっかく遊びにきてくれた皐月に質問するだけ質問を浴びせ、母は最後までいい顔をしなかった。その点、幸乃は性格も、行儀も、話し方も、母のお気に入りのポイントをちゃんと押さえている。

でも、母はまだ知らない。たとえ幸乃が宝町に住んでいると知っても、同じことを言えるのだろうか。昔からなんの説明もないまま「絶対に近づいちゃダメ」と言われていた街だ。それでも同じように「遊びにいらっしゃい」と言えるのか。

「お願いね、幸乃ちゃん」

そう繰り返し、どこか恩を着せるように頭を下げた母に、幸乃は曖昧《あいまい》な笑みを浮かべた。その横顔を見つめていたら、あの日かいだ饐《す》えた匂《にお》いが鼻先によみがえった。

母は何を感じるのだろう。理子はあらためて思う。最愛の娘が興味本位であの街を訪ねていったことを知ったら、この母はなんて言うのだろう。

宝町は周囲から断絶された街だった。理子は「ここからが宝町」という明確な境目を見た気がした。さほど広くない街中に「××荘」という似たような名前の安宿が建ち並び、街の深部に近づくにつれ料金が安くなっていく。理子が目にした最安値は〈テレビ付き　８００円〉というものだった。

やけに多い自販機に、シャッターの下りた飲み屋に商店、見たこともない外国語が記された立て看板と、街の中心に陣取るように建てられた複雑怪奇な構造の「宝町総合労働福祉会館」という建物。宝町はかつて賑《にぎ》わっていた気配を残してはいるが、今その活気はどこにもない。

なのに、街には人が溢《あふ》れていた。人はいるのに、活気がないのだ。道端にいる人のほとんどが年老いた男の人だった。数人で輪になって、お酒を飲んでいる人も中にはいたが、大半は身動きもせずに路肩に座っていた。濁った目を向けてくる彼らがいったい何をしているのか、理子には見当もつかなかった。

不運にも季節外れの生暖かい日だった。額から汗が流れるのを自覚したとき、なんとも言えない酸っぱい臭いが鼻をかすめた。

「やっぱり臭うかな？　私はだいぶ慣れちゃったけど」

幸乃が申し訳なさそうに口を開いた。理子はとっさに「全然」と手を振った。幸乃は見透かしたような顔で続けた。

「これでもだいぶマシになったんだって。昔はもっとひどかったって、みんな言ってる」

「ねぇ」

遮るようにして口をついた。理子は幸乃の耳もとでささやいた。

「ここって何？　どういう街なの？」

理子はゆっくりと幸乃から顔を背けた。横浜のメインストリートは目と鼻の先にある。みなとみらいも、中華街も、横浜スタジアムも、元町も、山手の丘にだって歩いて行ける。そういった観光地の近くにある街として、宝町はあまりふさわしいとは思えなかった。

幸乃はしばらく理子を見つめたあと、小さく肩で息を吐いた。そして再び歩き出しながら「私も詳しくは知らないんだけどね」と切り出した。

宝町は「ドヤ」と呼ばれる街なのだと幸乃は言った。毎朝五時になるとその日の求人情報を抱えた業者がやって来る。それを目当てに、労働者たちも朝早くに駆けつける。

横浜という土地柄、求人は港湾関係の肉体労働が多いそうだ。となれば当然若く、体力のある人から順に仕事が割り振られる。長引く不況の影響もあって、年老いた人たちは仕事にありつけないことが多いのだと幸乃は言う。

「ここにいる人たちはみんなそうだよ。たぶん今朝の仕事につけなかった人だと思うんだ。仕事をもらえなかったら一日することないもんね。かわいそうだよね」

道端に寝そべる老人に目を向け、幸乃は少しだけ語尾に力を込めた。弱い老人を狙《ねら》ったブローカーのような人間が存在すること。彼らが企業からの報酬をピンハネしていること。職にあぶれた人たちを安く買い叩いていること。それでも老人たちは職を得て、はじめてその日の食事にありつけるということ。ここはそういう街なのだと、幸乃は見てきたように説明した。

「それでね」

最後に憂鬱そうに息を漏らして、幸乃は不意に足を止めた。雑居ビルの一階、まだ開店前のスナックが目に入る。つぎはぎだらけの日除《ひよ》けに記された〈みち子〉の文字だけ妙に新しく、理子には歪《いびつ》に見えた。

「うちのおばあちゃんはそういう人たちを相手に商売してる。笑っちゃうよね。私はあのおじいさんたちのおかげで学校に通うことができるんだ」

幸乃は当然のようにスナックに足を踏み入れた。まだ営業前だというのに、女がカウンターで酒を飲んでいる。となりに座る男は、片言の日本語で何かをまくし立てている。

「ただいま、美智子さん」

幸乃は理子を振り返り、「私のおばあちゃん。一緒に住んでるの」と平然と言った。

理子は何に驚いたらいいかよくわからなかった。この劣悪な環境に対してか、おばあちゃんを下の名前で呼ぶことか。それとも女が「おばあちゃん」という単語からは連想できないほど、若く、妖艶《ようえん》な雰囲気を身にまとっていることか。

女はちらりとこちらを見やったが、すぐにつまらなそうに男に顔を戻した。男の方はねばっこい視線を理子たちに向けてくる。

小さく頭を下げただけで、理子は階段を駆け上がった。「ホントに邪魔な子」という声が追いかけてきたが、振り向けない。

部屋に飛び込んだときには、喉がからからに渇いていた。それなのに幸乃が運んできた麦茶には口をつけられなかった。気持ちが悪いと思ったのだ。グラスに残った水滴の跡に、わずかに欠けた飲み口に生活の様子が滲み出ていて、どうしても口をつけることができなかった。

部屋の窓から宝町の路地を見渡せた。日が暮れていくにつれ店先に裸電球が灯《とも》り始め、どこからか人が湧《わ》いてくる。仕事帰りの人がいれば、この時間からシャッターを開ける店がある。声高に外国語を叫ぶ人がいれば、中には子どもの姿もある。ここは夜の街なのだと、ふと思った。失われた活気を取り戻そうとするように、みんなの足取りはたくましい。

もうここに来ることはないだろう。暮れなずむ街を見つめながら、理子は思った。でも、それと幸乃のこととは別問題だ。古いシールがべたべたと貼られた本棚に、本はほとんど並んでいない。私がプレゼントしてあげよう。いつかこの棚を幸乃と一緒に埋めるのだ。

無為に流れる時間に気を揉《も》む親友にうなずきかけたとき、棚の奥に見慣れない箱が隠されていることに気がついた。

このときの理子にはまだ、それが何なのかわからなかった。

その夜は一人で本を開いていた。五月、連休明けの最初の土曜日。数日続いた春の嵐《あらし》がようやく過ぎ去り、横浜の空にも多くの星が瞬《また》いていた。

一日中待っていた電話が階下で鳴ると、すぐに部屋の戸がノックされた。すでに二十一時を回っている。「理子、電話」と、母は単語を二つ並べて伝えてきた。

母の表情を見て相手はすぐわかった。一階に駆け下り、無造作に置かれた受話器を取る。理子が「もしもし？」と言うより早く、皐月の怒声が耳を打った。

『もしもし、じゃねーよ！　遅《おせ》ぇよ！』

いつになくきつい口調だった。その声だけでなく、皐月の様子はおかしい。『誕生会やるから来てって言ったじゃん。なんだよー、理子ー。あんたがそんな薄情な奴だったなんてさびしいよー』と、今度は一転、猫なで声が耳をくすぐる。忘れていたわけじゃない。あの日以来、会のことを言ってくれなかった皐月に、理子の方からは切り出せなかっただけだ。

「すぐに行くね」と電話を切ると、理子は部屋に戻り、クローゼットからシフォン素材のピンクのワンピースを取り出した。連休中に一緒に元町に出かけ、皐月が見立ててくれたものだ。

ワンピースの上にデニムのジャケットを羽織って、少しだけ迷ってから、理子はメイクも施《ほどこ》した。できれば親には見られたくなくて、リビングのドア越しに「ちょっと出かけてくる。すぐに帰る」と手短に伝えたが、母はうんざりした顔を覗かせた。そして「送っていくから待ってなさい」と、呆れたように息を漏らした。

車の中で母はずっと無言だった。「今日、皐月の誕生日でさ。私、忘れちゃってて。ちょっと怒られちゃったよ」という言葉が上滑りしているのが自分でもわかる。

煮え切らない思いを抱えたまま、皐月の家にはすぐに着いた。どこにでもあるレンガ造り風のマンション。両親はすでに離婚し、看護婦の母と二人で暮らしていると聞いている。

「ごめんね、お母さん。本当にすぐに帰るから」

素直に謝った理子に、母は渋々といった感じでうなずいた。

「帰るとき電話しなさい。また迎えにきてあげるから」

エレベーターに乗り込み、家の前でチャイムを押す。ドアの向こうから「開《あ》いてるー！」という皐月の声が聞こえてきて、理子はプレゼントを背後に隠した。皐月たちのいる部屋はすぐにわかった。そこ以外、人の気配がまったくしない。

小さく呼吸を整えて、部屋の戸をノックした。ドアをゆっくりと開くと、真っ先にタバコの煙が目に染《し》みた。お酒の空き缶が散乱している。意地悪そうな笑みが理子を囲む。三人の友人に混ざって、扇中の男の先輩も二人いた。

「何それ？」と、皐月が楽しそうに顎《あご》をしゃくった。隠していたはずのプレゼントが右手に露《あら》わになっている。

「あ、プレゼントなの。喜んでもらえるか自信はないけど」

用意したのは十冊ほど見繕ったシェイクスピアだ。お小遣いの範囲で手に入れるのは大変だったが、「面白い本あったら教えてよ」といういつかの言葉が心に残っていた。でも、この状況で喜んでもらえる自信はない。できれば二人きりのとき、皐月が優しいときに渡したかった。

案の定、包装紙を解いた皐月は「ふーん」と興味なさそうにつぶやいた。「なんだ、これ。マジメか、お前は」と、恵子が一冊をベッドに放り投げ、品なく笑う。

「でも今日の理子、なんかいいねー。そのワンピース、よく似合ってるー」と、良江が気怠《けだる》そうに話題を変えた。

「でしょー？　私が選んでやったんだ。これなら男受けもバッチリっしょ？」と、皐月は自慢げに目を細めた。

友人たちは当然のように理子に酒を勧めてきた。断ることなどできるはずもなく、理子は笑顔でグラスに口をつけた。生まれてはじめて飲むビールの味はひどいものだった。すぐに身体を巡る血の音が聞こえてきて、頭が鈍く痛み出す。

それ以上にきつかったのは強烈な孤独感だ。みんなが何を笑っているのかわからない。何を話しているのか理解できない。ただ一つ、自分がこの場にふさわしくないことだけは判断できる。

ずっと母の顔が頭にあった。悲しそうに眉《まゆ》を垂れ下げる母の顔だ。ずっと逃げるタイミングを見計らっていた。だから「大丈夫？　あんた顔色悪いよ」という皐月の言葉は、千載一遇のチャンスだった。

「あの、ごめん、みんな。なんか私ちょっと具合が……」

しかし理子が言おうとした矢先、玄関のドアが開く音が聞こえた。「お、来たかな」と、恵子がイヤらしく微笑む。次の瞬間、音もなく背後の戸が開かれた。

「来たな！　モテ男！」

奇声にも似た皐月の声と、みんなの大笑いする声に、理子もおもむろに振り返る。

「うぜーよ、お前ら」

ちっ、と彼は演じるように舌を鳴らした。そんな予感をどこかの瞬間から抱いていた。だからその姿を目にしても、理子はそれほど驚かなかった。冷たい目で理子を見下ろすのは、ずっと憧れていた遠山先輩だった。

みんなのお酒のペースは一気に上がった。遠山もみんなに乗せられて次々とビールを空けていく。どれくらいの時間が過ぎただろう。いつの間にか部屋は間接照明だけになっていて、大人びた雰囲気を醸《かも》し出していた。

良江と先輩の一人が周囲の目をはばかることなくイチャつき始める。理子はようやく自分の孤独感の正体を突き止めた。これがこの人たちにとって「普通」なのだ。自分とは価値観がまったく違う。母の顔がちらつくのはそのせいだ。

「あの、私、ちょっとトイレに行ってきます」

かすれる声で誰にともなく言って、理子は部屋を出た。暗さに慣れた目にトイレの蛍光灯はやけにまぶしく、生々しく感じられる。

温かい便座に腰を下ろし、用を足しながら、理子は顔を伏せた。皐月の視線が胸を過《よ》ぎる。嘲笑《ちょうしょう》する良江たちの顔がよみがえる。でも、家に帰らなければとかぶりを振った。たとえあとで文句を言われたとしても、嫌われたとしてもだ。私は帰らなければいけないはずだ。

理子は重く疼《うず》く頭を持ち上げた。そしてペーパーホルダーに手を置いたとき、トイレの錠が音を立てずに反転した。

「えっ」と言ったまま絶句し、理子は目を見開いた。ゆっくりと開かれた扉の向こうに、遠山がいた。それで解錠したのか。手に十円玉が握られている。全身を貫く恐怖を前に、遠山の「あ、ごめん」という一言はあまりにも空虚だった。

条件反射で立ち上がり、必死にパンツを上げようとした。その理子の腕を、押し入ってきた遠山が強くつかんだ。「ヤだ、痛い」と抵抗しようとした理子の口を塞《ふさ》ぐように、遠山は強引にキスしてくる。勢いで後頭部を壁に打ちつけた。一瞬目まいを覚えたけれど、気を失っている場合じゃないと懸命に自分を奮い立たせる。

でも、遠山との力の差は歴然だ。理子はすぐさま組み伏せられた。左手で口を強く押さえつけられ、まだ拭《ふ》けていない股間《こかん》を右手で強引にまさぐられる。

遠山は耳もとでささやいた。

「いいよ、小曽根。学校で見るときより全然いい。服も、化粧も、ずっといいよ」

涙がもろくもこぼれ落ちた。遠山の声を生まれてはじめて聞いた気がした。抗《あらが》う気力が消えていく。それを気取ったかのように、遠山は手に込めていた力を解いた。そして理子の肩を優しく抱いて、連れ添うようにしてトイレを出た。

顔を上げると、うす暗闇《くらやみ》の廊下に皐月がいた。自慢の長い髪はそのままに、前髪だけが市松人形のように切りそろえられている。いつカットしたのか。この瞬間まで気づかなかった。

となりに立つ男が顔を埋めるようにして、皐月の髪の匂いを嗅《か》いでいる。助けてくれると、一瞬思った。皐月の表情はかつて見たことないほど冷たいのに、理子はなぜか安堵した。

「笑えよ、理子。泣くな」

諭すような皐月の声が空気を伝う。理子は言われるがまま微笑んだ。いつだってそうだ。皐月だけが理子に道を示してくれる。皐月の言うことは絶対だ。一緒にいられれば強くなれる。

「あんたにとって今日は大切な日なんだよ。好きな人とやれるんだからさ、あんたはそれだけで幸せなんだ」

皐月は柔らかい笑みを引っ込めると、今度は遠山に目を向け、何かを手渡した。それを見て理子は息をのむ。幸乃の棚の奥にあったものとまったく同じ箱だ。それが何なのか、今の理子には理解できる。

「優しくしてやってよね。あんたの好きなようにしたら許さないから。この子を傷つけたら、どんな手使ってもあんたのこと追い込むよ」

皐月の髪に顔を埋めていた男が、呼んだ？　というふうにこちらを向いた。遠山は気圧されるようにうなずいた。皐月は目を細め、向かいの部屋の戸を指さした。

「ここ、使っていいよ。最初がママのベッドってんじゃ雰囲気出ないかもしれないけど。どうせしばらく帰ってこないし」

抱きかかえられるようにベッドに運ばれ、気づいたときには大切なワンピースを脱がされていた。

裸の理子を、遠山は皐月の忠告を守るように本当に優しく抱きしめた。その表情は真剣で、だからこそひどく間が抜けているようにも見えた。

頭の中で皐月の言葉がループした。笑え、笑え……。理子は自分に言い聞かせる。泣くな、泣くな、泣くな……。だってこれは暴力じゃない。皐月の言うとおり、私は好きな人に抱かれている。嫌がる理由はどこにもない。私はちゃんと幸せだ。

理子は遠山に微笑みかけた。遠山の喉仏がこくりと鳴って、眉が情けなく垂れ下がった。枕《まくら》もとに避妊具の箱が転がっている。それが眠りに落ちる直前の、理子の最後の記憶だった。

曇りガラスの向こうから、カクテルライトが差し込んでいる。目を覚ましたとき、遠山の姿はもうなかった。向かいの部屋から騒ぐ声も聞こえない。少しだけ開かれた窓から、春の夜の匂いが吹き込んでくる。

あいかわらず頭は重かった。下腹部の痛みに気づかぬフリをし、起き上がろうとした理子の頬を、誰かがなでた。

お母さん……？　と、一瞬思いかけたが、すぐに違うと息をのんだ。シャンプーの香りが鼻をくすぐった。

「ねぇ、理子。少年法って知ってる？」

頬から首筋にゆっくりと手を這《は》わせながら、皐月は切り出した。理子は夢を見ているのかと疑った。きっとそうだ。場所は学校の屋上。柔らかい春の海風に吹かれ、皐月が口にした法律の話は理子には少し退屈で、ついうとうとしてしまった。これはあの日の続きなのだ。

理子は必死に振り払おうとした。下腹部の痛みを、現実的なカクテルライトを、遠くで聞こえるサイレンの音を、夢にはふさわしくないと懸命に拒もうとした。

それなのに、いつになく淡々とした皐月の声が、あっけなくすべてをのみ込んだ。

「何年か前にどこかの中学校で事件があったの覚えてる？　子どもが子どもの首を切り落としたっていうめちゃくちゃなやつ。あれのせいでこの国の法律は変わっちゃったんだ。十五歳以下の人間はどんな罪でも許されてたのに、それが十三歳以下になっちゃった。お前らツイてないなって、笑ってた先輩がいた。でも、それってたいした話じゃないよね。だってさ――」

皐月は一度息を吐き、躊躇《ためら》うことなく口にした。

「私、今日十四歳になっちゃった。だから理子、万が一私が捕まりそうなことがあったら、あんたが身代わりになってね。大丈夫。あんたが捕まることは絶対にないから」

顎に触れていた冷たい手が、名残惜しそうに離れていった。次の瞬間、乾いたスイッチの音を伴って部屋の蛍光灯が灯された。

「さっきお母さんから電話あったよ。今こっちに向かってる。疲れて寝ちゃったみたいですって言ってある」

理子は一気に現実に引き戻された。「お母さん？」と放心したままこぼした理子を、皐月は強く抱きしめてくれた。

「あんたが私の友だちでいてくれるなら大丈夫。私を信じて」

諭すように口にする皐月に、理子は「ありがとう」と言っていた。

皐月だけがもたらしてくれる全能感にうっとりと身を委《ゆだ》ねながら、本心から口をついて出た言葉だった。


あの夜を境に、理子はますます皐月たちと一緒にいるようになった。学校では恵子と良江を含めた四人でいたし、放課後だって呼ばれたら部活を休んでどこへでも出向いた。

スカートのウエストを折ってミニにするなど制服の着こなしを変えた。髪型も皐月を真似《まね》てコケティッシュなものにしてみたし、授業時に使っていたメガネをやめてコンタクトにもした。遠山とも顔を合わせれば理子の方から声をかけた。

何よりも理子はよく笑うようになった。皐月たちといれば恐いものはなかった。もちろん一緒にいるからといって悪事に手を染めることなどなかったし、むしろ理子がお目付役になって、彼女たちを抑制していた面もあったと思う。いずれにしても暗闇の中で聞いた皐月の声、「あんたが十三歳でいる間は——」という言葉は、明るい太陽の下ではとても無力で、幻のようにも感じられた。

新しい環境に積極的に身を投じていく一方で、理子は多くのものと切り離されていった。部活の仲間や、塾の友だちと離れることはそれほど苦とは感じなかったが、本だけは手放すことができなかった。いや、物語の力をさらに必要とした。

幼い頃から、本だけは自由に買い与えてもらった。一冊を読み終え、母に感想を伝えると、次の本を探しに一緒に書店に行けるのだ。さすがに一緒に買いにいくことはなくなったが、その習慣は今でも小曽根家に残っている。

理子は手当たり次第、新しい本を買い求めた。『ハムレット』『マクベス』『罪と罰』『カラマーゾフの兄弟』『白鯨《はくげい》』『老人と海』『アンナ・カレーニナ』『風と共に去りぬ』……。すでに持っているものも中にはあったが、訳者が違えば迷わず購入した。

目が滑るだけの描写も多かったし、理解できないことも少なくなかった。それでも理子は読み進めた。急いで読まなければいけない理由があったとすれば、それは幸乃の存在だ。理子は次々と読み終えていく本を、翌日には幸乃に手渡した。幸乃は決まって弱ったような表情を浮かべたが、強引にでも押しつけてしまえば理子に負けないペースで読破していった。

物語を必要とするのと同じように、理子は幸乃という人間を必要とした。皐月たちといることは間違いなく楽しいのに、その時間が増えれば増えるほど、なぜか理子は幸乃を求めた。

憂鬱な雨の時期を抜け、念願の夏休みは塾の講習であっという間に終わってしまった。新学期を迎え、久しぶりに顔を合わせた皐月からこんな声をかけられた。

「ねぇ、理子。もうすぐあんたの誕生日だよね？　パーティーとかやらないのー？」

言葉に含みはなかったと思う。怯《おび》えることなど何もないのに、足が小刻みに震え出した。

「うちはたぶんやれないと思うんだ」

「なんでよー？」

「お母さんがそういうの嫌いでさ。ごめんね。皐月ちゃんは招待してくれたのに」

本当は、母はパーティーをしたがっていた。理子にしたって、今の今まで皐月を誘うつもりでいた。どうして口からこんなウソが出てくるのかわからない。

「ふーん。そっかー。まぁ、あのお母さんじゃね。じゃあ、プレゼントだけなんかテキトーに用意しとくよ」

さらりと受け流してくれた皐月を見つめ、理子は小さく目を伏せた。強引に忘れようとしていたあの夜の記憶がよみがえる。

ああ、そうだったのかと、理子はようやく腑《ふ》に落ちる思いがした。自分は心待ちにしていたのだ。

十三歳が終わる日を、私はずっと待っていた。

それから誕生日までの一週間、理子はウソを吐き続けた。「ねぇ、今からでもパーティー企画しようよー」という良江には、「でも、やっぱりお母さんが許してくれないから」と、弱った顔を見せておいた。

「じゃあ、またうちでやっちゃう?」と言ってくれた皐月には、「ごめん。その日は家族でご飯食べなくちゃいけないんだ。タルいんだけどさ」と、新たなウソを平気で吐いた。

理子が本当のことを明かしたのは一人だけだ。幸乃にだけはすべてを打ち明け、パーティーにも招待した。

「ねぇ、幸乃、良かったら明日うちでご飯食べない？　私の誕生日祝ってよ」

誕生日の前日、落ち合ったいつもの公園で、幸乃は弾けるように「うん！」と言った。それを制するように、理子は力を込めて続けた。

「でも、約束して。明日のことは絶対に誰にも言わないで。それと、うちに来るときも誰にも見つからないでほしいの。お願い、幸乃。約束できる？」

「うん、ありがとう。理子ちゃん。約束するよ」

翌日、まだ陽が落ちきる前の十八時。家のチャイムが二度鳴った。扉を開くと、黒いキャップを目深にかぶり、丸いレンズのサングラスをかけた幸乃がいた。

「え、変装？」

「うん、一応」

幸乃は真顔で反応する。この子はいつだって真剣だ。私のわがままのために精一杯の努力をしてくれた。それを理解しつつ、理子は涙を流して笑い転げた。

直後に父も帰ってきて、この夜は四人で食卓を囲んだ。

「突然パーティーしたいって言い出すんだもん。たいした準備できなかったわ」

母は一人不満をこぼす。今朝になって幸乃を招きたいと伝えたとき、理子は料理を二つリクエストした。一つは理子の好きなブルーベリーソースのチーズケーキ。もう一つは肉じゃがだ。

幸乃はあの夜にも増してよく食べ、よく笑った。普段からこういう表情をする子だったら、もっと友だちも多かっただろう。その笑顔を独占できることを喜びつつも、やはり理子は不思議に思う。幸乃が背負う影の意味を、いまだに説明してもらっていない。

なんで祖母と暮らしているのか。どうして両親はいないのか。なぜ宝町に住んでいるのか。直前までいたという群馬ではどんな生活だったのか。それとなくぶつけてみる質問は、ことごとく受け流される。「それは、まぁ、いろいろとね」などと濁されてしまえば、それ以上のことは聞けなくなる。

食後、母がリビングの照明を落として、ケーキにロウソクを立てて運んできた。すると父がギターを抱え、アルペジオで何やら勝手に奏《かな》で始めた。ロウソクの火に揺れる幸乃の顔に、物憂《ものう》げな影が差す。なぜだろう。幸乃は不安そうに父のギターを見つめている。理子はここにいてはならないと直感した。

「もう、お父さん恥ずかしいからやめてよ。ケーキ、上に持っていくよ。幸乃、行こ」

理子の提案に幸乃は素直に従った。部屋に籠《こ》もって、二人で無言でケーキを食べた。

ティーポットの紅茶を飲みきった頃、幸乃はようやく落ち着いたようだった。そして「そうだ」と思い出したように目尻《めじり》を下げた。

　幸乃はカバンに手を突っ込んだ。中から出てきたのは〈佐木古書店〉というロゴの入った包み紙だ。申し訳程度についたピンクのリボンが、逆に無骨さを際立《きわだ》たせている。

「ごめんね。私、お小遣いあんまりないから、新品買えなくて。理子ちゃんが喜んでくれそうなもの、色々探して回ったの。本当は包装紙も替えたかったんだけど」

　幸乃は弁解するように言ったが、そんなことはどうでもいい。嬉《うれ》しいに決まっている。幸乃がプレゼントしてくれる本が、嬉しくないはずがない。

「開けていい？」とおどけて、理子は包装を解いた。手に取った五冊の本に、今度は「えっ」と本物の驚きが漏れる。

「スヌーピー？」

　幸乃は緊張の面持ちを崩さなかった。

「本当は全部で十冊あるんだけどね。ごめん、近いうちに全部そろえるから」

「それはべつにいいんだけど。なんでスヌーピー？」

「理子ちゃんって、もうどんな本でも読んでそうな気がしたから。だから私、その古本屋のおばあさんに聞いてみたの。恐そうな人だったんだけど、本に詳しそうだったから」

「なんて？」

「友人に翻訳家を目指してる子がいますって。その子に喜んでもらえる本はないですかって。そしたらおばあさん、真っ先にその本を出してくれて」

理子はぽかんと口を開いた。たしかに翻訳家になることは理子の夢だ。でも、誰かに明かしたことはない。母ですら知らないはずだ。

「その訳者、谷川俊太郎《たにかわしゅんたろう》っていう詩人さんなんだって。アメリカのコミックスをその人が訳しているっていうところが面白いって、おばあさんが言ってて」

「どうしてよ」という言葉が口をついた。首をひねる幸乃に、理子は身を乗り出した。

「どうして幸乃が知ってるの？　私が翻訳家になりたいって、どうして？」

幸乃はそんなことかと首をすくめる。

「それはわかるよ。こんなに翻訳にこだわる中学生がいるとは思えないし。理子ちゃん、英語の授業の熱の入れようすごいから。きっと素敵な翻訳家さんになるんだろうなって、私いつも思ってたよ」

「ちょっと待ってよ。なんで勝手に。そんなのずるいよ。一番知られたくないことを見透かしたみたいにさ。だったら私にも幸乃の夢を教えてよ」

「うーん。でも、私にはそういうのないから」

「ほら、ずるい。そんなのずるいよ」

「でも、ホントなんだ。私、将来ってうまく想像することができなくて。なんか恐いんだ。未来のことを考えるのって」

　言葉はいつものように頼りなかったが、表情は厳しいものだった。

「じゃあ、私そろそろ帰るね。あんまり遅くなっても悪いから」

　そう言って立ち上がろうとした幸乃を、理子は引き留めた。

「あの、幸乃、ごめん。私に二十分だけ時間ちょうだい。前からやってみたかったことがあるの」

「やりたいこと？」

「メイクとか、服とかさ。私じゃ下手かもしれないけど、一回やらせて」

「え？　いや、それは、でも」

　めずらしく渋った幸乃を、理子は強引に座らせた。自分に施すのとは勝手が違ったけれど、ほんのりとチークを伸ばし、口紅を引いて、十五分ほどで思い通りに仕上がった。

次にクローゼットから、幸乃に似合いそうな服を探した。隙《すき》あらば鏡を覗《のぞ》こうとする幸乃の腕を叩《たた》いて、理子は覚悟を決めて例の服を手に取った。皐月の誕生日の夜以来、一度も袖《そで》を通していないピンクのワンピースだ。

理子には膝丈《ひざたけ》の服も、背の高い幸乃が着ればミニになる。長い足がより強調されて、想像以上によく似合った。

目を伏せる幸乃の肩に手を置いて、理子は「いいよ」とささやいた。顔を上げた幸乃の頬がみるみる紅潮していく。

「ほら、かわいいでしょ。そんな気がしてたんだ。でも、もう少し背筋は伸ばしなよ。そしたらもっとキレイになる。あとは、しいて言えば目かな。幸乃の奥二重は気づかれにくいから」

目について言ったときだけ、幸乃の顔が物憂げに沈んだ。でも、それも「まぁ、大人になったら一緒に整形すればいいか」と冗談を続けただけで、簡単に笑顔に塗り替えられた。

理子は鏡に視線を戻した。幸乃の肩越しに自分の顔が映っている。ああ、そうか。私、今日十四歳になったんだ。逃げ切れた――。

前触れもなく思ったとき、目の前の光景が歪《ゆが》んだ。「あれ……？」と言った次の瞬間には、一気に涙が溢れ出た。

突然泣き出した理子に、幸乃は面食らっていた。しかしすぐに柔らかい笑みを口もとに浮かべると、「大丈夫。うん、泣いていいよ」と、幼子をあやすようにつぶやいた。その一言がきっかけになって、気分が際限なく昂《たか》ぶり続けた。そんな理子を、幸乃は強く抱きしめてくれた。

どれくらいそうされていたかわからない。ようやく気持ちを整理できた頃、理子はあの夜のことを語り始めた。自分の愚かさを、だらしなさを、軽薄さを、脇《わき》の甘さを、余すことなく口にした。それでも幸乃なら許してくれるという思いが心のどこかにあった。

幸乃は理子の手を握っていてくれた。化粧をした幸乃はずいぶんと大人びていて、意識して背筋を伸ばしているだけで本当にキレイに見える。まるで自分にお姉ちゃんができたかのような錯覚を抱きながら、理子は話し続けた。

「私には幸乃が必要なんだ。背伸びしないでいられるから。私を認めてくれるから。幸乃がホントに必要なの」

静かに話を締めくくろうとしたとき、幸乃はなぜか目を見開いた。つないでいた手を驚いたように離し、大げさにかぶりを振る。そして幸乃は「私はね——」と、唐突に切り出した。

幸乃の言葉はそこで途切れた。どこか一点を凝視し、見えない誰かに何かを問いかけているようだ。私は話していいの？　いけないの？　この子は敵なの？　味方なの？　そんな心の声を理子は聞いた。

しばらくしてその口から溢れるように出てきたのは、少女と母親の物語だった。理子とは対照的に、幸乃は流れるように自分の話をした。自嘲するように微笑んでみたり、何かを悔いるように顔をしかめたり。

「実は私にもお母さんと同じ持病があってね。今でも神経が昂ぶると意識を失うことがある。私が将来を想像できないのって、そのせいかも。長く生きられる気がしないんだ」

動揺を隠せない理子にかまわず、幸乃は続ける。

「群馬での生活は全然うまくいかなかったよ。それはそうだよね。一度は勝手に捨てた街なんだから。周りの人たちの目は本当に冷たかった。だから美智子さんは伝手《つて》を頼ったんだ。その結果としての宝町。横浜がどうしてもイヤで、私は反対したんだけど、ダメだった。結局、中学校入学のタイミングで引っ越すことになったんだ」

そんなところかな。私の話は以上で終わり。幸乃は最後におどけたように、理子に笑みを見せつけた。

　理子はどんな言葉をかけたらいいのかわからなかった。もちろん胸は痛んだけれど、泣くことはできなかった。自分のことではあんなに溢れた涙が、なぜかまったく出てこない。

「じゃあ、お姉さんとお父さんは今でも山手にいるの？」

　そんな疑問が真っ先に口をついた。幸乃は曖昧に首をかしげる。理子は身を乗り出した。

「でも、いるかもしれないってことだよね？　だったら行ってみようよ。幸乃の住んでた家を訪ねてみよう」

　その瞬間、幸乃は本当に不快そうな顔をした。でも、理子は怯《ひる》まない。その価値はあるはずだ。絶望だらけの話の中で、それが唯一《ゆいいつ》の希望の種だったのは間違いない。

「絶対に余計なことをしないでよ、理子ちゃん」

　幸乃はうんざりしたように釘《くぎ》を刺す。

「わかってるよ」

「ホントだよ。何かしたらホントに許さないから」

「許さないって」

「もう友だち辞めるから」

いつになく強い言葉が胸に刺さった。それでも理子は山手に向かうつもりでいた。

たとえ結果がどう転んだとしても同じことだ。

現状よりひどくなることを、理子には想像できなかった。

でも、結果として理子が山手を訪ねることはなかった。あろうことか「余計なこと」をしたのは幸乃の方だった。

翌日の昼休み、理子は学校の屋上でいつもの三人と弁当を広げていた。皐月たちとの会話はいつも通り他愛なく、理子も昨夜のことなどなかったかのように穏やかな風に吹かれていた。

そんな四人の輪がふっと影で覆《おお》われた。最初に気づいたのは皐月だった。

「何、お前。なんか用？」

皐月の声は少しだけ震えていた。恵子と良江も顔を上げる。そこに幸乃の姿を確認したとき、理子は一瞬ですべてを悟った。

「ねぇ、山本さん」と、幸乃は皐月を名字で呼んだ。皐月以外の全員が、不意を打たれたように口をすぼめる。幸乃はきっぱりと言い切った。

「小曽根さんに謝ってあげてくれないかな」

呆《あき》れ顔がずらりと並ぶ。幸乃は毅然《きぜん》とかぶりを振った。

「山本さんの誕生日にあったこと、小曽根さん本当に傷ついてる。頭のいいあなたならとっくに気づいてると思うんだ」

お願いだから謝ってあげて。最後にもう一度繰り返して、幸乃は深く頭を下げた。理子は目をつぶって聞いていた。唇を嚙《か》みしめ、誰かが静寂を裂いてくれるのをひたすら待った。

その役割を担《にな》ったのは、皐月だった。皐月は突然高笑いし始める。

「へぇ、面白い。超面白いじゃん、田中幸乃。わかった。謝る。理子、ごめんね。私全然気づいてなかったよ。あんたが傷ついてるなんて知らなかったから。ホントにごめんね」

言葉に詰まった理子を無視して、皐月は再び幸乃の方を向いた。

「幸乃もそんなとこに突っ立ってないで座りなよ。弁当ないの？　一緒に食べよう。べつに二人ともコソコソすることなかったのに」

理子は言葉をどう受け止めればいいかわからなかった。皐月は理子と幸乃の関係を知っていたというのだろうか。だとしたら、どうして今まで知らんぷりしていたのだろう。

幸乃は理子に視線を送ってくる。それに気づいた皐月が、優しい笑みを幸乃に向けた。

「いいから、座りな」

「でも」

「私がいいって言ってるの」

問答無用といった口調だ。おずおずと腰を下ろした幸乃に、皐月は尚《なお》も話しかける。その顔はいつも以上に楽しげで、まるでこの場に二人しかいないようだった。

この出来事をきっかけに、理子を取り巻く環境は変わった。皐月が理子より幸乃を重宝するようになったのだ。

幸乃にはそうした所有欲を掻《か》き立てる力がきっとある。皐月もそのことに気づいたのか。はじめて二人が屋上にいるのを目撃したとき、「ちょっとー。仲間はずれにしないでよー」と冗談めかして言いながら、理子は大切なものを同時に失ってしまうようで、ひどく焦《あせ》った。

空気がようやく秋めいてきた、十月のはじめ。幸乃が風邪で欠席したある日の昼休み。屋上での話題は流行している携帯式のゲームのことだった。皐月が大切にしていたものが不調で、思うように遊べなくなったと嘆いている。

「べつに新しいの買えばいいんだけどさー。どこで売ってるかもわからないし」

独り言のようにつぶやいた皐月に、理子は思わず口走った。

「だったら私が買ってきてあげようか」

「買ってくるって、どこでよ」

皐月の目の色が敏感に変わる。品薄状態が続き、社会問題にもなっているゲーム機だ。理子にも当てなどなかったが、何かを取り戻せるという予感があった。

「私、知ってるからさ。たぶん手に入れられると思うんだよねー」

皐月の顔が明るく弾《はじ》ける。恵子たちはつまらなそうな表情を浮かべたが、皐月に調子を合わせている。理子は「任せといて。私がなんとかしてあげる」と、恩を着せることも忘れなかった。

その日から理子は横浜中を歩き回った。しかし噂《うわさ》を聞きつけた早朝の家電量販店でも、片っ端から電話をかけた玩具店でも見つけられない。

結局、ゲーム機を用意してくれたのは理子の父だった。秋葉原のアングラ雑貨店で定価の十倍近くの価格で見つけてきてくれたのだ。大喜びした理子に、父は「もう勘弁してよ」と首を揉んだ。皐月と約束した日からすでに三週間以上が過ぎていた。キレイにラッピングし直したゲーム機を持っていくと、皐月は奇声を上げて飛びついてきた。しらけた表情を浮かべる良江と恵子の前で、理子はかつて経験したことのない優越感を味わった。

だから理子はますます図に乗った。「あ、皐月ちゃん、お金はいいよ」などと、自分でも思ってもいなかったことを口にする。

「ほら、私から皐月ちゃんへの誕生日プレゼント、かなりしょぼかったでしょ？　これで少しは面目が立つってもんだよ」

言葉が次から次へと溢《あふ》れ出る。皐月は見惚《みと》れたような顔をしていた。「ありがとね、理子。ホントに嬉しいよ」と名前を呼んでもらえるだけで、理子の心は充《み》たされた。

理子と皐月の間に再び親密な関係が生まれた。皐月は積極的に理子に甘えてくれたし、理子もなんとかその思いに応《こた》えようとした。欲しいものがあると聞けば手に入れようと努め、それが小遣いでは手の届かないものであれば迷わず両親に相談した。

気づいたときには、幸乃は再びみんなの輪から外れていた。理子と皐月はどんどん親密度を増していった。放課後に理子だけ皐月の家に招かれて、二人で過ごすこともあった。皐月は「あの子たちには内緒だよ」と必ず添えて、アクセサリーに洋服、化粧品なんかを理子にくれた。もちろん嬉しくはあったけれど、そうなれば理子もお返しをしないわけにはいかなくなる。

皐月の要求はエスカレートしていった。クリスマスを間近に控えた頃には、どう足《あ》搔《が》いても皐月の求めるものを用意することはできなくなった。本やゲーム、場合によっては皐月からもらった服やアクセサリーまで、売れそうなものはすべて売った。母の財布からお金を抜き取ったこともある。しばらくは気づかれずに済んでいたが、あるとき母は不安そうに尋ねてきた。

「あなた、学校でイジメられてたりしないわよね」

お金を取ってないか、ではなく、母は「イジメ」と口にした。理子は思わず噴き出した。母は厳しい表情を崩さない。

「笑ってたってわからないわ。正直に答えなさい」

「ちょっと待ってよ。イジメなんてあるわけないじゃん。だいたい誰によ？　皐月たち？」

「それは、まぁ」

「もうお母さん、ホントに勘弁して。あり得ないよ。絶対にあり得ないから」

理子は本心から言った。イジメなんてあるわけない。だいたいこの母は少し心配性がすぎるのだ。理子が髪を染めるたび、化粧をするたび、母はうんざりしたような顔をする。そして「何か悩んでることは？」などと不安そうに尋ねてくる。見当違いもはなはだしい。時代が違うだけだと何度言ったかわからない。

「でも、あなた最近ちょっとおかしいわよ。あまり本を読んでいるところも見かけないし。本当に買ってるの？」

「買ってるよ」

「本当ね？　信じるよ」

「しつこいな。信じるも何も、私は毎日普通にしてるから」

ふと視線を移した机の鏡に、すっかり垢抜《あかぬ》けた自分の顔が映っている。皐月が見つけ出してくれた新しい自分だ。

そう、私は普通に楽しいから。母にもう一度うなずいて、理子は心の中で繰り返した。

とりあえず母の勘ぐりは受け流せた。でも、クリスマスプレゼントにと考えていたバッグをねだることはできなくなった。クイーンズスクエアで皐月が目を輝かせていたものだ。五万円を超える値札がついていた。

仕方なく理子は最初から換金する腹づもりで、父に図書カードをお願いした。それなのにクリスマスイブの夕飯時、父の「これでまた本をいっぱい読めるな」という恩着せがましいセリフとは裏腹に、カードの額面はたった五千円だった。去年のクリスマスには三万円のダッフルコートを買ってもらった。当然今年もそれくらいと胸算用していたのに、当てが外れた。

その夜、理子はあまり眠れなかった。目をつぶれば、仲間の輪から弾かれた自分の姿がちらついた。皐月との約束は年内いっぱいだ。冬休み前にはあげられると、自分から大見得を切っていた。でも、理子にはもうありのままを伝えるしか方法が見つからない。

週明けの月曜日、本当は昼休みまで待つつもりでいたのに、理子は二時間目の授業が終わったあとに行動を起こした。

皐月は休み時間のたびに恵子たちと連れだってトイレに行く。誰も使用していない、B棟四階の女子トイレだ。

呼吸を整えて、理子は足を踏み入れた。すぐに三人の声が聞こえてきた。誰が誰のものかは把握できなかった。でも、話の内容は伝わった。

「マジで？　えげつな」「でも自分から言ってきたんだよ」「いいなぁ、そういう便利な子」「あの子はあげないよー」「幸乃でいいじゃん」「でも幸乃んちって貧乏じゃん」「なんで？」「たしかにね」「で、あんたは今日何もらえるの？」「ん？　キャシーのバッグ？」「なんで？」「何が？」「だってあんたの趣味じゃないじゃん」「ああ、売れるんだ。値崩れしないブランドだって」「売るの？」「そりゃ売るよ。趣味じゃないんだもん」「あんた恐いよ」「ってか、だったら最初からお金もらっちゃえばいいのに」「それじゃあの子がかわいそうじゃん」「なんで？」「だって、あの子は私にプレゼントするのが好きなんだもん。べつに恐喝してるわけじゃない」「うわっ、やっぱ恐っ」「ハハハ。たしかに恐いねー」……。

逃げなきゃ、逃げなきゃ、逃げなきゃ——。そんな強迫的な思いに反して、理子は身動きが取れなかった。三人はL字型のトイレの陰になった部分、掃除用具入れの前に立っている。

「あっ」と、はじめに恵子が理子に気づいた。良江もみるみる顔を青ざめさせる。後ずさりした二人とは対照的に、皐月は一人平然としていた。最初から理子がいるのを知っていたとでもいうふうに、表情を変えない。

逆に理子に近づきながら、皐月は言った。

「持ってきたの？　バッグ」

理子は大きく首を横に振る。涙を懸命にこらえながら。

「もう無理だよ。皐月ちゃん。私もうお金ない。それにこんな話を聞いちゃったら、もう何もあげられない」

それでも皐月は動じなかった。つまらなそうに鼻で笑って、肩に掛けていたスクールバッグに手を伸ばす。そして分厚いファッション誌を取り出して、淡々と口を開いた。

「売ろうとしてたことは謝るよ。使い途《みち》のないものだったから。だからね、理子。私が本当に欲しいのはこっちなの。さすがにすぐにとは言わない。冬休みが明けるまで待っててあげる。だからお願いね、理子。私たち親友だもんね」

雑誌に目を落としたとき、わずかに残っていた力が脱け落ちた。開かれたページには、理子でも知っている有名ブランドのバッグが載っていた。皐月が指さしたものには〈十八万八千円〉という記載がある。

でも、脱力の理由はそれじゃない。ブランド特集が組まれたそのページに、写真が挟み込まれていた。遠山に組み伏せられるようにして、裸の理子が笑っている。本当に無防備な表情をさらけ出していて、写真そのものが汚《けが》らわしく感じられた。

「お願いね、理子」

念押しする皐月の声に、理子は強く唇を噛んだ。この期《ご》に及んでも何も言い返すことができなかった。それどころか「うん」と尻尾《しっぽ》まで振っていた。

この人がいないとダメなのだ。幸乃がいれば優しい自分でいられるけれど、皐月がいないと強い自分でいられない。

涙だけが勝手に溢れ出た。それを悔しいとも感じず、理子は一人トイレで泣き続けた。

冬休みの間、理子は大半の時間を幸乃と過ごした。昼には幸乃が訪ねてきて、部屋で一緒に勉強する。疲れたら散歩に出かけて、戻ったらまた勉強。そうして日が暮れると、ほとんど毎晩、幸乃は夕飯を食べていった。母がそうしろと言ったのだ。

理子が幸乃といることに、母は安心していたのだと思う。実際、幸乃と二人でいられるときだけ、理子は皐月とのことを忘れられた。

でも、そんな現実逃避ができたのは年が明けるまでだった。新年を迎えると理子の気持ちは日に日に鬱《ふさ》いだ。バッグなど用意できるはずもなく、それをどう伝えていいかもわからない。新学期が始まったら、激しいイジメを受けるのだろうか。不安が爆発しそうだった。

一月三日の夜も、理子は幸乃と勉強していた。幸乃の様子は普段と何も変わらない。でも悩みを抱えていないというだけで、その顔が理子には透き通って見えた。

「私、見つけたかもしれないんだよね。幸乃の夢」

すっかり寂しくなった本棚を眺めながら、理子は言った。「私の夢？」と眉間《みけん》にシワを寄せた幸乃にうなずきかけて、ずっと思っていたことを口にする。

「うん。イラストを描く仕事に就いたらいいんじゃないかなって。幸乃、前から絵を描くのが好きだったでしょ」

以前、理子は幸乃と交換日記をしていたことがある。その日記に、幸乃は必ず絵を添えてくれた。それもいかにも中学生といった可愛《かわい》らしいイラストではなく、もっと写実的というのか、本格的なものだった。

とくに理子が息をのんだのは、横浜の空が無数の星で覆われた絵だった。そこには風に吹かれる桜の大木が描かれていて、宙を舞う花びらだけがピンク色に染められていた。

「ねぇ、幸乃。いいと思わない？　そんな未来も想像できない？」

幸乃は厳しい視線を向けていたが、理子はかまわず続けた。

「そうしたら一緒に仕事することができるんだよ。ずっと二人でいられるんだ。あのスヌーピーがヒントでさ。私が翻訳する本に、幸乃がイラストを添えるの。それで、二人で本を探しに世界中旅をする。二人で本を持ち帰って、日本で紹介する。私の訳と、幸乃のイラストで」

話しているうちに、理子は涙をこぼしていた。幸乃はもっと泣いていた。夢のような話をしていたら、夢から引き戻された。優しく微笑《ほほえ》む幸乃に、いっそ相談してみようかと考えた。解決して欲しいわけじゃない。ただ幸乃に聞いて欲しかった。

でも、理子はすんでのところで留まった。前回と同じと思ったからだ。愚かで、だらしなく、おそろしく軽薄な自分。幸乃にまで軽蔑《けいべつ》されたら、自分は本当に居場所を失う。

幸乃の視線から逃れたくて、理子は思いつくまま話題を変えた。

「明日、久しぶりに買い物でも行かない？　たまには私たちにも息抜きが必要だよ」

「ええ、逆じゃない？　こんな話をしたんだもん。じゃあ、がんばって勉強するぞって気合いを入れ直すべきなんじゃないのかな」

「まぁ、たまにはいいじゃん。デートだよ、デート」

「もう、理子ちゃんったら」

そう言って、幸乃は屈託なく笑った。晴れるといいな。ボンヤリと思いながら、理子はカーテンをめくった。

幸乃の描いた絵のようにとはいかないけれど、冬の空にいくつかの星が瞬《またた》いていた。

翌日、幸乃は昼前にやってきた。着ているのは理子があげたピンク地のワンピース。それにダッフルコートを合わせ、赤いロングマフラーを何重にも巻いている。いつもより背筋が伸びていることに、本人はきっと気づいていない。

理子は一度幸乃を家に上げて、化粧を施した。理子も目いっぱいのオシャレをして、街を歩けば、学校での二人の姿を想像できる人はいないだろう。

理子もピンクのワンピースを頭からかぶり、その上にダッフルコートを羽織った。ペアルックみたいで気恥ずかしいが、嬉しい気持ちがはるかに勝る。少しだけ迷ってから、赤いマフラーまで首にかけた。

寄り添うようにして、たくさんの場所へ足を運んだ。何かを買うつもりはなかったけれど、かわいいと思った服は軒並み試着していった。幸乃に似合いそうなものを見つけたときは、その都度着せた。

インポート系のショップで幸乃の試着を待っていると、店のお姉さんが「かわいいね」と話しかけてきてくれた。

「姉妹？　ペアルック似合ってるよ。マフラーもね」

　黒のパンツスーツに身を包んだ幸乃が、「これ変じゃない？」と照れくさそうに試着室の戸を開けた。はじめて目にする大人びた幸乃に、理子の頬は自然と緩んだ。それなのに、お姉さんの反応は正反対のものだった。

「うん、変よ、変。そんなの全然かわいくないわ。どうせそんな服、あと何年かしたらイヤでも着るようになるんだもん。今は精一杯かわいい格好をしていなさい」

　幸乃と目を見合わせて、同時に大笑いした。機嫌良くモールの外へ飛び出すと、もう空は夕日で染まっていた。街を彩《いろど》る様々なネオンがきらめいている。かろうじて明るい空とのコントラストが美しい。

「私、あれ乗りたいかも」

　この日はじめて幸乃の方からリクエストしてきた。指さした先に、コスモワールドの大観覧車が見えている。

「うん、行こう！」

　理子は幸乃の手をつかんで、観覧車まで走っていった。幸いそれほど混んでなくて、五分ほどで二人は手を握り合ったままゴンドラに乗り込んだ。

「私、はじめて乗るよ。小さい頃からよく見てたけど」

幸乃はときどき驚くようなことを平気で言う。

「幸乃、横浜で生まれたんでしょ？　そんなことってあり得る？」

「うん、ちゃんとこの街で生まれて育ったよ。『横浜市歌』だって歌えるもん。わーが日の本は島国よー、あーさーひかがようぅーみーにー……」

それが市民の証拠だとばかりに歌いながら、でも幸乃はあまり楽しそうではなかった。眼下には横浜の街が広がっている。きらびやかなみなとみらいのネオンだけでなく、裁判所などが並ぶ官庁街、野毛《のげ》にある動物園、伊勢佐木町や曙町の歓楽街と、きっと幸乃の暮らす宝町も。かつては海だったはずの土地の上に、たくさんの光と影が混在している。

幸乃はボンヤリとある方向を見つめていた。それがどこか尋ねなくても理子にはわかった。前に住んでいたという山手の丘だ。つないでいる幸乃の手のひらに汗が滲《にじ》む。

「お腹、減ったね」

その手を強く握りしめて、理子は言った。幸乃は我に返ったように頬を染めた。

「うん。なんか食べて帰ろうか」

ゴンドラから降りたときには手を離していたけれど、二人は寄り添うようにして歩いた。当てもなく桜木町の高架をくぐり、野毛方面に歩いていく。見覚えのある文字が目に止まった。

「あれ、ここって」

古びた看板を眺めたまま、理子は声を漏らした。〈佐木古書店〉は、誕生日に幸乃がスヌーピーを買ってくれた古本屋だ。

理子は幸乃の顔を仰ぎ見た。幸乃は怪訝《けげん》そうに店先を見つめ、「シンちゃん？」と、誰にともなくつぶやいた。

見れば、店内から同い年くらいの男の子が出てくるところだった。肩幅の広すぎるピーコートを着ていて、逆にジーンズの裾《すそ》は足りていない。冴《さ》えない黒縁のメガネをかけ、鬱陶《うっとう》しい前髪を垂らしている。学校では見たことのない男の子だ。

「知り合い？」

「え？　あ、いや、べつに。ちょっと知り合いに似てただけ」

「ふーん、そっか。それよりもこの佐木古書店ってさ——」

話を変えながらも、理子は男の子が気になった。いつか幸乃が教えてくれた小さかった頃の話、そこに登場してきた男の子が二人いる。その一人の名前がたしか「慎一」だったと思うのだ。でも……。

逃げるように去っていく背中を見ながら、理子は無意識に首を振った。話に出てきた二人の男の子は正義感が強く、育ちが良くて、見た目もいいイメージだった。自信なさげに目を泳がせるニキビ面《づら》の男の子とは、あまりにかけ離れている。

幸乃も気にした様子を見せず、すぐに明るい笑みを取り戻した。

「そう。ここでスヌーピーを買ったんだ」

「ちょっと覗いていこうか」

「うん、いいよ」

再び手を取り合うようにして、二人は佐木古書店に足を踏み入れた。外は凍えるほどの寒さなのに、幸乃の手のひらはやっぱり少し汗ばんでいる。


店内は暖房がまったく効いてなくて、外よりもさらに底冷えしていた。乾いた空気の中に、古本特有のかび臭さが充満している。ラジオやテレビの音も聞こえない。耳につくのは蛍光灯のジーッという音だけだ。

しばらくは幸乃と同じように本を眺めていた。なんとなく手に取ったのは、背表紙のひどく黄ばんだ『ジェーン・エア』だ。理子がこれまでに見たことのない出版社のもので、奥付を調べてみると〈昭和四十二年〉とある。

その古さと状態の悪さに怯《ひる》みつつ、今日の思い出に購入しようとレジに向かった。

異変に気づいたのは、そのときだった。どうして今まで気づかなかったのだろう。店員の姿がどこにもない。乱雑に本の積み上げられた店にいるのは、理子と幸乃の二人だけだ。

理子は意味もなく本を逆の手に持ち替えながら、鍵《かぎ》が差さったままのレジに目を向けた。広かった視野が一点に集中していく。ここに自分しかいないような、奇妙な感覚に捕らわれる。

皐月との約束が胸をかすめた。新学期が始まるまであと三日。本当のことを伝え、もう限界だと謝るつもりでいたけれど、まだやるべきことがあるのだろうか。理子はふと思った。

お年玉の額は今年はじめて十万を超えた。そして目の前にある、茶色く変色したレジ。どれだけ拭《ぬぐ》おうとしても、失望する皐月の顔を振り払うことはできない。

とりあえず調べてみれば？　頭の中の誰かがささやきかけてくる。べつに盗むわけじゃないんだから。ちょっと調べてみるだけだから。

理子はカウンターに足を踏み入れた。口の中に酸《す》っぱいツバが広がる。それを強引にのみ込んで、差さりっぱなしの鍵をひねってみた。寒々しい音を奏で、ドロワーは簡単に開放された。目がレジの中身に引きつけられる。

呆然としたままお金を手に取った。お札だけで八千円。それに小銭がいくらか加わるだけだ。もちろんバッグは買えないけれど、不思議と落胆はしなかった。ただ、ようやく我に返る思いがした。自分は何をしているのだろうと。そしてお札をレジに戻そうとした、そのときだった。

「やっぱりお前だったのか。宝町に住んでるって聞いたときからイヤな予感がしてたんだ。ずっと怪しいと思ってた」

右腕を背後から突然つかまれた。ひどく血管の浮き出た手。夢の中にいるような浮遊感と、やけに輪郭の明瞭《めいりょう》な現実感とが混ざり合う。

「こっちを向きなさい！　もう今日は許さないよ。お前がやってたことは知ってるんだ。警察を呼ぶからね。ちょっとここで待ってなさい！」

女性の厳しい声は不意に途切れ、手も一緒に離された。理子には意味がわからなかった。やっぱり？　ずっと？　宝町？　今日は？　やってた？　何一つ理解することができない。

私と誰かを混同している？　だとすれば、早くその誤解を解かなければ。そもそも盗むつもりさえなかったのだ。お金をレジに戻そうとしていたところだった。そうだ、早くそのことを伝えなきゃ――。

理子は大きく息を吸い込み、覚悟を決めてはじめて振り返ろうとした。なのにその間際、女はこんなことをつぶやいた。

「ああ、もうイヤな時代だ。いったいどんな教育をしているんだろう。これまでの分、あんたの親にちゃんと償ってもらうからね」

そのしわがれた声を聞いたとき、全身の細胞が音を立てるように跳ね上がった。母の笑顔が脳裏を過《よ》ぎる。小さい頃から絶対に味方でいてくれた母の顔だ。

イヤだ、お母さんにだけは知られたくない。理子は放心したまま天井を仰いだ。今日のことだけじゃない。中二になってから起きたすべてのことを知られたくない。皐月たちにいいように利用され、幸乃をいいように利用してきた自分の卑劣さを知られたくない。卑劣な自分の本性を知られたくない。

ヤダ、ヤダ、ヤダ、ヤダ、「ヤダ、ヤダ、ヤダ、ヤダ」……。どこかのタイミングから声に出していることに気づき、理子は自分の手を嚙みしめる。

息を殺し、ゆっくりと振り返った。老婆《ろうば》の丸い背中が視界に入った。やらなきゃダメだ。そう思った次の瞬間には、理子は声にならない声を上げ、思いきり老婆を突き飛ばしていた。

老婆は積み上げられた本の山に頭から突っ込んだ。轟音《ごうおん》と大量のホコリを巻き散らし、無数の本が床の上に崩れ落ちる。

本が身体《からだ》を打ちつけるたびに、老婆は「うっ」と呻《うめ》き声を上げた。突っ伏した彼女の身体は一定のリズムを刻んで痙攣《けいれん》している。

自分しかいなかったはずのモノクロの世界に、徐々に色が戻っていった。理子は膝から崩れ落ちる。急激に胃液がこみ上げたが、理子は懸命にそれを飲み込んだ。瞬間的に、痕跡《こんせき》を残してはならないと思ったのだ。

同じ理由から、左手の『ジェーン・エア』をカバンに突っ込んだ。証拠隠滅。この期《ご》に及んでそんなことを考えている自分自身が恐ろしくて、理子は震えた。

気配を感じて視線を上げると、なぜか幸乃が立っていた。そうだ、この子と一緒だったのだ。理子はようやく思い出す。もう、ダメだ。おしまいだ。こんなの逃げられるはずがない。

そんな理子の心情を悟ったように、幸乃は力強くうなずいた。

「逃げよう、理子ちゃん。お母さんが悲しむよ。悲しむ人がいるんだよ」

理子の足はさらにすくんだ。逃げなくちゃ――。幸乃がそう言ってくれるのなら今すぐ逃げなきゃ。強迫的な思いと、逃げられるわけがないという諦《あきら》めとが交互に胸に押し寄せる。結局、理子は動けなかった。いつかの夜と同じだ。逃げる力が残っていない。

その場にへたり込んだまま、理子は叫び、頭を抱えた。皐月の目がよみがえる。母の悲しむ顔を思い出す。そして次に理子の胸をかすめていったのは、いつか暗闇《くらやみ》の中で聞いた、悪魔のようなささやき声だ。

理子は口を半開きにしたまま、呆然《ぼうぜん》と顔を上げた。なぜかへらへらと笑いがこみ上げてくる。視界の中に自分と似たような格好をした人間を見つけたとき、「ねぇ、幸乃」と、自然と口をついて出た。切迫した表情の友人に、理子は強い口調で言い切った。

「あなた、少年法って知ってる――?」

笑いをかみ殺すのに必死だった。この顔だけは絶対に見られてはならないと、理子は再びうつむいて、さらに早口でまくし立てる。

「幸乃って三月生まれだよね? まだ十三歳ってことだよね? だから大丈夫なんだ。絶対に捕まらないから。みんな許してくれるから」

卑屈な笑みは一向に消えず、しまいには声にまで出していた。自分がおかしいことは理解できた。そう、おかしいのは私なんだ。今ならまだ引き返せる。だから早く謝ろう。老婆にも、皐月にも、母にも、幸乃にも。

頭の中で繰り返しながら、しかし心と身体は完全に乖離《かいり》していた。気づいたときには、理子は土下座し、額を床にこすりつけていた。

「お願い、幸乃。私にはあなたしか頼れないの。私には幸乃が必要なの。だからお願い、助けてください」

緊張と静寂が店の中に立ち込める。数秒にも、数分にも感じられた沈黙のあと、土下座した理子の肩に白く、繊細な手が置かれた。

「うん、そうだよね。理子ちゃんには悲しむ人がいるんだもんね。それに理子ちゃんにはこれまでずっと助けてもらってたから。私を必要としてくれたから」

幸乃は置いていた手をゆっくりと離し、踵《きびす》を返した。幸乃が身体を向けた先に、半分開かれた襖《ふすま》が見える。一段高くなったその奥にも無数の本が山積みになっていて、紛れるように黒い電話機が置かれている。

「いいよ、理子ちゃん。早く逃げて」

「でも」

「いいから行って。私、救急車呼ぶよ。このおばあさん心配だもん。だから逃げて」

理子はうながされるまま立ち上がった。足腰に力が入らなかったのがウソのように、たしかな足取りで外に向かう。

最後に振り返ったとき、カウンターに幸乃の姿はもうなかった。どこからともなく「扇原中学二年C組の……」という自信なさげな声が聞こえてくる。

店を出た瞬間、冷気に身体が硬直した。先ほど出ていったはずの男の子がなぜか走っていくのが目に入る。幸乃が「シンちゃん」と呼んだ男の子だ。彼は何かから逃れるように、懸命に走り去っていく。

そのうしろ姿を呆然と見つめていた。その姿が雑踏の中に消えてはじめて、理子は見られていたのかもしれないという恐怖に全身を包まれた。

学校が始まるまでの数日間、理子はずっと震えていた。何度連絡を取ろうとしてみても、幸乃はおろか、祖母も電話に出てくれない。

何度か宝町にも足を運んだが、〈みち子〉の電気はいつも消えていた。そして新学期が始まってすぐに、理子は自分の犯した最大のミスに気がついた。

幸乃のことはすでに大きな噂になっていた。うんざりしたのはほとんどの生徒が「まさかあの子が」といった反応ではなく、「まぁ、あの子なら」といった表情を浮かべていたことだ。何も知らないくせに、何もわかっていないくせに。

不良の気のある男子たちもこんな会話をしていた。

「C組の田中幸乃、なんか刑務所に送られたらしいぜ」

「ウソだろ？　少年院じゃなくて？」

「違《ちげ》ぇよ。児童自立なんちゃらだよ。昔の教護院」

「さっすが経験者。詳しいねぇ」

「ざけんな。べつに経験なんかしてねぇし。ま、どっちにしてもあいつがここに戻ってくることはないだろうけどな」

「だな。中坊が強盗殺人とか。笑えないって」

「え、殺したの？」

「違ったっけ？」

「傷害だろ？　たしか強盗傷害だよ。どっちにしても笑えないけど」

「っていうか、あいつってそういうタイプだったっけ？」

「知らないけど。切羽詰まってたんじゃねぇの？」

「なんで？」

「だって、ほら。宝町の」

「あ、そういうこと？　じゃあ、やっぱり強盗か」

「笑えないだろ？」

「ああ、笑えないな」

噂が噂を呼んで、すでに何が真実かわからなくなっていた。みんながみんな好き勝手なことを口にしていて、歯止めが利《き》かなかった。現実が塗り替えられていく現場を日々目撃しているようで、理子は目を塞《ふさ》いでいたかった。

ただ、その中には紛れもない事実もあった。たとえば、理子が「少年法」をはき違えていたこともその一つだ。理子は十三歳以下ならどんな犯罪を犯しても許されるものと思っていた。だから刑務所であれ、少年院であれ、児童自立支援施設であれ、教護院であれ、幸乃には関係ないと信じていた。新学期が始まれば幸乃は誰にも知られずに学校に来ると思っていたし、普通に生活を送れると疑っていなかった。

いくら家に電話をかけても誰も出てくれず、何日経《た》っても、何週間過ぎても、幸乃は登校してこなかった。噂はとっくに立ち消えになっていて、みんなすでに話題を更新し、受験のことや恋愛話で盛り上がっていた。

幸乃のことを気にかけていたのは、理子を除けば一人だけだ。二年生の終業式を間近に控えたある日、机に突っ伏していた理子を影が覆った。

「うまいことやったじゃん」

ゆっくりと顔を上げると、皐月が腕を組んで立っていた。見下したような目に、意地悪そうな笑い顔。全身の細胞が瞬時に弾ける。

理子は無言で立ち上がり、皐月の頬を思いきり張った。教室は一瞬にして静まり返り、乾いた音が反響する。

皐月は顔を紅潮させながらも、笑みを引っ込めようとはしなかった。そして躊躇《ちゅうちょ》なく、理子の頬を張り返した。

「調子乗んなよ、理子。私にはあの写真があるんだからね」

ほんの一瞬虚を突かれ、理子は深いため息を吐《つ》いた。痛みを感じたわけではない。どうでもいいと思ったのだ。すでに犯した過《あやま》ちを前に、写真のことなどどうでも良かった。

見れば、皐月は恵子と良江の他にもう一人女の子を従えていた。話したことのないとなりのクラスの彼女は、不安そうに事の成り行きを見守っている。自分の代わりなのだと思うと、笑えてきた。

「知らないよ。ばらまきたいならばらまけばいいじゃん。だからもう私たちにかまわないで。お願いだから放っといて」

眉《まゆ》をひそめた皐月を見つめていたら、あの日のことを思い出した。耳の奥によみがえるのはあの老婆の叫び声だ。「お前がやってたことは知ってる」という言葉を思い返すたびに、全身が粟立《あわだ》つ感覚に襲われる。幸乃がやっているはずがない。理子があの店を訪ねたのははじめてだ。だとしたら、いったい誰が？　何もかも恐ろしかった。幸乃が今どこにいて、何をしているのか。彼女は本当に口を割らないでいてくれるのか。彼女の将来はどうなるのか。走り去った男の子は何を見たのか。あの日の自分はどれだけの覚悟を持って、あの残酷な言葉を吐いたのか。

考えても答えなんて出ない疑問ばかり浮かんでくる。一度は親友と信じた女の目をじっと睨《にら》みながら、理子は恐怖で震え始めた。

◆

自らが背負った十字架を認識したのは、事件から四ヶ月ほど過ぎた中三の春先だ。

いつものように訪ねた宝町の〈みち子〉はもぬけの殻になっていた。

「夜逃げだってさ。今、恐い兄ちゃんたちが血眼《ちまなこ》になって探してるよ。お姉ちゃんもこんなとこに来ない方がいいよ」

道端にいた男が教えてくれたとき、理子は事件以来はじめて泣いた。泣いて、泣いて、嗚咽《おえつ》しながら赦《ゆる》しを乞《こ》うて、しかしこのとき背中の重みと一緒に感じたのは、これであの子と切り離されるのではないかというほんのりとした期待だった。

理子はこれが人生をやり直す最後の機会と捉《とら》えた。山本皐月らと決別し、直後に始まった凄絶なイジメも自業自得と割り切って、必死に勉強した。

その甲斐《かい》あって第一志望だった学区外の県立高に進学し、国立大の英語系学部にも現役で合格した。院生時代を含めた六年間も追われるように勉強を続けた。

その後は日本語学校の教師でもしようと考えていたものの、理子はゼミの教授の強い推薦を受け、都下の新設私立大学から非常勤講師の内定を得た。傍目には華々しいキャリアだったに違いない。理子がステップを踏んでいくたびに、母は目を潤《うる》ませて喜んでいた。

だが、理子の心が充たされたことは一度もなかった。やはり翻訳家という自分の夢を知る教授の紹介を受け、院在学中からいくつかの出版社とつながりを持った。そのうちの一社が理子の内定の情報を聞きつけて声をかけてくれたが、理子はさらにうしろめたさを募らせるだけだった。

何をしていても、何を実現しようとも、彼女の影に怯《おび》えていた。常に赦しを乞い続け、もちろんその声はどこにも届かなくて、理子の気を滅入らせた。あの夜の空気の冷たさを忘れたことは一度もない。背中の重みも年々増していく一方だ。

だから田中幸乃が犯したという重大な放火殺人事件に関して、面識のないテレビ記者から「中学時代の友だちとしてお話を」という依頼を受けたとき、理子は迷うことなく了承した。了承し、なんとか幸乃を守ろうと努めた。

インタビューが始まってすぐ、記者の求めているものが「不良グループにいた少女像」だとわかった。

もちろんそんなことは認められず、理子はありのままの幸乃を説明した。もうこれ以上、自分の人生に重荷を背負うわけにはいかなかった。すべてを知ったようなイヤらしい記者の笑みを、精一杯の力ではね除《の》けた。

「あの子はそんな残酷な事件を起こす子じゃありません。本当に心の優しい、友だち思いの子だったんです」

その前後にあったコメントは見事に編集で切られていた。ニュースでモザイク処理された自分を見たとき、ヘリウムガスを吸い込んだようなバカバカしい声を聞いたとき、理子は声を上げて笑ってしまった。

妙に腑《ふ》に落ちた気分だった。結局、自分はよく耳にする犯罪者像をなぞっているに過ぎないのだ。こんな中身のないセリフ、驚きのない証言、何度ニュースで見聞きしてきたことだろう。

背中の十字架はさらに重みを増した。抗《あらが》おうと思っても、もう力が残っていない。非力な自分を呪《のろ》いたくなる。

テレビを消して、パソコンと向き合った。デスクの上には翻訳途中の絵本が置かれている。旅先で見つけた"Funny Eleanor"という古い童話を見つめながら、いや、そうじゃないと、理子は誰にともなく首を振った。呪うべきは力のなさなんかじゃない。今日に至るまであの日の真相を明かせない自分の卑劣さを、私は呪わなければいけないのだ。

誰かがいることを願わずにはいられなかった。今の彼女を支える人が、幸乃を必要としている人がどこかにいることを切に願った。

ふといつか彼女に聞いた二人のヒーローのことを思い出した。

でもその朧気《おぼろげ》な記憶は、古書店の前から逃げ去っていく少年の影にあっけなくのみ込まれてしまった。

第四章「罪なき過去の交際相手を──」

田中幸乃の姿が法廷の中に溶け込んだとき、八田聡《はったさとし》は懐《なつ》かしさを抑えきれなくなった。数年ぶりに目にするうしろ姿は、以前と何も変わっていない。

メディアでさかんに報じられていた〝整形シンデレラ〟という言葉が、頭から消し飛んだ。病的に白い肌も、ひょろりと高い背丈も、あの頃と変わらない。目を伏せていれば、あいかわらずひ弱な少女のように見える。

ようやく傍聴することが叶《かな》った一審の四日目。法廷にはパーティションが運び込まれ、裁判長によって最後の証人が呼び出された。

検察側の証人として立ったのは金城好美《かねしろよしみ》。まだ十代の一時期、幸乃と児童自立支援施設で一緒に過ごしていたという女だ。ボイスチェンジャーを使用しているかのような気の抜けた声が、厳粛な雰囲気の法廷に響いている。

「ええとぉ、だから私はそんないうほど二人のこと知ってるわけじゃないんですけどぉ、敬《けい》ちゃんがなんかかわいそうだと思うのでぇ――」

　検察側からの尋問にはなんとか応じたものの、弁護側からの問いかけにはあきらかに声が上ずってしまっている。

「ええと、ごめんなさい。整理しますね。敬ちゃんというのは被害者のご遺族、井上敬介さんのことですね？　そして、あなたは被告人と井上氏の関係性をよく知らない？」

「関係性っていうかぁ、べつに二人のことはよく知ってるし、どっちのことも好きなんですけどぉ、最近はあんまり会ってなかったっていうか」

「どのくらいの期間会ってなかったのですか？」

「ええと、だからそれは一年とか、二年とか」

「大事なところです。どちらですか？」

「だから、その……。三年くらいかな……」

　決してやる気があるようには見えない弁護人が、呆《あき》れたように息を吐く。証人が何か声を発するたび、失笑する声があちこちから聞こえてくる。誰一人として強い思いを持っているようには見えなかった。裁判官も、検察官も、弁護人も、傍聴人も、被告人である幸乃自身も。

「でもぉ、井上さんはちゃんと借金だって返したんだし、かわいそうですよ。家族を殺されるようなひどい人じゃありません」

証人が何か言えば言うほど、冷たい空気が充満していく。結局、特別な証言を残すことのできないまま、退廷するよう命じられた。

当然だという思いが聡の胸に広がった。自分の存在を認められたような気分だった。あんな女に幸乃のことは語れない。敬介のことはわからない。二人がつき合い、別れていった経緯を明かすことができるのは自分しかいないのだ。

ざわつき始めた傍聴席に目もくれず、裁判長はメガネを取った。明日、十五時半に判決を言い渡すと無表情のまま告げて、この日の閉廷を口にする。

はじめて見た裁判はひどく間抜けで、茶番に思えた。聡に強くそう思わせたのは、証人の軽薄な語り口調ではない。あきらかに裁判そのものに興味を持っていない、幸乃の醒《さ》めきった顔だった。

傍聴席に腰を下ろしたまま、聡は目をつぶる。脳裏をかすめるのは幸乃の笑みだ。あれはいつ見たものだろう。うす暗い部屋の中で、幸乃は聡に向けてさびしげに微笑《ほほえ》んだ。

あの日もやっぱり笑っただろうか。彼女と最初に会ったのは、今から四年前の夏だった。

◆

「ああ、聡。これ、俺の女。田中幸乃。先月からつき合ってる。よろしく頼むわ」

呼び出された渋谷のカフェにはタバコの煙が充満していた。小学生の頃からの友人、井上敬介に田中幸乃を紹介されたのは、連日続いた豪雨をようやく抜けた七月の終わりだ。

「ああ、八田です。よろしく。歳《とし》は？」

「二十歳？　俺らの三個下」と、女に質問したつもりだったのに、なぜか敬介が答える。

「そうなんだ。よろしく」

あらためて無愛想に応じて、八田聡も自分のタバコに火をつけた。二十歳を過ぎたら絶対にやめようと決めていたのに、もう三年も過ぎてしまった。やめられる気配もない。

煙をくゆらせながら、聡は幸乃を上目遣いに一瞥《いちべつ》した。血管が透けて見える白い肌に、前髪が切りそろえられたロングヘア、猫のように切れ長な目。幸乃は古びた日本人形を連想させた。派手好きな敬介のタイプとは思えない。

「た、田中幸乃です」

見た目の想像とは違い、ずいぶん低い声だった。かすかに声をつまらせながら、幸乃は目も合わさずに会釈《えしゃく》する。自信なさげに背を丸め、唇を小刻みに震わせている。

敬介がほとんど一人でしゃべっていた。だから途中で携帯が鳴って、敬介が何も言わず席を立ったとき、不意に緊張感が二人の間に横たわった。

「なんかやっと明けたみたいだね」

待っていても話しかけてくる気配はなかったので、仕方なく聡の方から切り出した。

「え？」

「梅雨。今朝の天気予報で言ってたよ」

「あ、ああ、そ、そうなんですか」

幸乃はそれ以上答えようとはしなかった。店内に流れるカントリー調の音楽が耳につく。

「ええと、幸乃ちゃんだっけ？　出身はどこなの？」

注文したアイスコーヒーに口をつけながら、聡は続けた。

「ぐ、群馬の方です」

「方って何？」と、思わず笑いがこぼれる。

「群馬です」

「そうなんだ。東京にはいつ？」

「いつというか、小さい頃から色々なところを転々としていたので……」

「そうなんだ。ふーん」

幸乃は今までより深くうつむいた。たった今出会ったばかりだ。そんなに拒絶される覚えはない。自分だけ気遣っているのがバカらしく思えて、聡は窓の外に目をやった。

じりじりとした時間が身を焦《こ》がすようだった。だから「な、暗いだろ？」と笑いながら戻ってきた敬介が、一瞬、救いのように感じられた。その思いは幸乃の方が強かったらしく、飼い主と再会できた仔犬《こいぬ》のように安堵《あんど》した表情を浮かべている。

「俺もすげぇ時間かかったもん。あり得ないくらい受け身だからさ。本人は気を遣ってるつもりかもしれないけど、逆に気疲れするって言うんだよな」

敬介に髪を触られる幸乃を、聡はあらためて見つめた。一言でいえば、過去を感じさせない女だった。女子校の出身っぽいとか、きょうだいがいそうとか、そういう気配がない。

「どうよ、最近は。そういえば就職って決まったんだっけ？」

敬介は昼間からビールを呷《あお》り、話題を変える。会うのは一ヶ月ぶりだ。聡が二浪の末に横浜市内の国立大に合格し、敬介が介護系の専門学校を卒業してフリーターになってからは、毎日のように遊んでいた。たった一ヶ月でもずいぶん長い期間に感じられる。

「うん。決まったよ」と、聡は小さくうなずいた。

「マジ？　どこ？」

「山縣《やまがた》物産。商社」

「うっほー。すげぇ。何するところか知らねぇけど、エリート臭ハンパねぇな」

「そうか？　っていうか、就職決まったって話は前にもしただろ。お前、そのときも同じこと言ってたぞ。エリートっぽいって」

楽しげに目尻《めじり》を下げる敬介とは、小学生の頃から一緒にいた。中学時代の思い出はほとんど共通しているはずだ。登録件数の少ない自分の携帯のアドレス帳を思えば、唯一《ゆいいつ》の親友と呼べるだろう。

とはいえ、聡の方から電話をしたことはほとんどない。誘ってくるのはいつも敬介の方と決まっていて、だから敬介から呼び出されることがなければ会う機会は極端に減る。

敬介からの連絡が途絶える理由は決まっている。新しい彼女ができたときだ。その期間もほとんど変わらず、数週間から、長くても数ヶ月。そういえば最近連絡がないなと思う頃に必ず電話を寄越してきて、『聡、最近冷たくね？　遊ぼうぜ』などと猫なで声で言ってくる。

そうして呼び出された先には、だいたい新しい彼女が一緒にいる。たいていの場合、敬介はその女たちに飽きている。マンネリを打破しようとして聡を呼ぶのか、単純に二人でいたくないのかはわからない。ただ間違いなく彼女らにとって聡は邪魔者で、いい顔をされた覚えは一度もない。

そして何回か一緒に遊んで、ようやく少し打ち解けられるようになった頃、敬介は彼女たちに別れを切り出すのだ。慣れっことはいえ、「だってもう好きじゃないんだもん」と笑顔で言えてしまう友人の人間性を疑ったことは少なくない。

きっとこの女もそうなのだろう。案の定、敬介は聡にばかり話しかけてきた。でも、幸乃の態度はこれまでの女たちと少し違った。いっさい口を挟まない代わりに、つまらなそうにするわけでもない。退屈そうに携帯を開くことも、髪の毛をいじることもなく、そう命じられているかのようにうつむいて座っている。

久々に懐かしい話で盛り上がった。敬介は専門を出ると同時に地元の上大岡《かみおおおか》を離れて、武蔵小杉《むさしこすぎ》に古いアパートを借りた。資格を取得し、川崎市内の老人ホームに就職したまでは良かったものの、そこは半年ともたず辞めてしまう。

「介護なんて金にならねぇよ。夢もないし。他に俺に向いてるなんかがあるよ」

そう言って突入したアルバイト生活だったが、モデルのスカウトも、浄水器の販売も、ホストの真似事《まねごと》も、あまり長くは続かなかった。

代わりに熱を入れたのがパチンコだ。閉店間際《まぎわ》にデータを取ったり、朝早く並んだりと、本人は努力していると真顔で言うが、あまり結果はついてこない。家賃が払えなくなったのは一度や二度ではなく、その都度、聡が用立てた。その額は五十万を下らないはずだ。

二人で思い出話をしている間も、幸乃は口を挟まなかった。梅雨明けらしく日差しがきつい日だというのに、温かいココアを注文して、湯気の立つカップに慎重に口をつけている。

その姿がとても絵になっていた。一瞬、聡は幸乃の動きに見惚《みと》れていた。

「なんか似てるんだよな、お前ら」

敬介が唐突に切り出した。思わず「は？」と言った聡にうなずきかけて、敬介は楽しげに肩を揺する。

「こいつとしゃべってると、たまにお前といるんじゃないかって錯覚しそうなときがある」

「どういう意味だよ？」

「さぁな。でも、そういうときがあるんだ。なんか落ち着くんだよ、一緒にいると」

赤面するようなセリフを口にし、敬介は席を立った。伝票を置いていくのはいつものことだ。小さく息を吐いて、手を伸ばそうとした聡よりも一瞬早く、幸乃が伝票を取った。

「え？　いや、いいよ。俺が払うよ」

思わず幸乃の服に目を落とした。量販店でよく見る長袖《ながそで》の白いカットソーに、カーキ色の細身のパンツ。とてもじゃないが金を持っているとは思えない。

「困ります。私が払います。大丈夫です」と、幸乃は過剰なほど大きく首を振る。

「そういうわけにはいかないよ」

「ホントに大丈夫なんで。お願いです。私に払わせてください」

これまでからは想像できない強い口調に、聡は気圧《けお》されそうになる。遠くから敬介の声が飛んできた。

「おい、早くしろよ。映画始まっちまうだろ」

このとき、はじめて幸乃と目が合った。幸乃はあわてて視線を逸らす。かわいそうに。この子がどれだけ一生懸命尽くしたところで、すぐに捨てられてしまうのがオチなのに。どう贔屓目《ひいきめ》に見ても、幸乃は敬介の好みとは違っている。

先ほどの「似てる」という言葉が耳の奥によみがえった。どうして人を傷つけることを厭《いと》わないでいられるのか。

十年以上つき合ってきた親友の考えをいまだに理解しきれずに、聡は自分の無力さを突きつけられるようだった。

本人は忘れているに違いないが、聡は敬介にはじめてかけられた言葉を覚えている。

「お前、死ぬのかよ」

小六の秋。トランペットの音が聞こえてくる放課後。誰もいないと勝手に決めつけていた学校の屋上で、突然声をかけられた。驚いて振り返った先に、同じクラスの敬介がいた。

「バカじゃねぇの？　死んだら終わりなのに。お前、知ってんのかよ。自分で自分の命を捨てるのって一番ダセーことなんだぞ」

「な、なんで……」

「誰もお前のことかわいそうなんて思わねぇし、どうせすぐに忘れられるんだ。死んで復讐《ふくしゅう》した気になってたって、そんなの全然ウソだからな」

　聡は何も言い返すことができなかった。本当に、できることなら今この場で死ねないだろうかと考えていたところだった。

　敬介は尻を叩《たた》きながら聡に近づいてきた。ほとんど話したことのないクラスメイトの、かつて見たことのない厳しい形相。

「死んだって意味ねぇし。笑われるだけだぜ」

　肩に置かれた手の熱が伝わった。正直に言えば、苦手なクラスメイトだった。いつも教室のうしろの方で群れを作り、何が楽しいのか、友人たちと大声で笑い立てている。

　聡がもう大丈夫だからというふうにうなずいてみせると、敬介はようやく手を離した。

「どんなにつらくても、つらい顔してちゃダメなんだぜ。見せなくちゃいけないのは根性だ」

それまでの熱っぽい視線から一転、敬介は弱ったような顔をした。そして何かを読み取ろうとするように、聡の目をジッと見つめる。

「死んだんだろ？　お前のお父さん」

唐突に出てきた言葉に、聡は不意を打たれた。でも、のみ込まれまいと胸を張った。

「そうだね。うちのお父さんはダサいことをしたんだ。勝手に苦しんで、勝手に死んだ。それで遺《のこ》した僕たちを苦しめた」

敬介は意外そうな顔をした。聡は決して視線を逸らそうとしなかった。たぶん根性を見せたかったのだ。

まだ静岡に住んでいた五年生まで、聡の名字は八田ではなく、小坂《こさか》だった。どこにでもいそうな普通の家族の、どこにでもありそうな普通の生活。それが警察からの一本の電話によって、あっけなく打ち砕かれた。家族に秘密にしていた借金を苦にしての、父の自殺。その出来事はもちろん衝撃ではあったけれど、死んだという事実以上に聡を苦しめたのは、父の死に方だった。

父は集団での排ガス自殺という最期《さいご》を選択した。それも〈ダイヤルQ2〉というサービスで知り合った、見ず知らずの女の呼びかけに乗って。住む場所も、年齢も、性別も異なる四人は、集まった沼津からレンタカーに乗り込み、富士山を目指した。そして彼らはそれぞれ大切そうに遺書を抱いて、林道の脇《わき》に停めた車の中で死んでいた。

そのショッキングな自殺の方法は、メディアの格好の餌食《えじき》となった。連日のように自宅に押し寄せてきていた大人たちの卑《いや》しい顔を、聡はハッキリと覚えている。

警察署に駆けつけたところから始まり、涙と好奇心の入り乱れる葬儀を経て、友人たちへの挨拶《あいさつ》もそこそこに逃げるように横浜に移り住み、名字が変わった。あまりにもめまぐるしく、記憶は混乱しているけれど、その間は一ヶ月ほどしかなかった。

苦しみは新しい環境でも消えなかった。聡が新しい学校のみんなから無条件で歓迎されたのは最初の一週間くらいだった。それからは再び好奇の目にさらされた。どこかから情報が漏れ伝わっているのは間違いない。遠巻きに観察してくるクラスメイトたちの視線はいやらしく、ある意味では記者たちのそれよりもきつかった。敬介がその中心にいると思っていた。

二人の間を冷たい風が吹き抜けた。これまで誰にも明かしたことのなかった秘密を、聡はすべて打ち明けた。よりによって一番笑っていると疑っていた相手にだ。

「言っとくけど俺は同情なんかしないよ」と、それが聞き終えた敬介の第一声だった。

敬介はゆっくりと立ち上がり、座ったままの聡を振り返る。

「俺の親父も死んだんだ。ニュースになるとかはなかったけど、普通に死んだ」

聡は驚かなかった。敬介は何も言わなかったが、自殺であることもすぐにわかった。父はたしかに笑われていた。記者たちに、大人たちに、他ならぬ聡自身に笑われていた。敬介の言った「死んだって笑われるだけ」という言葉に、聡は説得力を感じていた。

敬介もきっと似たような体験をしているに違いない。ただ、聡のようにつらい顔をしていないだけだ。そう思った次の瞬間、聡は無意識のまま言っていた。

「ねぇ、聡って呼んでもらえないかな。僕のこと」

一瞬キョトンとした顔を見せたあと、敬介は腹を抱えて笑い始めた。そして「じゃあ、お前も敬介って呼べよな！」と叫ぶように言って、何かを確認するようにうなずいた。

「人は誰からも必要とされないと死ぬんだとさ。父ちゃんの手紙にそうあったって。超図々しいと思わね？　必要とされてないわけねぇのにな」

そう嚙《か》みしめるように言って、敬介は真顔を取り戻した。

「俺がお前を必要としてやるよ。だからお前も俺を必要としろ。俺がお前を、っていうか聡のことを絶対に死なせねぇからさ」

言葉がじんわりと胸に滲《にじ》んだ。こみ上げてきた涙を懸命にこらえたのを覚えている。

ここで終わっていれば、きっと美しい話として二人の間に残っていたはずだった。

でも、敬介はさらに続けた。すぐにいたずらっぽく微笑み、何やらカバンを漁《あさ》りだして、「というわけでさ」とつぶやきながら、中から緑色の箱を取り出した。

「吸うべ？　友情のタバコ」

聡はグッと息をのみ込んだ。そして「うん。吸うよ」と、臭いだけの煙を必死の思いで吸い込んだ日から、聡は敬介とともに生きてきた。中学卒業までは法に触れることもしたし、利用されていると感じたことも少なくない。大人になってからも関係を引っぱり続け、すぐに調子に乗る敬介に手を焼くこともしばしばだ。

でも、あの日の言葉は今でも耳の奥に残っている。俺がお前を必要としてやるよ――。

そう言ったときの親友の眼差しにウソはなかった。口にしたことはなかったけれど、聡もまた敬介を必要としてやってきた。

幸乃を紹介された日を境に、聡は敬介とまたよく遊ぶようになった。驚いたのは例年よりも暑かった夏を越え、スズムシの鳴き声が聞こえなくなり、色の枯れた冬がやって来てもまだ、幸乃とのつき合いが続いていたことだ。

幸乃は少しずつではあったけれど、聡に対しても心を開くようになった。以前よりも笑うようになったし、挨拶くらいなら自分からもする。敬介のアパートに招かれれば手料理を振る舞ってくれ、それらはすべておいしかった。

とはいえ、二人の関係は一筋縄ではいかなかった。幸乃の表情はたしかに幸せそうに見えるのに、白い肌にポツポツと青あざが目立つのだ。いつの頃からか目に付くようになり、聡は気になり始めた。だけど、あえてそれを口にしようとはしなかった。

数年前に再婚した母は新しい夫と静かに暮らし、姉とはほとんど連絡も取らない状態が続いている。大学四年生の年末から年始にかけて、他に帰る家のない聡は中山のアパートでテレビを観《み》て過ごしていた。

実家に帰省していたはずの敬介から電話があったのは、年明け間もない三日のことだ。

『何してんの？』

「べつに。テレビ観てるけど」

『スロット行こうぜ』

「ええ、また？」

敬介とは年末にも一緒にパチンコ店に出かけたばかりだ。その日の敬介は面白いように負け続け、二万円ほど貸している。

「べつにいいけど、金あんの？」

『今日はあるよ。心配すんな』

「なんであるんだよ」

『お年玉？　っていうか、うるせぇよ。お前に関係ないだろ。とりあえずいつもの店で先に打ってるわ。早く来いよ』

一方的に電話を切られ、聡はため息をこぼした。今日に限ってのことではない。幸乃とつき合い始めて、敬介はあきらかに金回りが良くなった。聡が貸す額は極端に減ったし、逆に食事をおごってくれたりもする。

駆けつけた川崎のパチンコ店で敬介の姿をすぐに見つけた。聡は真っ先に備え付けの灰皿に目を向ける。負けが込み出すと、敬介のタバコの量は異常に増える。まだ灰皿に吸い殻は一つしかなくて、聡はひとまず安堵する。

「遅かったじゃん。何打つの？」

案の定、敬介の声は軽かった。空いていたとなりの席に腰を下ろし、聡もコインサンドに千円札を流し込む。

「どうなの？　調子は」

さして興味もなかったけれど、聡は尋ねた。言ったあとで思い出して、「あ、あけましておめでとう」と付け足した。

敬介は年始の挨拶は省いて、誇らしげに首をすくめた。

「たぶんいいね。二千円でいきなり引いて、まぁ、それは飲まれたんだけど、スイカとチェリーの合算確率は高いし、今のところ設定5以上の挙動を見せてるよ」

敬介は調子よくリールを回したものの、なかなか当たりを引くことはできなかった。千円札が溶けるように消えていく。タバコに火をつけ、もみ消すペースがどんどん速くなっていく。

派手な音を奏《かな》でるマシンは、メダルを飲み込むためだけに存在しているようだった。今日は運がないのだろう。もうやめるべきと思ったが、敬介にそのつもりはないようだ。「データはいいんだよ、データは」と、うわごとのように繰り返す。「ちょっとタバコくれよ」から始まったいつものたかりも、最後には「ちょっと金貸してくれ」に変わった。

すでに二万円は負けている。出所不明の金を使い果たし、目は血走り、完全に大負けするときのパターンに入っている。わかってはいたが、止めても無駄だ。

無言で差し出した一万円もあっという間に消えていった。もう一万、もう一万と言われるまま金を渡し、ついに聡の財布も空になった。

「聡、あと一万だけ貸してくれ。天井が見えてるんだ。絶対に返す。今日中に返すから」

そう言う敬介の顔に、気まずさは見られない。ひたすら怒りに駆られている。

「もう俺もないよ」

さすがに今日はやられ過ぎだ。聡は見せつけるようにして財布を開いた。敬介の目がふっと据わる。キレる前に必ず現れる兆候だ。

「だったらとっととATM行ってこいよ！」

敬介はスロット台の下部を蹴《け》り上げた。騒音に包まれた店の中であることが幸いした。周りに座る何人かはこちらを振り向いたが、店員にまでは知られずに済んだ。

「わかった。行ってくる」

表情も変えずに聡は席を立った。正月でも金を下ろせてしまうコンビニで、冷たい缶コーヒーと一緒に敬介のタバコも購入した。

戻った店で一万円とタバコを渡したが、敬介は台を睨《にら》みつけたまま、礼すら言おうとしなかった。

結局、この日は閉店時間まで店にいた。驚いたことに敬介は直後に当たりを引き、そのまま閉店までメダルを出し続けた。

貸した四万円を返してもらっても尚《なお》、手元に四万円以上残る大逆転勝ちだった。ならばこれまでの借金も少しは返して欲しいところだが、それを口にして機嫌を損ねるわけにはいかない。そもそも返してもらえるとも思っていない。

「悪かったな、聡」

お金を無造作にポケットに突っ込みながら、敬介は言った。久しぶりに聞く声だ。

「何が？」と、とぼけた聡に気恥ずかしそうに笑いかけ、「いやぁ、なんか態度悪くてさ。俺ってああいうとこダメだよな。すぐ熱くなっちゃって」と頬を赤らめる。

目尻に笑い皺《じわ》ができている。友だちは多いけれど、聡にだけ見せる表情だ。他の仲間といるときの敬介はいつも神経を尖《とが》らせている。意地っ張りで、頑固で、負けず嫌い。不良だった頃のクセを引きずり、調子に乗りすぎて失敗することは多いのに、絶対に自分の非は認めない。照れくさそうにして謝るのは、聡に対してだけだった。

そういうときの敬介にはすごく愛嬌《あいきょう》がある。つまるところ、長くつき合えた理由はこの表情にあるのだろうと聡は思う。

「べつにいいよ。そんなことより腹減った」

「ああ、なんか食ってくか。奢《おご》るよ」

「当たり前だ」

冷たい夜風が吹きつける。身をかがめながら牛丼屋《ぎゅうどんや》を目指している途中、敬介は「ああ、やべぇ」と立ち止まり、携帯を取り出した。

敬介はこちらに背を向け、誰かと電話し始めた。寒さと空腹に少しだけ苛立《いらだ》ちながら待っていると、電話を切った敬介は思ってもみないことを言い出した。

「今日、幸乃が家に来てるんだった。あいつ、料理作ってるって」

「マジか。じゃあ、俺は帰るよ」

「いいよ、うち来いよ。あいつにもそう伝えたし」

「だって、帰れなくなるじゃん」

「泊まってけばいいじゃん」

「あの狭い部屋で？」

「鍋《なべ》らしいぜ」

敬介は挑発的に言い放った。一瞬、暖かいダイニングの画が脳裏をかすめる。聡が何よりも家庭的な料理に飢えていることを、もちろん敬介は知っている。

「いつも世話になってるからさ。たまには俺に振る舞わせろよ」

そう微笑んだ敬介は、本当に機嫌が良さそうだった。コンビニでビールや酎《ちゅう》ハイを山のようにカゴに詰めると、当然のように支払いもしてくれる。

〇時を過ぎて到着したアパートで、幸乃が出迎えてくれた。聡の顔を見るなり「あけましておめでとうございます」と頭を下げる。今にも膝《ひざ》をつきそうな丁寧さに呆気《あっけ》に取られ、聡の方はすぐに挨拶を返すことができなかった。

六畳ほどの広さの1Kの部屋には、ミソとキムチの匂《にお》いが立ち込めていた。小さなこたつの上で鍋が音を立てている。その周りを囲むように、いくつもの料理が並んでいる。「ちょっと作り過ぎちゃいました」という幸乃の手料理はどれもおいしい。

中でも絶品だったのは肉じゃがだ。本来、鍋と一緒に出されるものではないと思うが、味は抜群にうまかった。

「何これ。やばい。超うまい」

聡は独り言のように繰り返す。幸乃は照れくさそうにうつむいた。「肉じゃがなんて誰が作っても一緒ですよ」と、めずらしく強い口調で言って、梅酒のグラスに口をつける。

真夜中の宴《うたげ》は本当に楽しかった。聡はいつになくよくしゃべり、幸乃も口もとを押さえながらよく笑った。意外にも幸乃は酒に強そうだ。顔色一つ変えていない。

そんな幸乃を、すでにビールを三本以上空けている敬介が煽《あお》り始めた。

「なんだよ、幸乃。もっと飲めよ。聡がしらけてるだろ」

アルコールで顔を赤くした敬介の声が響くときだけ、部屋に緊張感が充満する。敬介の悪いクセだ。機嫌が良いのはいいのだが、その分、口が悪くなる。そうでなくてもパチスロで大勝した夜だ。いつにも増して気持ちが大きくなってしまっている。

「私、そんなには飲めないから」

幸乃がやんわり拒否しても、敬介の暴言は止まらない。

「飲めるよ。ハナから諦《あきら》めてんじゃねぇよ」

「でも私、あんまり飲んだらあれだから」

「あれってなんだよ」

「だから、いつもの病気が」

「そんなの知るか。根性見せろよ、根性を」

敬介はグラスに酎ハイをなみなみと注いで、強引に幸乃の口に押しつける。

「お願い。やめて」

そう言って顔を背けた幸乃を助けるつもりはなかったが、聡は口を挟んでいた。

「病気って何？」

その瞬間、幸乃は顔を青ざめさせ、敬介の方は舌打ちした。幸乃の顔をしらじらと見やり、敬介は吐き捨てるように口にする。

「こいつ、すぐに気を失うんだよ。なんちゃらっていう病気で、興奮してくるとホントに意識がぶっ飛ぶんだ。笑えるぜ。そんなの気合いが足りないだけなんだ」

「気合いとか、そんなんじゃないです」

悲しそうに笑う幸乃の声は今にも消え入りそうだった。「テメーなに口答えしてんだよ」と前のめりになった敬介をいなすように、「もういいよ。好きに飲めばいいじゃん」と、今度は幸乃を救うために聡は言った。敬介は驚いたように聡と幸乃を見比べ、「なんだ、お前ら。気持ち悪《わり》ぃ。苛つくんだよ」ときつい口調でつぶやいた。

その後も敬介の感情は昂《たかぶ》り続けた。暴言を吐くだけ吐き、一人で笑うだけ笑って、気づいたときには寝てしまっていた。

時刻はもう二時を過ぎている。

「ごめんね、幸乃ちゃんももう寝なよ。俺は適当にマンガ喫茶にでも泊まるから」

最初からそうするつもりだった。皿を流しに運びながら言った聡に、幸乃は弱ったように首を振った。

「いいえ、困ります。彼が起きたら私が怒られます」

幸乃の言うことももっともだ。眠る敬介を見下ろしてから、ならばと聡は提案する。

「じゃあ、せめて洗い物だけでも俺にさせて。甘えてばかりでもあれだから」

「それも困ります。八田さんはどうぞシャワーを浴びてください。もうタオルと寝巻きも出してあるんで。敬介さんので申し訳ないんですけど。布団《ふとん》を敷いておきますから」

「いや、だけど」

「お願いします。それが一番落ち着くんです。お願いします」

そう深々と頭を下げられてしまえば、聡は従うしかなかった。

何度も寝返りを打ちながら、冷たい布団の中で目をつぶり続けた。敬介の寝息をかき消すように、シャワーの音が聞こえてくる。緊張が胸に巣くう。幸乃が出てくるまでに眠ってしまいたかった。それなのに目は冴《さ》える一方だ。

ずいぶん長い時間をかけて、幸乃は風呂から出てきた。慎重な足音が耳もとで聞こえる。身体《からだ》は敬介の眠るベッドの方に向いていた。うっすらと目を開くと、幸乃が布団に入ろうとする姿が見えた。細身のスウェットのシルエットが身体のラインを浮き上がらせている。意外にも高い身長が、細さによって強調されている。

しばらくすると幸乃の寝息が聞こえてきた。その後も寝返りを繰り返して、なんとか聡もうつらうつらとし始めた。どれくらい時間が過ぎたのだろう。

「ダメ。やめて。お願い」

抑えた声が部屋の空気を切り裂いた。目の前にあるベッドがごそごそと揺れている。一瞬、自分がどこにいて、何をしているのか、判断することができなかった。

「平気だよ。もう寝てるから。いいから声出すなよ」

聡はようやく自分の居場所を把握し、そして帰らなかったことを深く悔やんだ。二人が耳をそばだてている気配を悟る。身体を動かすこともできず、ツバをのみ込むのにも気を遣う。

「でも」

「うるせぇ。お前は黙って俺の言うこと聞いてりゃいいんだ」

「ごめんなさい。やっぱりムリ」

「黙れって。マジではっ倒すぞ」

パイプベッドがゴンという音を立てた。「痛い」という声が続く。しばらくすると、か細い泣き声が聞こえてきた。その合間を縫うようにして、押し殺した敬介の声が空気を伝う。

「泣くな。お前は黙って俺の言うことを聞いてりゃいいんだよ」

ベッドがきしむたびに、苦しそうな幸乃の息が漏れた。衝動を抑えきれなくなって、聡はゆっくりと目を開いた。ベッドから幸乃の右足がずり落ちている。月明かりに照らされるふくらはぎはまるで作り物のように白く、美しかった。

一定のリズムを刻んで、幸乃の足は揺れ続けた。次第に二人の息遣いが合致していく。機械的なベッドの揺れにエロティシズムは感じず、不快にも思わない。

ただ、なぜか胸が掻《か》きむしられた。大切な何かを蹂躙《じゅうりん》されているようだった。この世に自分だけ取り残されてしまったかのような、不思議な孤独感に身を包まれる。

どれくらい息をひそめていただろう。二人が行為を終えたことには気づかなかった。いつの間にか掛け布団の揺れは消えていて、部屋は静けさを取り戻している。冷蔵庫の機械音だけがかすかに響き、聡は空気の冷たさを認識した。

「ごめんな、幸乃。俺、本当にごめん」

しばらくの静寂のあと、敬介の声が耳を打った。聡の聞いたことのない声色だ。しばらくして敬介が泣いているのだと気がついた。

「いいよ、大丈夫。わがまま言って私もごめんね」

きっと慣れっこなのだろう。幸乃は子どもをあやすように口にする。二人の関係が当然のように逆転している。

「お前はわがままなんて言ってないよ。わかってるんだけど、どうしてもダメなんだ」

「大丈夫。いいよ。泣かないで」

「ごめんな、幸乃。俺、がんばるから。今年こそちゃんとするから。見捨てないでくれ」

「うん、見捨てないよ。見捨てるわけない。がんばろう。二人でがんばろう」

「本当にごめんな、幸乃。ありがとう」

「ううん。私の方こそ。ありがとう」

もう別れるべきだと思った。幸乃が敬介を抱きしめる気配がしたとき、聡はそう確信した。敬介とつき合い続けるには、幸乃は無防備すぎる。身を守る術《すべ》のない女にだって、敬介は容赦しない。敬介は深く心の中に押し入ってくる。アメとムチを無自覚に使いわけ、人の優しさに平然とつけ込む。そこに悪意はない。悪意がないからタチが悪い。

敬介にしか救われないのに、敬介といると無性にさびしくなるときがある。こいつから見捨てられたら、もう自分には何も残らない。理解し、必要としてくれる人がいなくなる。そうした自覚がある分だけ、聡には覚悟があった。

「なんか似てるんだよな、お前ら」と、最初に幸乃と会った日、敬介はたしかに言っていた。その言葉を今こそ否定したかった。似ているはずがないからだ。昨日今日知り合った女がそんな覚悟を秘めているはずがない。どうせ恋人という立ち位置に安穏とし、甘えられることで充《み》たされ、関係を確たるものと勘違いしているだけ。だから別れなければならないのだ。敬介にボロボロにされてしまう前に、身を引かねばならないのだ。

　翌朝、聡より先に起きていた幸乃は、とても幸せそうだった。キッチンでフライパンを握りながら、鼻歌など歌っている。

「あ、おはようございます。ごめんなさい。起こしちゃいました？」

　幸乃は驚いたように身体を震わせた。昨夜の一件が胸をかすめる。幸乃も同様なのだろう。照れくさそうにうつむきながら「コーヒー、すぐに入れますね」と、いつもの自信なさげな表情を浮かべる。

「あ、大丈夫。もう帰るから」

「え？　いえ、でも朝食……」

「ううん。予定あるからさ。ごめんね。敬介によろしく言っといて」

そう言い残し、聡は足早に部屋を出た。玄関を出たところで、タバコに火をつける。背後で扉が開く音が聞こえたが、振り向こうとはしなかった。

「今年こそちゃんとする」というベッドの中の誓いを、たしかに聡は耳にした。しかしそんな言葉などなかったかのように、敬介の生活はあいかわらずだった。

就職もせず、パチンコばかりの自堕落な日々。ケチな勝ち負けに一喜一憂しつつ、苛立ちを日増しに募らせていく。しばらく会わなくても幸乃との間がどうなっているのか簡単に想像できて、聡の気を滅入らせた。

四月になって聡が就職してからは、敬介の甘えはいっそうひどくなった。仕事中も、夜中でも関係なく電話が鳴った。内容は取り留めのないものばかりだ。ただ、言葉からは敬介の焦《あせ》りが滲《じ》み出ていた。一人だけこれまでと同じ生活を続けていることに、さすがの敬介も焦れている。

ゴールデンウィークはほとんど毎日パチンコにつき合った。でも、敬介の荒ぶる感情は収まらない。苛立ちがそのまま幸乃に向けられていることが言葉の端々から感じられた。助けてあげたいと思っても、聡自身も新しい環境についていくのがやっとで、なかなか手が回らない。

梅雨入りを間近に控えた頃、聡はふと敬介からの連絡が途絶えていることに気がついた。少し前に「もういい加減就職しようかな」と言っていたばかりだ。きっと就活動でもしているのだと思い込もうとしていたが、期待はあっけなく裏切られた。八月に入ってすぐの土曜日、久しぶりに渋谷のカフェに呼び出されると、敬介のとなりに知らない女が座っていた。

「美香《みか》っていうんだ。ちょっと前からつき合ってる。よろしくな」

敬介はこちらを見ようともしなかった。美香という女も愛想を振りまくわけでもなく、「はじめまして」と、気怠《けだる》そうな口調で言う。

聡はあ然とし、何も返さずに敬介を睨んだ。べつにめずらしいことではない。これまでだって何度となく二股《ふたまた》の女を紹介されたことはあった。でも、今回ばかりは意味合いが違った。聡と敬介の彼女とが、つまり幸乃との仲がこんなに深まったことはかつてない。

幸乃との間にはたしかな友情が芽生えていた。彼女の幸せを聡も真剣に考えている。当然それを知らない敬介ではないはずなのに、退屈そうな美香の機嫌を必死に取る。

「聡くんって何系の人？」

金色の毛先をいじりながら、美香はあきらかに興味なさそうに尋ねてきた。年は一つ下だという。勝ち気そうな大きな瞳《ひとみ》も、安さを覆《おお》い隠すような派手な服も、何もかも敬介の好みと合致していて、辟易《へきえき》せずにはいられなかった。

聡はぶ然とするだけで、ほとんど口をきかなかった。当然まったくといっていいほど会話は弾まず、会は早々にお開きになった。

挨拶もそこそこに二人と別れ、駅に向って歩いていると、改札の手前で携帯が鳴った。通話ボタンを押すと、敬介の怒声が耳を打つ。やれ失礼だの、それが友だちのすることかだのと、一つも心に響く言葉はなかったけれど、敬介の気を鎮《しず》めるためだけに謝った。

『もういい。ちょっとそこで待っとけ！』

そう叫んだ敬介は一人で駅にやって来た。「あの人は？」と、あえて「彼女」とは言わなかった聡に、「知るかよ！」と吐き捨てて、敬介は東横《とうよこ》線に通じる階段を上っていく。敬介を放っておくわけにもいかず、聡も仕方なくあとを追う。

電車の中でも終始無言だった。敬介はイヤホンを耳に突っ込み、聡の方からも話しかけようとはしない。武蔵小杉に着いてからも変わらず、結局二人は無言を貫いたまま、駅から二十分ほどの敬介のアパートに到着した。

敬介がカギも使わずに扉を開けると、「おかえりなさい」という声が中から聞こえた。時刻は十七時を回ったところだ。

「ああ、八田さん。お久しぶりです」

　聡の顔を確認するなり、幸乃は安堵の笑みを滲ませた。どうして家にいるのだろう。初対面の女が「聡くん」と呼び、幸乃はいまだに「八田さん」か。そんなことを思った直後、聡は「あっ」とつぶやいた。

　敬介は気まずそうに顔をしかめ、「おい、幸乃。ビールねぇぞ！　買ってこいよ！」と声を荒らげた。左目のあたりに大きなあざを作り、唇を腫《は》らした幸乃は「はい」と殊勝に答え、エプロンをつけたまま家を出ていく。

「なんだよ、敬介。あの傷。いくらなんでもあれは」

　沈黙を裂くように聡は言った。敬介は何も答えない。苛立ったようにタバコに火をつけ、もみ消してはまたすぐに火をつける。

　しばらくして戻ってきた幸乃から引ったくるように缶を奪うと、敬介は一気にビールを流し込んだ。幸乃も何も言わずに料理を作り始める。こたつに次々とおかずが並べられていく。

　外はまだ明るかった。季節も、時間も、雰囲気もあの日とはまったく違う夕食だ。共通するのは三人が一緒にいるということ、そしてこたつの上の肉じゃがだけだ。

誰も、何も言葉を発さない。古いエアコンの音だけが耳につく。タバコの量も、ビールを飲むスピードも、敬介はあきらかに常軌を逸していた。幸乃は唇を青くさせるだけで、敬介の顔を見ようともしない。

聡は会話の糸口を探した。なんとか敬介が正気を取り戻す話題を、幸乃を救うことのできるテーマを必死に考えて、そして見つけた。ずっと気になっていたことがある。

「今さらなんだけど、二人ってどこで知り合ったの？　前から気になってたんだけど」

仲の良かった時期のことを思い出させるのは、タイミングとしても悪くないと思った。部屋の空気が敏感に変わった。でも、それは聡の期待したものとは違っていた。

敬介はポカンと口を開き、幸乃も驚いたように顔を上げる。

「何だよ、聡。マジでそれ聞いちゃう？」

敬介は意地悪そうに目を細め、幸乃の顔を覗《のぞ》き込む。

「やめてください」と、幸乃は声をしぼり出した。

「なんでだよ、お前の好きな聡くんが聞いてるんだぞ？　隠し事してんじゃねぇよ」

「いいからやめて」

「うるせぇ！　なんで俺がやめなきゃならねぇんだよ！」

「ヤダ！　お願いだから言わないで」

「だからなんでだって言ってんだよ！　調子こいてんじゃねぇぞ！　テメーは黙って俺たちの機嫌取ってりゃいいんだよ！」

敬介の目がふっと据わった。次の瞬間、敬介は思いきりタンスを蹴り上げた。部屋に大きな音が響く中、幸乃はどこか大仰に頭を抱える。二人が何を言っているのかわからない。止めなくちゃ……という思いは、しかし卑しい好奇心の渦にのみ込まれる。

「なぁ、聡。お前、金城優子《かねしろゆうこ》って覚えてるか？　牧中《まきちゅう》の同級生の」

「え？　あ、ああ。もちろん覚えてるけど」

思わぬところで思わぬ名前が出てきて、聡は一瞬面食らった。優子は荒れていた地元の中学校の中でも群を抜いて目立つ女だった。

不良同士、気があったのだろう。敬介と優子はいつも一緒にいた。たしか、つき合っていた時期もあったはずだ。気が強く派手な女という優子の特徴は、思えば敬介の好みと合致している。

あいかわらず冷たい目で幸乃を見下ろし、敬介は続けた。

「あいつに好美っていう妹がいるんだよ。これがまた目も当てられないヤンキーでさ。俺は結構かわいがってやってたんだけど、そいつと一緒だったんだと」

「何が？」

「だから幸乃が」

「一緒だったって、どこでだよ」

「さぁな。少年院とか教護院とか？　よくわかんねぇけど、そういうとこ。好美が中でこいつのことかわいがってたんだとよ」

「なんだよ、それ。え、全然わからないんだけど」

幸乃の呼吸が次第に荒くなっていく。敬介はかまわず追い込んだ。

「おい、幸乃。お前からも説明してやれよ。なんで少年院なんかにいたのか」

「ごめんなさい。もう許して。敬介さん」

「言えよ。大好きな聡が待ってるぞ」

「だから、私、私は……」

幸乃の様子はあきらかにおかしかった。苦しそうに息を吐く。聡は我に返って、「いいよ、やめろよ」と言いかけた。でも、そう口にするより一瞬早く、敬介の手が幸乃に伸びた。

敬介は幸乃を引き寄せると、前髪を思いきり引っつかんだ。そして目をつぶりながら苦しそうにする幸乃の顔を強引に持ち上げ、耳もとでこんな言葉をささやいた。

「倒れたらマジでぶっ殺す。根性見せろよ、根性を」

直前までの苦しそうな表情から一転して、幸乃はうっすらと微笑《ほほえ》んだ。目を伏せ、何かを確認するようにこくりとうなずいて、どういうわけかそのまま静かに眠ってしまった。小さな寝息を立て始めた。

目の前で起きたことが聡には理解できなかった。「えっ」と漏らした声と、「ちっ」という敬介の声とが重なり合う。腕の中で眠る幸乃を鬱陶《うっとう》しそうに見下ろし、敬介は幸乃を床に転がした。

敬介は幸乃の財布を漁って、中から何枚かお札を抜いた。そして聡を見ようともせず、そのまま家を出ていこうとする。

「ちょ、ちょっと待てよ。なんだよ、これ」

乾いた唇を懸命にこじ開けた。それでも敬介は振り向かない。

「だから言っただろ。興奮するとマジでぶっ倒れんだよ。ウケるだろ？　大丈夫だよ、いつものことだから」

「いつものことって。病院とか連れていかなくていいのかよ」

「だからいいって言ってんだろ！　そんなに心配ならテメーが付き添ってろよ。病院でもなんでも勝手に連れてけ！」

敬介は顔を真っ赤に染めて、足早に部屋をあとにする。ドアが激しく閉まる音が鳴って、すぐにエアコンの音が耳についた。
陽はとうに暮れている。部屋にはうす暗い影が差している。

聡は灯りをつけず、慎重に幸乃をベッドに寝かせた。街灯がちょうど枕元《まくらもと》に差し込み、真っ白な幸乃の肌を照らし出す。

幸乃の寝顔はとても穏やかで、幸せを噛みしめているかのようだった。これが病気だなんて信じられない。はじめて見る安らかな幸乃の表情に、心が震える。何か尊いものを目にしているような気分だった。

聡は静かに幸乃を見つめていた。吸い寄せられるように頬に触れ、親指で口にも触れた。とても冷たい唇だった。一向に起きる気配のない幸乃の髪の毛を、しばらくの間なでていた。

間接照明だけを灯した部屋で、幸乃が目を覚ますのを待ち続けた。三十分ほどして、ようやく布団が擦《こす》れる音がする。

ゆっくりと目を開けた幸乃は不思議そうに瞬《まばた》きして、必死に自分の居場所を確認しているようだった。「大丈夫？」と、途端にうしろめたさに駆られた聡をゆっくりと見返り、何かを悟ったようにいつもの力ない笑みを浮かべた。

「電気、つけようか？」

「大丈夫です。まだ少しクラクラするので。それより敬介さんは？」

「ごめん。なんか外に出ていった」

「そうですか。いえ、八田さんが謝ることじゃありません」

「ねぇ、あんまりあいつを甘やかしちゃダメだよ、幸乃ちゃん」

　我ながら説得力のない言葉だと思った。幸乃は一瞬不意を突かれたような顔をしたが、少しするとなぜか楽しそうに目を細めた。

「甘やかしているわけじゃありません。甘えているのは私の方です」

「でも、このままじゃ本当に君はボロボロになるよ」

「どうしてですか？」

「どうしてって、わかるでしょ？　もう別れた方がいいよ。っていうか、別れなきゃダメなんだと思う。敬介に翻弄《ほんろう》されるのはやめにしなよ。君の身体がもたないよ」

　聡は懇願するように言っていた。しばらく不思議なものを見つめるようにしていた幸乃の瞳に、次第に怒りの色が浮かんでいく。まるで敵対するかのような強い表情に、聡はたじろぎそうになる。

先に顔を背けたのは幸乃の方だ。幸乃は諦めたように息を漏らすと、「ずっと一人だった私に彼は手を差し伸べてくれたんです。彼に甘えているのは私の方です」と、先ほどの言葉に付け足した。

首をかしげた聡を無視して、幸乃は天井に目をやった。そしてうす暗い部屋の中で、幸乃は静かに語り始めた。

「本当に彼だけなんです。こんな私を必要としてくれたのは」

「必要？」

「はい。彼だけが私とつながろうとしてくれました」

「そんなことはないよ。なんでそんなに自信がないんだよ」

「だって、これまでもいっぱい人に縋《すが》って、捨てられて、信じて、裏切られてを繰り返してきましたから。子どもの頃も、中学生のときも、施設時代も、出てからも。もう絶対に誰も心に立ち入らせまいとしてたのに……。敬介さんがこじ開けてくれたんです」

幸乃は笑みを浮かべてうつむいた。

「これが最後のチャンスです。そう思って、私は彼に心を委《ゆだ》ねました」

「どういう意味？」

「あの人にまで見捨てられたら、もう私に生きている価値はありません」

その口調に淀《よど》みはなく、言葉の一つ一つに輪郭が伴っている。これがあの幸乃か……という驚きはたしかにあった。でも、心に刺さる言葉はなかった。思い込みが強すぎるし、あまりにも一方的に断じすぎだ。

何よりもそれらは敬介を愛する理由になっていない。ただ必要とされることが彼女の生きる理由と言うのなら、その相手はべつに敬介でなくてもいいではないか。

幸乃を愛《いと》おしいという気持ちを自分の中に確認した。もう一度唇に触れたいという衝動に駆られたが、聡は動くことができなかった。思いを伝えることもできない。幸乃ほど強い思いを持てない自分自身が、歯痒《はがゆ》かった。

「結婚とか考えてるの？」

空気を変えたい一心で聡は言った。

「そんな、まさか」

「なんで？　そういう夢とかないの？」

「夢とか未来って、考えると私は恐くなるんです。数年後のことも想像できません。今、この瞬間だけ敬介さんに見てもらえていたら幸せです」

それ以上何か口にすることはできなかった。どんな言葉も、この場では的外れなように感じられた。

「私は敬介さんと別れません。絶対に別れませんから」

幸乃が自分に言い聞かせるように繰り返したとき、目の前の彼女と同化するような感覚を抱いた。自分が幸乃だったらどうするだろう。もし自分が敬介に簡単に見捨てられたら？　強い思いを虫けらのように踏みにじられたら？　殺すのだろうか。いや、違う。自分が死ぬのだ。誰からも必要とされないこんな世界に未練はないと、頭ごなしに決めつけて。

「ねぇ、幸乃ちゃん。連絡先交換しない？」

「え？　でも、それは」

「大丈夫。絶対に俺からかけたりしないから。お守り代わり。本当につらいときに連絡できる相手がいると思ってさ」

こたつの上にあった携帯を手に取り、強引に幸乃に握らせた。呆けたままの幸乃と赤外線でデータを交換しながら、聡はやっと伝えたいことを口にできた。

「死んじゃダメだよ」

それ以外の言葉は見つからない。幸乃の反応をたしかめず、聡は一気に言い切った。

「何があっても死んじゃダメだから。自分で死ぬことだけは許さない。それが一番ダサいことなんだ。俺が許さないよ」

ゆっくりと仰ぎ見た幸乃の顔から、悟ったような笑みは消えていた。ただボンヤリと聡を見つめ、一言「はい」とうなずいた。

幸乃が連絡を寄越してくることはなかったが、あまり心配はしなかった。少しずつではあるものの、敬介の気持ちがまた幸乃の方に傾いていくのがわかったからだ。

美香の話をすることはほとんどなくなった。幸乃への反省をしきりに口にし、今度こそパチンコを断ち、驚いたことに聡よりも先にタバコまでやめた。秋には介護付きの老人ホームに就職を決め、不平不満は相変わらずだったが、なんとか辞めずに働き続けた。

しかし最後に幸乃と会って半年ほど過ぎた、一月三日の夜。しばらくかかってこなかった敬介からの電話が鳴った。

『ちょっといろいろあってさ。俺、美香とちゃんとつき合うことになった。これから幸乃と会うことになってる。悪いんだけど、お前も一緒に来てくれないか』

敬介の言葉はひどく歯切れが悪かった。聡は頬を張られたような衝撃を覚え、思うように言葉が出てこなかった。

「な、なんで俺が？」

『頼むよ、聡。つき合ってくれ』

「だからなんで俺がって聞いてるんだよ」

少しの沈黙のあと出てきた理由に、聡はやはり反論することができなかった。

『俺、あいつにひどいことばかりしてきただろ？　一人で会うのが恐いんだよ』

外は雲一つない快晴だった。正月らしい青々とした空の下、落ち合った渋谷の駅で、敬介はすっかり憔悴《しょうすい》した表情を浮かべていた。

聞けば、美香に幸乃のことを知られたとのことだった。美香は怒り、敬介を罵倒《ばとう》し、かといって別れを持ち出すでもなく、幸乃との縁を切ることを求めてきたのだという。

幸乃とは昨夜すでに電話で話をした。三時間近くかけて説得したが、まったく聞く耳を持たなかった。だから今日会う約束をした。聡が一緒に来ることは伝えていない。

敬介は言うのも疲れるといった様子で説明する。

「あの女のことも話したのか」

聡が苛立ちながら尋ねると、敬介は「いや」と力なく首を振った。

「言わないつもりかよ」

「言えるかよ。言う意味もないし」

「意味があるとかないとかじゃないだろ。逃げるなよ」

「だって、あいつ絶対に逆上するもん。美香にまで危害を加えるかもしれないし。お前は知らないんだよ。あいつの恐さ」

「知ってるよ」

聡はキッパリと言い切った。敬介は怪訝《けげん》そうに眉根《まゆね》を寄せる。あの夜の幸乃の思い詰めた眼差しを回想しながら、聡はほだされたように口を開いた。

「本当にこれでいいのかよ」

「だって、バレちゃったから」

「だからなんでバレた、イコール幸乃ちゃんと別れるっていうことになるんだよ」

「うるせぇよ。俺だっていろいろと考えて決めたんだ」

結局、敬介を翻意させることはできないまま、はじめて幸乃と会ったのと同じカフェに到着してしまった。幸乃は先に待っていた。目の下に隈《くま》を作り、顔はいつも以上に青白く見える。

聡は今さらながら自分が場違いであることを痛感した。幸乃は聡を見ようともしない。挨拶《あいさつ》はおろか、存在さえ視界に入っていないかのようだ。

「悪い。遅くなった」

平静を装《よそお》った敬介の声にも、幸乃は表情を崩さない。コーヒーに口をつけ、「昨日も言ったけどさ。俺もう別れたいんだよね」といった軽薄な声を、鼻で笑うように受け流した。

「納得できません」

それが幸乃の発した第一声だった。敬介は「頼むから別れてくれよ」「ホントにもう好きじゃないんだ」と、頭を垂れる。たしかに敬介なりの誠意を見せているのかもしれなかった。いつもは話し合いの場さえ持とうとせず、投げ捨てるように恋人との関係を解消する。そのことを思えば、敬介なりの幸乃への思いの強さはうかがえる。

でも、幸乃は絶対にうなずかない。敬介に「納得がいきません」と理由を求め続ける。先に焦れたのは敬介の方だ。途中でビールを注文すると、やめていたタバコを聡から引ったくる。例によってつけては消し、つけては消しを繰り返しながら、次第に口数を減らしていった。

そんな情けない姿を見やる幸乃の顔に、少しずついつもの優しさが滲《にじ》み始める。不安そうに視線を上げると、幸乃は質問の内容を少し変えた。

「他に好きな人がいるんですか、敬介さん」

空気が敏感に変化した。いっそ明かすべきだと聡は思った。幸乃が見せてくれた最大限の譲歩だ。何かを悟ってのことに違いない。彼女は敬介に話しやすい雰囲気を与えたのだ。ひょっとすると、幸乃からの最後の優しさなのかもしれない。

それが見当違いの考えであることを、聡はすぐに思い知る。

「そんなんじゃない。俺は一からやり直したいだけだ」

「本当ですか？」

「ああ」

「本当に？　私の目を見て言ってください」

「本当だ。信じてくれ」

幸乃は黙って敬介の目を見つめた。じりじりとした緊張が場を支配する。しばらくして幸乃はようやくうなずいた。そして、息を吐くようにつぶやいた。

「もし敬介さんが私以外の誰かを守ろうとしているなら、私はたぶん許せません。すべてを消し去って、私は死にます」

言い終えてすぐに浮かべた柔らかい笑みが、彼女の覚悟が本物であることを証明しているように思えた。

「な、なんだよ、お前。ちょっと異常だよ」

敬介の瞳は潤《うる》んでいた。暴言にもいつものような迫力はない。幸乃は笑みを絶やさない。

「納得いきません」

「うるせぇって。だからつき合うってそういうことじゃねぇだろ」

「イヤです。私は納得できません」

再び押し問答が始まった。またしても苛立ったのは敬介の方だ。敬介は自分の手のひらを見つめ、唇を噛《か》みしめた。そして、しびれを切らしたように言い放った。

「もうお前なんかいらないんだ。頼むから黙って俺の前から消えてくれ。俺はもうお前の顔も見たくない」

聡の背中に冷たい汗が滲む。敬介が口にしたのは、幸乃という存在への否定だ。当然、彼女だってその意味をわかっているはずなのに、冷たい笑みが顔に張りついている。涙も、怒りも見せない。ただ「納得いかない」と機械のように繰り返す。

敬介は「今日はもう帰る。俺の考えは変わらない」と言い残し、席を立った。去り際《ぎわ》、敬介が伝票を手に取るところを聡は見逃さなかった。

最後に振り返った敬介は不安げな表情を浮かべていた。それでも、今日の痛みなどすぐに忘れてしまうのだろう。幸乃もろとも記憶の彼方《かなた》に追いやるのが関の山だ。いつも自分中心で、縋ろうとする人間の心を平気で荒らす。どうして誰も否定しない？

でも、その権利が自分や幸乃にないことはわかっている。敬介を増長させたすべての人間が同罪だ。

　幸乃は座り込んでいた。結局、最後まで聡には視線もくれず、聡もまた最後まで一言も口を開くことができなかった。


　もしも幸乃が敬介との関係を続けたいと願うのなら、一度は身を引くべきだった。追い縋ろうとする女に対して、敬介は異常なほど引いてしまう。反対に敬介から復縁を持ちかけたことのあるかつての恋人たちは、みなすんなりと別れを受け入れるタイプだった。

　しかし幸乃にそんな駆け引きができるはずもなく、敬介に電話をかけ続けたという。朝も夜もなく携帯は鳴り、約束もなく武蔵小杉のアパートを訪ねられたこともあったという。

「あの女、マジでヤベェよ。ストーカーだよ。俺、もう殺されるかもしれない」

　すっかり頬のこけた敬介からそんな相談を受けたのは、二人が別れて半年ほど過ぎたある日のことだ。

「大丈夫だよ。殺されることは絶対にない」

そう断言した聡を、敬介は訝《いぶか》るように眺めていた。その視線を無視し、聡は問いかける。

「今でも説明するつもりはないのかよ」

「説明って、なんのだよ。美香のことか？」

「ああ」

「ムリだよ。もう今さら絶対にムリだ。今度は美香がつきまとわれる」

決して大げさだとは思わなかった。深いため息が自然と漏れる。

「お前、あの子に金借りてるんだよな？」

驚いたように顔を上げた敬介に、聡はうなずいた。

「せめてそれを返す誠意くらい見せてやれよ。ちゃんと謝罪の手紙をつけて。今後もし何かあったとき、たぶんお前にとっても法的に有利になるから」

「法的ってなんだよ。恐いこと言うなよ。だいたい金って百五十万くらいあるんだぜ？　返せるわけないじゃん。生活費だってままならないのに」

「月三万でいいから返してやれ。ないときは俺が用立てる」

「はぁ？　何なんだよ、お前。気持ち悪《わり》ぃな。そんなにあいつのこと――」

「いいから黙ってそうしろよ！　死なれるよりはマシだろ。つべこべ言わず金を返すって言ってやれ！」

そう叫びながら、聡はそれで幸乃が救われるわけではないことを知っていた。彼女に必要なのは金なんかじゃない。新しい恋人がいても、いなくても関係ない。そんなものこの世のどこにも存在しない、身を引くに値する説明だけだ。

敬介にそれ以上反論してくる気力はなかった。

「お前が書いてくれるならそうするよ」

「は？」

「手紙。俺が書いたってあいつを納得させられる自信ないもん。ちゃんと俺の字で書き直すからさ。何を書いたらいいか教えてくれ」

絶望するより先に、聡はうなずいていた。幸乃にとって必要な思いを、せめてそれに近い言葉を綴《つづ》れるのは自分だけだという確信があった。もちろん敬介のためなんかじゃない。これから先も生きていかなければならない幸乃のためだ。せめて手紙を、借金の返済を、誠意の表れと受け取ってくれるといいのだけれど。

そんな聡の願いを嘲笑《あざわら》うように、幸乃のストーカー行為はさらに激しさを増していった。だが幸乃が追えば追うほど、敬介は救いを求めて美香の方に溺《おぼ》れていく。幸いにも幸乃のことが露呈することはなく、日一日と依存を強めていく敬介を、美香も優しく受け入れた。

妊娠がわかったときも、美香はうろたえなかったという。敬介もまた動揺を隠し通し、状況を受け入れようと努めていた。

『俺も中山に引っ越していいかな。美香に子どもができたんだ。幸乃にはちゃんと筋を通してるつもりだし、俺、今度こそ一からやり直す。もうあいつの連絡には応じない』

電話口で熱く語っていた敬介は、間もなくして聡の住む家から歩いて十五分ほどのアパートに美香とともに越してきた。

驚いたのは美香の変貌《へんぼう》ぶりだった。長かった髪を肩ほどにまで切り落とし、色も黒く染め直している。メイクもすっかり落ち着いたものに変わっていた。あ然とした聡の視線に気づいた美香は照れくさそうに、「母の自覚ってやつですかね」とはじめて敬語を口にした。

脅しが効いたのか、それとも誠意の表れか。敬介はきちんと返済を続けた。金の無心はされたものの、それも数えるほどのことだった。美香のお腹《なか》は少しずつ膨らんでいき、会うたびに穏やかな顔になっていく。敬介も文句一つ言わずに働き、父になることとなんとか向き合おうとしていた。歯車ががっちりとかみ合い、幸乃の影は完全に消え失《う》せた。そして二人は数ヶ月後に、可愛《かわい》らしい双子の女の子を家族に迎え入れた。

生まれた当日、聡は誰よりも早く病院に呼んでもらった。会社を早引けして駆けつけた聡を見るなり、敬介は無言で抱きついてきた。美香は「ちょっとー、まだお腹痛いんですけど」と不満をこぼしながら笑っていた。その母の横で、双子は同じ方を向いて眠っていた。小さい頃の敬介によく似た、可愛らしい女の子だった。

一月の極寒の日の出来事だ。四人がそろった家族の画はとても美しく、ずいぶんと様になっていた。このとき、聡は物語が一つ閉じたことを悟った。自分と敬介との馴《な》れ合いの物語だ。

実際、この頃を境にして敬介からの連絡は減っていった。敬介と離れることで自分には何もないのだとあらためて突きつけられたが、聡の方から連絡することもしなかった。今度は自分が依存を断つときと念じ、目の前の仕事に没頭した。幸乃のことはなかなか頭から離れなかったけれど、聡もまた着実に次の一歩を進み始めた。

双子は彩音と蓮音と名付けられた。その一歳の誕生日を間近に控えたある晩、敬介がアパートを訪ねてきて、二人で酒を飲んだ。

久しぶりの会話は尽きることがなかった。しかし、敬介の顔色は冴えない。口から出てくるのは家族の幸せなエピソードばかりだというのに、なぜか表情と会話の中身がかみ合わない。

「どうしたんだよ。なんかあった?」

「え? ああ、いや。べつに」

「ウソつくなよ、元気ないじゃん」

ビールに口をつけながら言った聡を、敬介はうかがうように見つめていた。無言でうながした聡にようやく小さく頭を垂れて、敬介は静かに切り出した。

「実は今ちょっと大変なことになってる」

「大変? 何が?」

「いや、だから……」

そこで言葉は途切れかけたが、敬介は顔を真っ赤にして絞り出した。

「幸乃のこと、美香にバレた」

聡はたまらず眉をひそめた。できれば聞きたくなかったが、敬介は堰《せき》を切ったように語り始めた。しばらくは聡の指示通り、ネットバンクから返済を続けていたこと。でも、一度だけ駅前のATMから振り込んでしまったこと。直後からまた執拗《しつよう》なつきまといが始まったこと。事実を知った美香が泣きながら敬介を糾弾したこと。美香の実家が借金を肩代わりしてくれたこと。それでも幸乃が諦《あきら》めないこと。ついには警察に相談を持ちかけたこと。その警察から〝警告〟を出してもらったこと……。

考え得る限り、最悪の展開だった。聞き終えると同時に、聡は「この大バカ野郎！」と叫んでいた。

敬介の肩を思いきり小突いて、棚の上の携帯に手を伸ばした。アドレス帳から〈田中幸乃〉を呼び出し、迷うことなく電話をかけた。呼び出し音は鳴るものの、幸乃は一向に電話に出てくれない。

「彼女の住所って今わかるか？」

何度目かのコール音を聞きながら、聡は尋ねた。「いや、でも……」と口ごもる敬介に、「べつに今すぐ行くわけじゃない。念のためだ。教えてくれ」とうながした。

敬介は憂鬱そうに携帯を開いて、テーブルの上のメモ帳に住所を記し始めた。『東京都大田区――』という文字を見るともなく眺めながら、聡はこれから何が起きようとしているのか、必死に思いを巡らせた。

自分が幸乃だったらどうしようとするだろう。すでにその想像が及ばないところへ状況は差し迫っている。

俺なら何をしようとするのだろう――？　聡に明るいイメージは描けなかった。

幸乃から思ってもみないコールバックがあったのは、それから二ヶ月以上が過ぎた三月二十九日。着信は二十時十四分に残っていた。

年度末で仕事が立て込んでいて、聡は一日中取引先の応対に追われていた。幸乃からの着信に気づいたのはすでに深夜と呼べる時間帯、帰りのタクシーの中だった。

「運転手さん、そこのコンビニの前で停めてください」

家まではまだ距離があったが、聡は居ても立ってもいられず、中山駅近くで車を降りた。しばらくは着信履歴と睨《にら》めっこを続けていたが、さすがにもう時間が遅すぎる。かけ直すのは明日だっていいはずだ。聡は自分に言い聞かせるようにして携帯を折り畳み、コンビニで数本ビールを買って、家に向かって歩き始めた。

ちょうど自宅と敬介のアパートとの中間辺りに、小さな児童公園がある。休日の昼間は子連れの人たちで賑《にぎ》わい、暖かい雰囲気を湛《たた》えているが、深夜に通りかかるのははじめてだ。周辺はすっかり静まり返り、白い街灯が寒々しく灯っている。

近所の不良だろうか。先にいた六人ほどの少年たちが、聡に視線を向けてくる。「おい、コラ。おっさん」という声も一緒に飛んできたが、無視していると、そのうちぞろぞろと出口から消えていった。

聡は冷え切ったベンチに腰を下ろしたまま、深々と息を吐いた。一日の疲れをしみじみと感じる。タバコを一本取り出し、静かに煙を吸い込んだ。それだけでは飽きたらず、先ほど買ったビールも二十分ほどかけて空けた。聡はようやく重い腰を上げようとした。が、その間際、妙な胸騒ぎを覚えた。

ふと見上げた先に、桜の木があった。まだまだ冷たい夜の風に、蕾《つぼみ》のほころび始めた桜が音を立てて揺れている。もうすぐ満開になるはずの大木と、吹きつける北風とが異様なくらいミスマッチに思えた。

聡は立ち上がることができず、再び引き寄せられるように携帯を開いた。そして今度は迷うことなくコールボタンをプッシュした。絶対に出るという予感はあっけなく外れ、『電波の届かないところにおられるか――』という無機質なアナウンスが耳に入る。

電話を切ったとき、聡は我に返る気がした。もう午前一時になろうとしている。こんな時間に電話をかけた自分を今さら恥じて、誰もいない公園で苦笑した。

でも、電話をかける前とでは気分が違った。今度こそベンチから立ち上がると、聡は公園をあとにする。

仕事の疲れがウソのように、足取りが軽くなっている。歩いている途中、聡は幸乃のことばかり考えた。彼女がすべてを許し、完全に納得することはきっとない。でも他ならぬ彼女自身のために、もうこれ以上敬介に関わらせるわけにはいかないのだ。

幸乃は聡に電話をくれた。たぶんギリギリ間に合った。もう手を引くべきときなのだ。そして願わくは、前を向いて生きて欲しい。それを直接伝えよう。敬介だけではない。自分もまた幸乃を必要としている一人なのだと、電話ではなく、彼女の目を見て伝えよう。

コートの内ポケットからタバコの箱を取り出した。吸いたくなる衝動を抑え、聡はまだ半分以上残っているそれを茂みに捨てた。すっと身体が軽くなるような錯覚を抱いた。長い束縛から解き放たれたような気分だった。

遠くからサイレンの音が聞こえてきた。こんな時間に敬介からの電話が鳴ったとき、聡はまだ笑みを引きずったままだった。

サイレンの音がどんどんこちらに近づいてくる。電話が鳴っていることから意識が飛んだ。聡は携帯を手にしたまま振り返った。

太陽のように燃える火の柱が、漆黒の街の向こうに浮かんでいた。

八田聡のもとにも警察は何度もやって来た。任意でという出頭要請を、聡はかたくなに断り続けた。警察は思いのほか強引な手は使ってこなかった。首を振る聡から、最後は拍子抜けするほど簡単に引き下がった。

マスコミからの取材依頼にも当然応じなかった。いいように解釈され、好きなように報じられてしまうことを聡は身をもって知っている。どちらの肩も持てなかった。井上敬介にとって有利な発言をすることはできなかったし、放火という残忍な手を使って無垢《むく》な命を三つも奪った田中幸乃を許したいとも思わない。

四日目にしてようやく法廷で傍聴することの叶《かな》った聡は、判決宣告の日も会社に休暇の願いを出していた。

前日までとはあきらかに違う裁判所前の人混みに、聡は鼻白んだ。この中の誰か一人でも幸乃に向き合おうとしていたら、防げた事件だったに違いない。警察に押収された彼女の日記帳には「必要」という単語が頻出した。そんな報道に触れるたびに、聡は重たい何かを背負わされるような気持ちになった。

判決の日も抽選を引き当てた。当然だと聡は感じた。二人の運命を見届けることは、自分に課せられた義務であるとすら思った。

そして始まった裁判は、あらかじめ決められたレールの上を行くような、やけに乾いたものだった。人の生き死にに立ち会っているという熱がない。あるのは例によって好奇の目だけ。誰もが幸乃を自分とは違う生き物と信じ込んでいる。「どこにでもいるような普通の女」と言及していたはずのキャスターでさえ、軽薄な表情を浮かべている。

山を上るようにゆったりと進んでいった裁判長の判決理由は、何かをきっかけとするように一気に坂を転げていった。

幸乃はじっとうつむき座っている。耐え忍ぶように拳《こぶし》を握りしめる姿に、はじめて会ったカフェでの姿が重なった。

判決理由から始められたことで、おおよその結果は予想がついた。それなのに幸乃のうしろ姿を睨んでいたら、不意に目頭が熱くなった。何もしようとしなかったくせに。手を差し伸べようともしなかったのに。偽善者のような涙に、聡は自分に興ざめする。

幸乃の人生が一つ一つ法廷に刻まれていった。残酷な事件を起こすのに充分値する、惨《みじ》めな人生。

開廷から約一時間後、裁判長はおもむろに目を伏せた。言い残しはないかと確認するようにうなずき、そして「主文！」と声を張る。

「被告人を死刑に処する！」

怒号に近い音を立てて、背広を着た男たちがいっせいに飛び出していった。その様子を視界の隅に捉《とら》えながら、聡はかたくなに幸乃から目を逸らそうとしなかった。祈るように手を組み、幸乃を見つめた。いや、実際に祈っていた。こっちを見ろと。まだこれで終わったわけではない。これから二審だって始まるはずだ。今日、明日に刑が執行されるわけではないのならば、振り向かせねばならなかった。

その思いが通じたように、幸乃はゆっくりと振り返った。息をのんだ次の瞬間、聡は深く失望した。

幸乃は傍聴席を見て微笑んだ。微笑んだことは間違いないのに、その相手は自分じゃない。あらぬ方向に目を向け、幸乃は白い歯を覗かせた。

聡ははじめて幸乃から目を離し、視線の先を追った。顔を隠すようなマスクをした若い男がそこにいた。男は幸乃が振り返った瞬間に顔を背け、逃げるようにして法廷を出ていった。

誰だよ、お前？

聡は心の中で問いかけた。

幸乃の人生に関わる男が他にいる？

追いかけなきゃという強い思いは、しかし幸乃が法廷を去るときに湧《わ》いた大きなざわめきにかき消された。

「やっぱりでしたね」という女の声に、強引に意識を引き戻された。テレビでよく見る女性アナウンサーが、上司とおぼしき男に感想を述べている。

男はうんざりしたように自分の肩を揉《も》んだ。

「これで遺族の気持ちが少しは晴れてくれればいいんだけどな。まだ寝込んでるんだっけ？ご主人のコメントも取れるといいけど」

イヤでも耳に入ってくる報道の内容に、すべて納得がいったわけではない。少しずつ事実が歪《ゆが》められ、あたかも敬介に非がないかのように語られる。罪なき過去の交際相手——。自分の親友がそう呼ばれていることに、聡はいまだ釈然としない思いを拭《ぬぐ》えずにいる。

でも、やむを得ない殺人なんて存在しない。それがたとえ復讐《ふくしゅう》であったとしても。

幸乃は尊い三つの命を奪い取った。それだけは脚色のしようのない事実なのだ。

何度そう頭の中で唱えてみても、奮い立つことはできなかった。事件のあった三月二十九日の夜、救いを求めたはずの幸乃からの電話に気づけなかったことを聡は今でも悔やんでいる。そして、もう一つ……。

幸乃は自ら死ぬことを選ばなかった。ナイフの刃を相手に向けた。そのことを最後まで見抜けなかった自分の目を、聡はずっと恨み続けた。

第五章「その計画性と深い殺意を考えれば――」

田中幸乃は、半身を起こした布団《ふとん》の中で静かに呼吸を整えた。脳の深い部分に熱を感じる。部屋の中が揺れて見える。全身を溶かすような虚脱感に包まれ、カーテンを開けることもままならない。

誰からも祝福されなかった二十四歳の誕生日から、三日が過ぎた。その間、一歩も外には出ていない。しばらく手を出さずにいた抗不安剤を再び使用し始めたのは、今からおよそ二年前、恋人の井上敬介に手痛く捨てられた頃からだ。久々に神経科を訪ねた日から、薬は手放せないものになった。

とくにこの数週間の不安感はひどかった。夢と現実の境界線は常に曖昧《あいまい》で、何をするのにも気怠《けだる》さがつきまとう。三ヶ月前に仕事を辞め、やらなければならないことは何もないのに、明日を迎えるのがひどく恐い。

朝の光を想像すると胸に錘《おもり》のような重さを感じる。やはり毛布にくるまった途端に敬介との日々がよみがえり、昨夜はいつものデパスに加え、個人輸入したＳＳＲＩも服用した。普段以上に頭が重いのはそのせいだろう。

床の上に体育座りしたまま、幸乃はリモコンを手に取った。ブラウン管のテレビがもわんと灯《とも》る。原色豊かな民放のニュース番組から逃れ、チャンネルをＮＨＫに変えた。民放と同じニュースが流れていた。

カギ括弧でくくられたテロップが目に飛び込んでくる。その瞬間、幸乃は息をのみ込んだ。

『誰でも良かった。死刑になりたかったたから』

数日前に新宿で起きた、無差別殺傷通り魔事件。白昼の歌舞伎町にナタを持って現れ、四人の命を奪った二十代の男は、そう供述したという。ずっと死にたかった。多くの人を殺せば死刑になると思った。相手は誰でも良かった。自分で死ぬことはできなかった。

ボーッとしたままの頭を懸命に働かせて、幸乃は「なんで……？　そんな身勝手な」と口をこじ開けた。そうしなければ、今にも同意してしまいそうで恐かった。似たような事件はこれまでもたくさんあったはずなのに、そんな気持ちを抱いたのははじめてだ。

もちろん、人が人の命を奪うという傲慢《ごうまん》な行為を許すことはない。でも、胸はたしかにざらついた。不意に心を打ち砕かれそうになったのは、男が口にした「ずっと死にたかった」の部分。そして「自分で死ぬことはできなかった」という言葉。あの大雨の中で見た光景、母の起こした事故の現場は、今でも脳裏に焼きついている。彼女が死んだ歳《とし》まであと一年に迫ったのだと思うたびに、温かい気持ちに包まれる。けれど、その希望にも似た温もりは「だからといって自分が死ねるわけではない」という闇《やみ》の中に、いつも簡単に吸い込まれる。

小さい頃は「百歳まで生きたい」などと無邪気に言っていた。それが、気づいたときには未来を想像するのが恐くなっていた。明日を迎えることに震えるようになったのはいつからだろう。

母を失い、父から「必要なのはお前じゃない」という言葉をかけられたとき、絶対に安全だと信じていた足場があっけなく崩れ落ちた。その直後、祖母を名乗る女が目の前に現れた。はじめから美智子に幸せの香りはしなかった。母が懸命に自分に近づけまいとしていてくれたことも知っていた。

でも、美智子の口にした「あなたしか頼れる人はいない」という一言は、えぐるように幸乃の胸に刺さった。二人きりになったときにあらためて付け足された「あなたが必要」という言葉には、手を差し伸べられた思いがした。

美智子との生活は生やさしいものではなかった。美智子に恋人がいないときはたしかに必要としてくれるのだ。少なくとも、そんな勘違いはさせてくれた。だけど、ひとたび男の影を感じるようになるとダメだった。

一番こたえたのは、幸乃を女として対等な存在と見なし、冷ややかな視線を向けられていたことだ。入れ上げていた韓国人の男に「ホントに邪魔な子」とささやいているのを何度聞いたかわからない。

そのくせ幸乃がその男に陵辱《りょうじょく》されている場面は見て見ぬフリをし続けた。汚《けが》らわしいものを見るような目で「あんたもヒカルと一緒か」と吐き捨てられ、避妊具の箱を投げつけられたときは、何を感じればいいかもわからなかった。

それでも、あの頃の幸乃には友だちがいた。小曽根理子の身代わりになったことは今でも後悔していない。心から愛してくれる両親に、温かい暮らし、何よりもまばゆい将来の夢。理子には失うものがいくつもあって、自分には何もなかった。たったそれだけのことで、つらい取り調べにも耐えられた。一つだけ気掛かりなことがあるとすれば、あの優しい理子が気に病んでいないかということだ。自分のことなんかで苦しんでほしくない。

児童自立支援施設では徹底して心を守る術《すべ》を学んだ。施設を出てからも殻に閉じこもる日々は続いたが、ならば自分はなんのために生きているのかと自問したとき、彼と出会った。敬介は幸乃の心を強引にこじ開けようとした。そして自分の弱さを明け透けに見せてくれた。身体が軽くなるのを何度も感じた。これが本当に最後の機会。そんな強い覚悟を胸に秘めて、幸乃は敬介に身を預けた。

ずっと死にたいと思っていた。でも、そうすることはできなかった。幼い頃も、中学生のときも、成人してからも、今に至るまで。何かに絶望しそうになるたびに、自分を生かそうとしてくれる誰かが必ず目の前に現れた。

「自分で死ぬことだけは許さない——」

強い口調でそう言ったのは、誰だっただろう。いつでも死ねるのだという大切な選択肢を奪われてしまいそうで、思わずカッとなったのを覚えている。

いっそ誰かに裁かれることがあれば、自分は静かに受け入れるに違いない。「死刑になりたかった」という凶悪犯の戯《ざ》れ言《ごと》を、笑うことはできなかった。

自問自答のループからようやく解き放たれたとき、時計の針は十二時を指していた。閉めっぱなしのカーテンの隙間《すきま》から、柔らかい春の陽が差し込んでいる。八年近く住んでいる大田区蒲田の１Ｋのマンションに、荷物はほとんど置かれていない。

「すっげぇ部屋。人が住んでる気配ねぇじゃん。なんでこんなに物がないんだよ」

はじめて遊びにきてくれたとき、敬介は目を丸くしていた。

「そう？　何が足りないかな」

「何がっていうか、何もなくね？　服とか、パソコンとか、ベッドもないしさ。ああ、あとあれだわ。電子レンジ」

「電子レンジ？」

「うん。ご飯とかどうしてんの？　あれないと不便じゃね？　温め直せないじゃん」

いたずらっぽく言った敬介は、以来、あまり遊びにきてはくれなかった。でも、幸乃は数日と置かずに電子レンジを買いに走った。敬介に褒めてもらいたい一心で購入した分不相応な高級家電は、いまだ大半の機能の用途がわからないまま冷蔵庫の上に置かれてある。

冷凍室を漁《あさ》ると、作った覚えのない肉じゃがが容器に入っていた。薬のせいか、最近は記憶がボヤけることがやけに多い。めずらしくお腹が鳴って、ほんの少し迷ったが、先に顔を洗おうとユニットバスへ向かう。

洗面台にある大きな鏡は、一年半つき合って唯一《ゆいいつ》、彼からプレゼントされたものだった。誕生日でも、記念日でもないあるとき、彼は「ちょっとは自分の顔を研究しろよ。意外とかわいい顔してるぜ」などとからかうように笑っていた。

その鏡を見るのに、少しだけ勇気が要った。ゆっくりと視線を上げ、映し出された自分の顔を凝視する。失望のため息が自然と漏れる。

三週間前、整形手術を行った横浜のクリニックから戻ったとき、同じように鏡を見つめ、涙を流したのがウソのようだ。あんなに明るく見えた表情からは生気が消え失《う》せ、肌の色までくすんでいる。

「幸乃はお母さんに似ちゃったから」

そう言ったときの母の悲しげな表情が脳裏を過《よ》ぎる。幸乃もまた自分の口が、鼻筋が、輪郭が、何よりも空虚な瞳《ひとみ》が嫌いだった。父からは「そんな冷たい目で見ないでくれ」と怒鳴られ、理子からも「しいて言えば目かな。幸乃の奥二重は気づかれにくいから」と指摘された。

そして、彼女はこんな言葉を付け足した。

「まぁ、大人になったら一緒に整形すればいいか」

あの古書店での事件が起きて、「一緒に」という願いは叶《かな》わないものになったけれど、いつか手術をするのだという決意が消えることはなかった。高校へは行かずに働き始め、貯金し続けたのもそのためだ。

うっかり話をしてしまった精神科の医師からは「一種の醜形恐怖症《しゅうけいきょうふしょう》だろうね。君は、自分が醜いという妄執に取り憑《つ》かれてしまっているだけなんだ」と断じられそうになったけれど、納得はいかなかった。

自分が周りを不幸にするのは母に似たこの顔のせいと信じていたし、いつの日か受ける手術のことを想像すれば、たしかに心は充《み》たされた。でも、そのほんのりとした希望は、必ず絶望に取り込まれた。

つきまといという行為がいかに人道に反するものか、幸乃はよくわかっていた。目を覚ますたびに前夜の愚行を悔やみ、もう二度とするまいと自分に言い聞かせるものの、仕事を終え、マンションに戻る頃には、必ず同じ思いに胸を掻《か》きむしられる。

彼の声を聞きたい。一目でいいから姿を見たい。そう思い始めてしまうともう気持ちをコントロールすることができなくなり、また携帯を開いてしまう。

そのうち敬介から手紙が送られてきて、月に三万円ずつ口座に振り込まれるようになった。でも、そんなものはどうでも良かった。むしろ毎月振り込まれるわずかなお金に、自分が命をかけて委《ゆだ》ねてきた年月を否定されるようで、何度泣いたかわからない。

後悔と不安、そして小さな怒りがずっと胸で入り乱れていた。そんなある日、敬介は前触れもなく姿をくらました。電話番号を変え、武蔵小杉のアパートももぬけの殻になっていた。彼がすべてを捨てたことはすぐにわかった。自分とのつながりを断つために、彼は生活の痕跡《こんせき》まで消し去った。

敬介は二度と自分のもとに帰ってこない。本当に何もかも終わったのだ。そう思うと激しく取り乱したし、鬱《ふさ》ぎ込みもした。

それでも時間が過ぎ、季節を経るたびに、幸乃は少しずつ落ち着きを取り戻していった。絡《から》み合う感情の中から「怒り」だけが消え失せ、いつからか「安堵《あんど》」が加わっていた。

敬介に完全に捨てられた。もう思い残すことはない。そう諦《あきら》められることは何よりの精神安定剤だった。皮肉なことに敬介が消えたのを機に薬の量は減り、目の前の靄《もや》は取り払われた。本当に誰からも必要とされなくなったのだ。あとは誰にも迷惑をかけず、静かに逝《い》ける場所を探すだけだった。それなのに……。

今から四ヶ月前、街が黄金色に輝き始めた十一月のなかば。どんなに具合が悪くても月に一度銀行に足を運ぶのは、三万円の振り込みが始まった頃からの決め事だった。通帳に記帳し、窓口で入金元を確認してもらうまではいつもと同じ流れだった。

しかし受け取った用紙に目を落とした瞬間、全身の血の気が引いていった。久しぶりに呼吸が乱れ、脂汗《あぶらあせ》が額に浮かんだ。

〈長陽銀行中山駅前支店ＡＴＭ　イノウエケイスケ〉

いつものネットバンクの口座ではなく、手渡された紙にはそうあった。この瞬間の記憶はひどく朧気《おぼろげ》なのに、記された文字だけは書体まで含め、今でも鮮明に覚えている。

自分がどのように駅に向かって、どのようなルートを辿《たど》って中山へ向かったのか、覚えていない。行ったからといって敬介と会えるわけではなかったし、そもそも自分が何を求めてやって来たのかもわからなかった。

でも、幸乃は入金が行われた駅前の銀行を見張るようにして身をひそめた。翌日も、その翌日も……。

敬介の姿を見つけたのは、記帳の日から二日後の日曜日だ。全身が総毛立ち、駐車場から飛び出そうとして、幸乃は必死の思いで留まった。華やかな女性が敬介のとなりにいたからだ。彼女は柔らかい笑みを浮かべて、双子用の大きなベビーカーまで押していた。

幸乃は吸い寄せられるようにしばらく彼らの姿を眺めていた。それは見事なまでに

「家族の画」だった。

愛する人がとなりにいて、かわいい双子の女の子が笑っている。きっと一卵性なのだろう。目鼻立ちのそっくりな彼女たちは楽しそうにじゃれ合いながら、しっかりと手を握り合う。小さい頃から憧《あこが》れ続けた、幸せに満ちあふれた家族の風景。ただその真ん中にいる女だけが、夢見たものと違っている。

逃げなければという強迫的な思いとは裏腹に、幸乃はその場で立ちすくんだ。何かに導かれるようにして、敬介だけがこちらを向いた。人の顔から血の気が引いていくという瞬間を、幸乃ははじめて目撃した。

一度はなんとか身を隠し、それでも奮い立たせるようにして彼らを追って、家族の暮らすアパートを突き止めた。

そしてこの日、幸乃をギリギリのところで支えてきたものは完全に崩壊した。蒲田の部屋は一気に荒れ、薬の量もコントロールが利《き》かなくなった。布団にもぐればすぐに涙をこぼし、寝られないまま長い夜を過ごして、次の日にはまた敬介のアパート周辺をうろついた。

自分が今にも何かをしでかしそうで、恐かった。いっそ捕まりたいと思っていた。警察が来てくれたら喜んで出頭するつもりでいたのに、しばらくして「井上美香」から届いたのは、なぜか百万円近いお金。そして長文の手紙だった。

『拝啓　田中幸乃様――』から始まる紙切れに、感じるものはなかった。ボロボロに傷ついた心に、新たな傷のつく余地は残っていない。

そのうちようやく中山駅近くの警察署から呼び出され、「警告」を受け、「誓約書」なるものにサインを求められた。でも、霞《かすみ》がかかった頭では何が記されているのかもわからない。なぜ逮捕してくれないのだろうという漫然とした不満を抱いたまま釈放されると、数日と経《た》たないうちにまた敬介のアパートの周りを歩いていた。

そんな幸乃に正面から向き合ってくれるのは一人しかいなかった。敬介たちの住むアパートのオーナー、草部猛《くさべたけし》だ。

草部からはそれまでにも何度となく声を掛けられていた。ずっと逃げ続けていたけれど、一月の寒い夜、幸乃はついにつかまった。肩に置かれた草部の手は異様なくらい温かくて、振りほどくことができなかった。

草部はまるで友人を招くかのような気安さで幸乃を部屋に入れた。このアパートの二階に敬介が住んでいる。そう思うと、優しい口調の草部の話はほとんど耳に入らなかった。

だいぶ前に婆《ばあ》さんに逝かれてしまってね……。

男の一人所帯じゃ何かと……。

最近はこの辺りも物騒で……。

つい先日も近所の悪ガキたちをとっちめたばかりなんだ……。

あんな夜中に爆竹なんて……。

正義感の強そうな老人の話は、いつ尽きるともなく続いた。幸乃は草部のしゃがれた声に次第に居心地の良さを感じ始めた。

そして、草部が「そういえば君の家も横浜だったのかね」と口にしたときだ。どこにでもありそうな石油ストーブの匂《にお》いが、白熱灯の柔らかい光が、ふとかつて住んでいた山手の家のものと重なった気がした。

次の瞬間には、ハッキリとした意志のないまま、幸乃は草部に語っていた。その内容までは覚えていない。ただ、すべてを聞き終えた草部は弱ったように肩をすくめ、そしてゆっくりと目尻《めじり》を下げた。

「そんなにその顔が憎いのなら、いっそ本当に手術したらいいじゃないか。それくらいで人生のやり直しができるのなら安いものだ。君には井上くんから戻ってきたお金があるんだろう？ それを使ったらいい。人間はね、何度だって生まれ変わることができるんだよ。いや、私はそのままの君をとても魅力的と思ってるんだがね」

そのしわくちゃの笑顔もあいまって、どこにでも転がっていそうな言葉たちは、幸乃の胸に染《し》み込んだ。やり直したい、あと一度だけ――。

施設の仲間から聞いていた桜木町の病院を訪ね、手術の日程を決めた。その夜、幸乃は久しぶりに薬を断ち、こたつの上にノートを広げた。

そこには「納得できない」や「許せない」といった、書いた覚えのない恨み言や嫉《しっ》妬《と》心《しん》が山のように綴られていた。

読んでしまえばまた心を砕かれてしまうという不安があって、慎重に呼吸を整えながら、幸乃はペンを走らせた。あと一度だけ……。最後にもう一度だけ……。頭の中で唱えながら、目の前のノートと向き合った。

『いい加減自分と決別したい。今日をもってノートともお別れだ。こんな価値のない女を好きになってくれてありがとう。さようなら、敬介さん』

最近は一つ一つの行動がひどく遅い。レンジで解凍したご飯と肉じゃがだけの昼食を済ませたときには、もう十五時を回ろうとしていた。

午後のワイドショーでも新宿で起きた無差別殺傷事件の続報をやっていた。見ているだけで気が滅入り、幸乃は数日ぶりに外出することを決めた。

必要な食材をメモに書き記し、部屋を出た。陽は出ているのに、風は三月下旬とは思えないほど冷たい。なんとなく桜の木を見上げてみると、当てが外れたとでもいうふうに、いくつもの蕾が身を縮こまらせている。

駅前のスーパーで買い物をするまでは順調だった。でも、そこで少し調子に乗ったのがいけなかった。電球が欲しかったのを思い出し、近くのディスカウントストアに足を踏み入れた。派手な照明にも、過剰な音量のBGMにもなんとか耐えることができたけれど、玩具《おもちゃ》コーナーであるものを見つけてしまった。

とあるキャラクターのイラストの入ったおもちゃの箱。敬介の双子の娘たちが、そろって同じキャラクターの描かれたスウェットシャツを着ていたのを思い出す。

幸乃は呆然《ぼうぜん》としたままそれを手に取り、レジに向かった。「こちら二つとも同じ商品ですがよろしいですか？」と、慇懃《いんぎん》に尋ねてくる店員に顔を伏せたまま、うなずいて、そそくさと会計を済ませる。

脳みそを何者かに引っつかまれるような感覚を抱いた。すぐに呼吸も荒くなる。暖気から逃れるように外に出ると、陽はすでに暮れ始め、店先にぽつぽつとネオンが灯っていた。

ディスカウントストアの大きな袋を胸に抱え、幸乃は京浜東北線に飛び乗った。空いている座席に腰を下ろし、周囲の視線を避けるように目をつぶった瞬間、猛烈な睡魔に襲われた。そしてあっけなく眠りに落ちたと同時に、夢を見た。かつて見たことのないような、ひどい夢だ。

姉妹が嬉《うれ》しそうに笑っている。

その手には買い与えたばかりのおもちゃの箱。

どちらも同じものなのに、二人はお互いのものを奪い合う。

幸乃は夕飯の仕度をしながら、彼女たちを優しい口調でたしなめる。

そのうち背広を着た敬介が帰ってくる。

「なんだぁ？　またママにいいもの買ってもらったのかぁ」と言いながら、彼は娘たちの頭をなで回す。

娘たちはおもちゃに夢中で、父親の顔を見ようともしない。

幸乃が、ご飯ができたことをみんなに告げる。

三人は我先にとダイニングテーブルに走ってくる。

古いアパートの二階の角部屋。

２ＤＫのこぢんまりした家。

円形のテーブルにあふれんばかりの料理。

主役はもちろんみんなの大好きな肉じゃがだ。

立ち上る湯気が甘い香りを漂わせる。

みんな笑っている。

誰も不安などないように。

幸乃はその様子を俯瞰《ふかん》している。細い目をさらに細める自分の姿まで見ていたら、異変が起きた。

なぜか自分の顔が膨らんでいくのだ。風船に空気を注入するように、みるみるうちに。家族は誰もそのことに気づかない。

ついに膨張しきって、怪物のような醜悪な姿をさらけ出し、一瞬の間もなく破裂した顔の中から飛び出してきたのは、なぜか美香の顔だった。

子どもたちは何事もなかったように美香を「ママ」と呼んでいる。敬介まで「ねぇ、ママ。僕のこと見捨てないでね」と猫なで声を上げている。

美香は高らかに笑い始める。笑うだけ笑って、美香は不意に天井を見上げた。いや、息をひそめて家族の様子を見つめていた幸乃に目を向けたのだ。

あいかわらず笑いながら、美香は口だけを動かし始めた。彼女が何を言っているのか、すぐにわかった。拝啓、田中幸乃様……。ハイケイ、タナカユキノサマ……。はいけい、たなかゆきのさま……。拝啓……、拝啓……、拝啓……、拝啓……。

大きな揺れを感じ、幸乃は悪夢から解放された。必死に周囲を見渡すと、〈東神奈川〉という標識が目に入った。

電車を降り、力の入らない足で懸命に階段を上り、横浜線に乗り換えたところで、ようやく小さく息を吐《つ》けた。背中がじっとりと湿っている。車窓に家の灯りが見えている。何度も見てきた光景なのに、今日はやけに鮮やかだ。

中山駅で降りると、幸乃は脇目《わきめ》も振らずに敬介のアパートを目指した。ディスカウントストアの袋を抱え、「これを渡すだけだから」と言い訳するように口にしながら、三十分ほどかけて歩いていく。

到着したアパートの周辺は、しんと静まり返っていた。虫の鳴く声もしなかったが、耳をそばだてると、どこからか赤ちゃんの泣き声が聞こえてきた。

アパート後方の畑に回り込み、二階を見上げる。敬介の部屋にだけカーテンが引かれていなかった。蛍光灯の灯りが漏れている。泣き声は先ほどよりも大きくなり、叫ぶような美香の声があとに続く。

幸乃は瞬《まばた》きもせずにその部屋を見つめていた。ふと窓辺に誰かが立った。それが美香であることに、なぜかしばらく気づけなかった。

美香はカーテンに身を隠すようにして、物憂《ものう》げに夜空を見上げていた。夢の中での姿はもとより、幸乃が最後に目にしたときとも雰囲気が違う。派手な感じが消えていて、遠目にも肌は青白く、頬がこけているのが見て取れる。それなのにお腹が膨らんでいるのはなぜだろう。

握りしめた手のひらに爪《つめ》が食い込んだ。身体《からだ》中の細胞が音を立てるように弾《はじ》け、強烈な悪意が胸に渦巻く。「私がそこにいなくちゃいけないのに」と、幸乃は自分に言い聞かせるようにしてつぶやいた。

その声が届いたように、美香はこちらを向いた。気づかれてもまだ、幸乃は目を背けようとしなかった。凛《りん》と澄んだ空気の中で、二人の視線は交わり合った。

先に身体を震わせたのは美香の方だ。美香は我に返ったように目を瞬かせると、一度だけ部屋の中に目を向け、しばらくするとまた幸乃を向いた。そして小さく頭を下げる。まるで同情しているとでもいうふうに。痛みを共有しているとでもいうように。

直後に、先ほどよりもさらに大きな泣き声が聞こえてきた。美香はもう一度幸乃に頭を下げ、何かを隠そうとするようにカーテンを閉めた。

裂けた唇に血が滲《にじ》んでいるのに気がついた。口の中に鉄っぽい味が広がる。幸乃は途端に取り残されたようなさびしさを覚えた。渡せるはずのないプレゼントが重く感じられる。自分がどうしてこんなものを持ってきたのか、不思議に思う。

夢から覚めたように景色に色が伴ったとき、見覚えのある人影が目の前に現れた。

「おい、君。田中くん」

優しさを孕《はら》んだ独特のしわがれ声が耳を打つ。老人とは思えないたしかな足取りで、草部がこちらに近づいてくる。

合わせる顔はもうなかった。これ以上誰にも甘えるわけにはいかないのだ。自分にそんな価値はない。幸乃は深々と頭を下げて、その場から逃げ去った。

幸乃は住宅街を駆け抜けた。手にした袋が煽《あお》るように音を立てる。もう限界だと足を止めようと思ったとき、近くに児童公園を見つけた。路上よりもさらにうす暗い公園に人の影は見当たらない。安堵して入口近くのベンチに腰を下ろすと、幸乃はカバンの中から薬を取り出し、水も使わずに飲み込んだ。

死にたい、死にたい、死にたい、死にたい――。いつもと同じ思いが胸を過ぎる。どうして死なせてくれないのか？　八つ当たりめいた疑問がかすめたとき、ふと声の正体を思い出した。

「自分で死ぬことだけは許さない」

そう言った乾いた声だ。彼からその理由を聞かされた覚えはない。幸乃はコートのポケットから携帯を取り出し、はじめて〈八田聡〉の番号を呼び出した。そこに救いがあるという期待があって、躊躇《ためら》うことなく通話ボタンをプッシュする。でも、聡は電話に出なかった。

しばらくの間、コールバックを待っていた。そうしているうちに、陽の下にいるようなまどろみを感じ始めた。

即効性を謳《うた》う薬の効果はてきめんだった。今にも眠ってしまいそうな心地良さをこらえ、顔を上げると、そこに桃色の花を見つけた。大木に一輪だけ咲いた、桜の花だ。はじめは幻想かと思った。自分はまた夢を見ているのかとも疑ったけれど、この凜々《りり》しさが偽りである気はしない。どこからともなくこぼれてくる一筋の灯りに照らされ、多くの蕾たちの先陣を切って咲いた花は、誇らしげに夜の風に吹かれている。

ああ、そうか。もう明日を生きなくてもいいんだ。力なくそう思った。本当に今日、何もかも失った。もうずっと前から失っていたことを、ようやく今日認識した。私は生きているだけで迷惑な存在だ。もう必要としてくれる人もいない。

時刻は二十一時を回ったところだ。幸乃は携帯の電源を落とした。そして一歩一歩、踏みしめるようにして駅へと向かった。

近くの川にディスカウントストアの袋を投げ捨てて、横浜線と京浜東北線を乗り継いで、蒲田の駅から再び二十分近くかけて歩いて、マンションに辿り着いた。そしてドアを開けると、はじめてこらえていた涙がこぼれ落ちた。

こみ上げてくる嗚咽《おえつ》を抑えようともせず、戸棚に手を突っ込んだ。ケースから取れるだけのデパスとＳＳＲＩをつかみ取り、口に含んで嚙《か》み砕く。

あっという間に落ちていく感覚に身を委ねた。頭の中に桃色の光景が広がっていった。幸乃はこの日、二度目となる夢を見た。

人生でもっとも輝けるときだ。目に映るすべてが澄んで見えた、幸せな日々。敬介と二人でいられた頃？　いや、違う。それよりもっと、ずっと前。まだ生きることに痛みの伴わない世界があった。

遠くに大観覧車が見えている。右手には白波の立つ港。ランドマークタワーも、ヨットの帆のような可愛《かわい》らしい形状のホテルも、海からの太陽に染められている。

桜の花びらが雪のように舞う丘に、少年が一人でたたずんでいる。

逸《はや》る気持ちを抑え、幸乃は問いかけた。

「キミは誰？」

いつもより上ずった声に、メガネをかけた瘦《や》せぎすの男の子は振り向いた。

「僕? うん、僕はね——」

その名前に、胸が締めつけられそうになる。前触れもなく涙が頰を伝った。「あれ?」と口にして、必死に我慢しようとしたけれど、一向に止まらない。

しゃがみ込んだ幸乃の前で、少年はひざをついた。そして彼は幸乃の背中に腕を回して、目いっぱいの力で抱きしめてくれた。

「大丈夫、泣かないで。お願いだから。僕が守ってあげるから」

そう優しくささやいた彼を、力の限り拒絶した。

「触らないで!」

そう大声で叫んだとき、幸乃は引き戻されるように目を開けた。頭上に闇が広がっている。真空のように冷たい部屋。誰もいない世界。いつも通りのからっぽの時間。

枕《まくら》もとの時計に目を向ける。再び意識が溶けていく。遠くでサイレンの音を聞いた気がした。

三月三十日、午前一時十八分——。田中幸乃の二十四年に及ぶ人生は、静かに閉じようとしていた。

第二部　判決以後

第六章　「反省の様子はほとんど見られず――」

『田中被告、控訴せず』というネットニュースの見出しを見たとき、丹下翔《たんげしょう》は思わず自分の目を疑った。

闇《やみ》に包まれたインド・ヴァラナシの街並み。多くの安宿のテラスで同じように裸電球が揺れている。どこからともなくシタールの音が聞こえてきて、それを打ち消そうとするように翔のいるネットカフェは外国人たちのざわめきで充《み》ちている。

春先に起きた事件については、なんとなく記憶に残っている。捨てられた昔の恋人を恨み、家族三人を焼き殺すという出来事については正直ありきたりで、感じることはあまりなかった。事件前に整形をしていたという事実も、直後に自殺を図ったということも、それほどピンとは来なかった。

それなのに、翔の視線は見出しに釘付《くぎづ》けになった。死刑判決を受けた人間が控訴しないという話はあまり聞いたことがない。担当弁護士のコメントを探してみたが、ネットレベルではほとんど拾うことができない。どれくらいサイトを漁っていただろう。背後からの「翔さん？」という声に、しばらくの間気づけなかった。

「あ、整形シンデレラ」

ようやく振り返ると、宿で一緒になった富田《とみた》という大学生がモニターを覗《のぞ》き込んでいた。

「シンデレラ？」と尋ねた翔に、富田はおどけたように首を振る。

「そんな呼ばれ方してるんですよね。身元を隠すために事件前に整形してた鬼畜って。俺、大学が横浜なんで結構このニュース見てたんですよ。さすが宝町《たからちょう》の出身だなって」

「へぇ、宝町なんだ。この人？」

「あ、知ってます？　やばいっすよね、あそこ。俺、大学の仲間と度胸試しに行ったことあるんです。いまだに当たり屋がいるとか、道端に死体が転がってるとか、すごい噂《うわさ》があったから。俺が行ったときにはただの古びた街でしたけど」

蔑《さげす》んだように笑う富田を咎《とが》めようとは思わなかった。あの街には絶対に近づくなと、小さい頃から翔も言われていたことだ。

被告人が同年代であるということも気にかかった。再びモニターに視線を戻し、画像の粗い女の写真を凝視する。不安そうな上目遣いと、相反するような整った表情。同じ時代に、近くの街で生きていた女。

このモンスターは手術前どんな顔をしていたのだろう？　ふと野次馬的な興味を覚え、検索窓に〈田中幸乃〉〈整形前〉と打ち込んでみる。事件をまとめたサイトがヒットした。新しいものから順に被告人の顔写真が掲載されている。被告人の写真が過去のものになっていくにつれ、翔の心は昂《たか》ぶっていった。

そして群馬の小学校の卒業アルバムが出てきたときだ。幼少期の被告人を目にしたとき、翔は不意に懐《なつ》かしさに身を包まれた。

その切れ長の瞳《ひとみ》には見覚えがあった。鮮やかな星空の光景が脳裏を過《よ》ぎる。旅の途中で見たいくつもの夜空ではない。風に揺れる桜の花に彩《いろど》られた、もっと鮮烈な星の画だ。

血の巡る音が聞こえていた。不安そうに微笑《ほほえ》む写真の少女を瞬《まばた》きもせずに見つめ続け、翔は気づいたときには口走っていた。

「悪い、富田。俺、行くわ」

富田はつまらなそうにうなずくだけだ。

「そうっすか。気をつけて」

「お前、あまり旅慣れたつもりになってるなよ。調子に乗っていいことなんて一つもないぞ。旅に悔いを残すな」

そこまで言って、富田はようやく翔の異変に気づいたらしい。

「なんすか、それ。え、行くって、ヴァラナシを出るってこと？」

「ああ、ホテル戻ったらすぐに発《た》つ」

「マジで？　次はどこに？」

一瞬の間を置いて、翔は自分に言い聞かせるようにささやいた。

「日本だよ」

富田はあんぐりと口を開く。

「なんで？」

「ちょっと冒険してみたいと思ってさ」

「はぁ？　日本で？」

「またいつかどこかで会おうな。お互いにいい旅を続けよう」

翔はニコリと微笑んだ。目的地の見えない大冒険——。それはきっと日本にあるのだという昂ぶりを、翔はたしかに感じていた。

翔が日本を発ってから一年半が過ぎた。桜木町の小さな旅行代理店で香港《ホンコン》行きのチケットを購入し、できる限り陸路を選択して、コルカタに入ったのが半年前。噂に違わずインドの雑多な雰囲気は面白く、一度ネパールへ抜け、ビザを取得し直し、再びインドに入国した。ガンジス川の流れる聖地、ヴァラナシにやって来たのは一ヶ月前のことだ。

いつか世界を旅してみたいというのは幼い頃からの夢だった。学生時代に読みふけった旅行記の影響はあったが、直接的なきっかけは日ノ出町で産婦人科医院を経営する祖父の言葉だったと思う。

「お前には大きな世界をたくさん見てきて欲しいんだ。じいちゃんはずっとこの狭い街で生きてきてしまったからな。お前の見てきたものを全部じいちゃんに教えてくれ」

翔という名前は、その祖父の願いからつけられたものだという。世界を「翔《かけ》る」という意味の込められた名は、少なからず自分の人生に影響を与えたはずだ。

ずっと祖父の働く姿に憧《あこが》れていた。翔が病院を訪ねていけば、祖父も相好を崩して多くのことを教えてくれた。とくに印象に残っている言葉がある。

「お前が将来どんな仕事に就こうと、絶対に忘れてはいけないことがあるよ。相手が何を望んでいるのか、真剣に想像してあげることだ」

「想像すんの？　べつに話を聞けばいいじゃん」

まだ小学生の頃だった。感じたままを口にした翔を見つめ、祖父は小さく肩を揺すった。

「人間というのはなかなか複雑な生き物でな。思っていることをなんでも口にできるというわけじゃない。でも、いつかお前が向き合う誰かさんは、お前の言葉に期待している。なのにうまく説明することができず、思ってもみないことを言ったりする。だからお前はその誰かさんと真摯《しんし》に向き合い、何を求めているのか想像してあげなければいけないんだ」

祖父が何かを回想しているのは明白だった。翔自身にも思うことがあった。幼い頃から兄妹のようにつき合っていた友人がいた。その女の子が自分の前から消えたばかりの時期だった。お前は本気で彼女の気持ちを想像したのか？　そう突きつけられているようで、祖父の言葉は胸に染《し》みた。

祖父の働く姿は翔の目にまぶしく映った。反面、父がどういう仕事をしているのかはほとんどわからなかった。大手弁護士事務所に勤めていた父は、翔が小六に上がった頃に独立し、横浜駅近くに自分の城を構えた。

これで休みが増えるはずだ、夕飯も一緒にとれるはず。そうした期待を裏切るように、独立してからの父はますます多忙になった。朝起きたときにはすでに姿はなく、休日もいないことが多かった。「おかげでこうして豊かな生活をさせてもらえるんじゃない」という母の言い分は理解できたが、かといって父に憧れる理由にはならなかった。

誰と話すのも苦ではないのに、父と向き合うのだけは苦手だった。神奈川県随一といわれる中高一貫の私立校に合格し、サッカー部の活動に打ち込み始めてからは、より遠い存在になっていった。

高校に入ってからも成績を維持し続け、部活にもさらに熱を上げた。高一の冬に配られた進路志望票には、迷わず〈国立理系コース〉に印をつけるつもりでいた。もちろん祖父のあとを継いで医者を目指すためだった。

そのことを誰にも相談しなかったし、報告するつもりもなかった。それなのに年明け早々、母が学生時代の友人たちと京都旅行に出かけた夜だった。サッカー部の練習が休みで、一人で店屋物のカツ丼《どん》をかき込んでいるところに、電話が鳴った。相手は父だった。父は帰宅できないことを申し訳なさそうに言い、着替えを持ってきてくれないかと頼んできた。

面倒とは思ったけれど、シャツとハンカチをカバンに詰め、翔は自転車にまたがった。山手から横浜駅までは自転車で三十分ほどの距離だ。丘から見下ろすネオンが揺れている。小さい頃は友人たちと見るこの景色が大好きだったのに、いつからか何も感じなくなっていた。

身を切るような寒さをしのぎ、二十時過ぎに横浜駅に到着した。父の事務所はハマボールの裏手の雑居ビルにある。お世辞にも豪華とはいえない建物は寒さを遮断しそうもなく、蛍光灯が点滅し、勝手にイメージしていた「弁護士事務所」の姿とは違った。

事務所には来客がいるようだった。パーティション越しにシルエットが揺れ、何やら神妙そうな声が聞こえてくる。荷物だけ置いて帰ろうかと思ったが、父が仕切りから顔を出して「ちょっと待っとけ」と言うので従った。

三十分ほど待ち続け、やっと席を立ったのは、若い女の人だった。彼女は目を赤く潤《うる》ませ、嬉《うれ》しそうに顔をほころばせて、なぜか翔に頭を下げた。

翔はその仕草に見覚えがあった。祖父の病院を訪ねてきた女の人たちも、まだ幼い翔に同じような表情を見せていた。

「悪かったな。メシでも食いにいくか」

女性が帰るのを見届け、父は淡々と切り出した。平静を装《よそお》ってはいるものの、照れくささを押し殺しているのは明白だ。

「いや、もう食った」と、翔の頬も自然と引きつる。

「べつにいいだろう。つき合えよ。焼肉でもどうだ？」

「いや、いい。それより今の人どうしたの？　泣いてたみたいだけど」

父は不意を打たれたように口をすぼめた。質問したことをすぐに悔やんだ翔にかまわず、笑みを浮かべる。

「なぁ、翔。お前、守秘義務って知ってるか？」

「はい？」

「言えないんだよな。クライアントのことはどんな些細《ささい》なことでも明かせない。たとえ相手が愛する家族であってもな」

父はいつになく機嫌が良さそうで、饒舌《じょうぜつ》だった。帰るタイミングを逸した翔にあらためて微笑みかけ、父は話題を変える。

「最近はどうだ？　学校は楽しいか？」

「べつに。進路はそろそろ決めなきゃだけど」

「進路って？」

「理系か、文系か。国立か、私立かって。まぁ、だいたい決まってるけど」

「そうか。十六歳にしてもうそんな一大事を決定しなくちゃいけないのか。学生っていうのも大変だよなぁ」

父は大げさにつぶやくだけで、肝心なことを尋ねてこない。思えば、父は一度だって翔の決めたことに口出ししなかった。私立中の受験を決めたのも母と二人でのことだったし、塾に通うのも事後報告だった。

「ねぇ、その仕事って楽しいの？」

翔はなんとなく質問した。父の顔にものめずらしそうな色が浮かぶ。

「弁護士か？　楽しいぞ。お父さんは毎日ワクワクしてる」

「後悔とかしてないんだ？」

「後悔？　全然。なんでそんなこと聞くんだよ」

父は一度そう漏らしたあと、すぐに合点がいったようにうなずいた。

「ああ、そうか。おじいちゃんのことか。たしかに唯一《ゆいいつ》引っかかるとしたらそこかもな。昔はそんなふうに感じることはなかったんだ。最近になって少しだけ思うようになってきた。おじいちゃんのあとを継いでやらなくて良かったのかなって、柄にもなくな」

その後も当たり障《さわ》りのない会話をしばらく続けた。十分ほどして「じゃあ、もういい加減帰るわ」と手を振った翔を、父はうかがうように見つめてきた。

「お前、一人で平気か？　俺も一緒に帰ろうか？」

「はぁ？　なんだよ、それ。大丈夫に決まってるだろ」

「なんでそこまで拒絶するんだよ。お前、まさか家に女の子でも連れ込んでるんじゃないだろうな。お母さんを悲しませるような――」

「なぁ、父さんさ」

うんざりとため息を漏らしながら、翔は父の言葉を遮った。

「それはちょっと言えないわ。守秘義務だ」


高二進級時の科目選択では予定通り〈国立理系コース〉を選び、医学部を受けるつもりで受験勉強にも取り組んだ。

その翔が理系コースを断念し、いわゆる〃文転〃したのは、高三の秋だった。父がそれを望んでいるとは思わなかったし、自分が本当に弁護士という職に就きたいのかもわからなかった。ただ、将来的に後悔しないのはそちらだという確信だけはなぜかあった。

四速の上にもう一段ギアがあったかのように、勉強にのめり込んだ。その甲斐《かい》あって、翔は現役で東大の文科一類に合格した。安堵《あんど》の息を吐いたくらいで、達成感はそれほどなかった。ただ最後まで進路を明かせなかった祖父が手を叩《たた》いて喜んでくれたのは嬉しかった。父も「へぇ、文系を受けてたのか」などと冗談っぽく言いながら、喜びは隠しきれていなかった。

大学生活はひどくつまらなかったが、とくに気にはならなかった。勉強への意欲は不思議なほど消えなかったので、入学直後に専門の塾通いを始めた。翔が司法試験に合格したのは大学三年生のときだ。私立中受験のときも、東大合格時にも感じられなかった充足感が、このときばかりは胸に広がった。

「何なんだよ、お前は。天才かよ」

自分だって学生時代に司法試験をパスしたくせに、父は目を見開いて驚いた。祖父もまた顔をしわくちゃにして、百万円ものお小遣いを内緒で口座に入れてくれた。

大学を卒業すると、すぐに司法修習期間に突入した。一年四ヶ月に及ぶ課程を終えようとした頃の丹下家には、常に緊張感が充満していた。そろそろ勤務先を決めなければというある日のことだ。とくに会話のない夕飯の席で、父はどこか思い詰めたように口を開いた。

「お前、就職はどうするつもりだ」

それは二人ともずっと先延ばしにしていた話題だった。翔は少しだけ背筋を伸ばして、内心を気取られぬよう首を振った。

「できれば『丹下法律事務所』に世話になりたいと思ってる。ただ、そのことなんだけどさ……」

「先に言っておくが、すぐに一緒に働くつもりはないぞ。俺のところに来るんだとしても、数年間は外で修業してきてもらうぞ」

「修業？」

「俺の司法修習時代の同期が麹町《こうじまち》の事務所で所長をしてる。その人のところで勉強してこい」

「ああ、そういうこと」

「一度、会ってくるといい。心のある先生だ」

父が自分を「お父さん」ではなく、「俺」と呼ぶようになったのはいつからだったろう。おそらくは翔が「父さん」ではなく「親父」と呼ぶようになった時期とそう離れていないはずだ。

少しだけ躊躇《ためら》ったあと、翔は父の目を見つめた。

「ねぇ、親父さ。その修業期間、俺にもらうことはできないかな？」

怪訝《けげん》そうに首をかしげた父にうなずきかけ、翔は一気に言った。

「ずっと世界を旅してみたいと思ってたんだ。広い世界を自分の目で見てみたいって。甘ったれた考えだってわかってるんだけど、同じ修業をするなら、自分で自分を鍛えてみたい。じいちゃんからもらったお金もあることだし」

父の頬がほんのりと赤く染まる。

「甘いぞ、翔。さすがにそれは甘すぎる」

「わかってるよ」

「お前だって今がどんな時代か知ってるだろ。資格を取ったからって、弁護士が簡単に食っていける時代じゃないんだ」

「わかってるって」

「わかってない。みんな死にものぐるいで働いているんだよ」

父の言ういちいちがもっともで、反論はできなかった。でも、考えを改めようとも思わない。納得してもらえないのなら、帰国後に自力で就職先を探せばいい。

それまで黙っていた母が助太刀するように割り込んだ。

「でも、なんかいいよね。そういうの」

瞬時に眉《まゆ》をひそめた父にかまわず、母は瞳を輝かせる。

「だって素敵じゃない。それこそ時代が違うんだもん。これからの弁護士は海外にも目を向けなくちゃいけないって、お父さんもいつも言ってるでしょ」

「それとこれとは話が違う」

「私はいいと思うけどな。私たちにはそんなことしていられる余裕はなかったけど、幸いにも翔には時間がある。司法浪人でもしたと思って、自由にさせてあげたらいいのに」

母が早くに翔を身籠《みご》もったことを言っているのはあきらかだった。父は口を固く結び、鋭く宙を睨《にら》んでいる。

それからしばらく静寂が続いて、父はようやく口を開いた。声のトーンが違っていた。

「甘い考えだっていうのは理解しているんだな？」

「それは、うん。間違いなく」

「戻ってきても働き口はないかもしれないぞ」

「そしたら自分で一から探すよ」

父はさらに翔の目を見つめていたが、少しすると諦《あきら》めたように息を漏らした。

「俺の尊敬しているある先生は、弁護士が自分の命を懸けて挑める案件なんて、生涯に一件あるかないかだって言ってたよ。人生に起きるすべての出来事がその日のための鍛錬だって。行く以上は成長して帰ってこい。お母さんを泣かせない範囲でな。いろんなものを吸収してこい」

父はほぼ一息で言い切って、なぜか誇らしそうに目を細めた。

最後は気持ちよく送り出してくれた二人に、旅中はほとんど連絡を入れなかった。帰国時にも電話さえしなかった翔を、父は訝《いぶか》しそうに、母は歓喜して出迎えてくれた。

翔は挨拶《あいさつ》もそこそこに幸乃のことを話した。二人とも事件やその被告人である田中幸乃については報道などによって知っていたが、近所に住んでいた「野田幸乃ちゃん」についてはほとんど覚えていなかった。

「俺、親父のところで働かせてもらっていいかな？　たいして成長はしてないと思うけど、できれば一緒にやらせてほしい」

少し緊張しながら頭を下げた夜、翔は父と伊勢佐木町の焼肉店に出かけた。事務所の件や帰国祝いもそこそこに、話題は幸乃のことに集中した。父はすでに裁判所のホームページから判決文まで引っ張り出してくれていた。

「何かアクションを起こそうと思ってるのか？」

父がビールに口をつけながら尋ねてくる。

「まだわからない。とりあえず彼女に会ってこようとは思ってる。直接話を聞いてみたい」

「狙《ねら》いはなんだ？　再審か？」

「だからまだわからないって。まずはなんで控訴しなかったのか聞いてみるよ」

「判決でおかしいと感じることがあるのか？」

「なんだよ、グイグイ来るな。だからホントに何も決めてないんだ。ただ、事件前に抗不安剤を摂取してたっていう報道があるんだよね。なのに裁判で心神喪失とか責任能力の線で争われた形跡があまりない。そこがちょっと不満かな」

「不思議」ではなく、「不満」という言葉が出てきたことに、翔は自分でも驚いた。

父は難しそうに首をひねる。

「もし担当の先生から話を聞き出そうと思ってるとしたら、それはちょっと厳しいぞ」

「なんで？　守秘義務？」

「ああ。裁判記録さえ見せてもらえないだろう。外部の弁護士が首を突っ込んできて、喜ぶ先生はまずいない」

「そうだろうね。ま、でもなんとかしてみるわ。何もしないよりはマシでしょ」

「先に言っとくが、日常業務はこなしてもらうからな。なんだか知らないが最近ますます忙しいんだ。この不況で単価の安いうちみたいなところに仕事が集中するんだろうな。これじゃじいさんの病院と一緒だよ」

吐き捨てるような言葉に翔が笑ったところで、会話は途切れた。不意に肉の焼ける音が耳をつく。旅行中ずっと楽しみにしていた日本の食事だというのに、不思議と味は染みてこない。

焦《こ》げてしまった肉を眺めながら、父は続けた。

「この件は本当にお前が首を突っ込むべきことなのか？　小さい頃の友人というだけで名乗り出る理由になるのか？」

おそらくはそれが父の本題だ。ヴァラナシで事件の続報を知って以降、翔自身がずっと考えていたことでもある。ニュースを知って自分があれほど震えた理由。幼い頃の記憶を辿《たど》って、辿って、ぶち当たった場面があった。それは当時の友人たち、幸乃を含む〝丘の探検隊〟のメンバーを前に、自分がこんなことを言ったときだ。

「誰かが悲しい思いをしたら、みんなで助けてやること。これ、丘の探検隊の約束な」

ずっと記憶から消えていたのがウソのように、あの夜の光景は鮮明によみがえり、以来まばゆさを増す一方だ。

父にそれを説明しようとは思わなかった。

「これが俺にとって生涯で唯一の案件かもしれないからさ。たまたまそれが早く巡ってきただけかもしれないから。そのつもりで挑むよ」

父は呆けたように口を開き、すぐに照れくさそうに眉間をかいた。そして一言だけ「お母さんを泣かせることだけはするなよな」と、ささやくように口にした。


インターネットで拾えるだけの情報を拾い、翌日、翔は早速小菅《こすげ》にある東京拘置所を訪ねた。ここを訪れるのは司法修習生のとき以来だ。あの日は感じなかった来る者を拒むような建物の威圧感に、怯《ひる》みそうになる。

翔は自分が思う以上に緊張していた。一昨日までいたインドとのギャップは激しく、北からの強風は身を切るような冷たさなのに、手のひらは汗ばんでいる。

もし幸乃と会えるとしたら、今日が一番のチャンスだと思っていた。逆に今日会うことが叶《かな》わなければ、二度と会うことはできないのかもしれない。会うための理由が、訪ねる回数を増すたびに消えていくように思うからだ。

幸乃の部屋から押収された日記には、幼少期の出来事も記されていたという。うしろ向きな思いばかりが綴《つづ》られたノートの中で、山手にいた頃のことだけは明るい光を放っていたそうだ。彼女がずっと人から必要とされることを欲していたのは、自分たちと一緒にいた頃の体験から来るのだろうか。

昼過ぎの拘置所内は、予想に反して面会者でごった返していた。翔は案内に沿って申請書を提出する。弁護士としてではなく、友人として。接見ではなく、面会で。第一関門はここだった。未決囚との面会は比較的簡単に実現するものの、確定死刑囚の場合は「親族」や「重大な利害に係る用務のある者」といった条件に当てはまる人間に限られる。

とはいえ、たとえば自分が「重大な利害に係る用務」があるかどうかなど誰にも判断することはできない。時期によっても線引きは微妙に異なるといい、有り体にいえば、拘置所側のさじ加減一つというわけだ。

十分ほど待ったところで呼び出された。手に再び汗が滲《にじ》むのを自覚しながら、あわてて窓口に足を運ぶ。係の人間の言葉は素っ気ないものだった。

「本人の申し出により面会はできません」

翔は不意を打たれる思いがした。愛想のなさより、秘密主義の拘置所が理由を教えてくれることに驚いた。

「ええと、あの、すみません。僕の名前は向こうに伝わってるんですか？　その上で？」

「それはこちらではわかりかねます」

「そうですか。いや、いいんです。ありがとうございます」

翔はぺこりと頭を下げた。きっと幸乃に「丹下翔」の名前は伝わっているはずだ。その上での「本人の申し出」なのだとすれば、もちろん失望感は小さくない。

でも、すぐに気持ちを切り替えた。息苦しかった拘置所を出たところで振り返る。要塞《ようさい》を思わせる巨大な建造物のどこかに幸乃がいる。そう思うだけで身が引き締まる思いがした。

とにかく最初の矢は放ったのだ。動く気配のない大山を相手に、一本目の矢を打ち込んだ。これが二本目と心の中で唱えながら、拘置所近くのポストに昨夜したためた手紙を投函《とうかん》した。面会が叶わなかった場合に送ろうと思っていたものだ。

『俺の名前に少しでも何かを感じてくれたら嬉しいです。久しぶりに〝丘の探検隊〟

の話がしたいんだ。あの頃はホントに楽しかったから』
書いているうちに次々と眠っていた思い出がよみがえった。幸乃の気持ちを奮い立たせるためではなく、いつしか本当に彼女と昔話がしたいという思いに駆られていた。
これではいつまで経《た》っても書き終わらないと自覚し、最後の一文をこう締めくくり、翔は静かにペンを置いた。
『毎週金曜日の午後、必ず来ます。いつか顔を見せてくれると嬉しいです。いっぱい昔話をしよう。翔』

手紙に記した通り、翔は毎週必ず東京拘置所に赴いた。どんなに日常業務が忙しくても、どんなに体調が悪くても、金曜日の午後だけはそのための時間を取った。

面会は一度として叶わなかった。次第に緊張することを忘れ、拒否されることにも慣れっこになっていったが、拘置所に足を踏み入れるときだけは「今日がその日」と自分の気持ちを奮わせた。

幸乃の担当弁護士にも会いにいった。国選弁護人を引き受けた上野《うえの》という六十代の男は、父の言っていた通り、決していい顔はしなかった。とはいえ、鬱陶《うっとう》しがられることもなく、何度訪ねていっても翔を事務所に上げてくれた。

ただ、やはり「守秘義務」を楯《たて》に情報を与えてはくれなかった。わざわざ住民票を用意し、幸乃との関係を証明した上で、上野から手紙を送ってもらうよう頼んでみても、実際《じっさい》に送られているかは定かでない。ただはぐらかされているだけのようで、翔は苛立《いらだ》ちを募らせた。

しかし、上野のもとに通い始めて四ヶ月ほど過ぎたある日のことだ。その日は警察での事情聴取の内容についてしつこく聞こうと決めていた。いつも以上に力の入っていた翔に対して、上野は思わずといった感じで口を開いた。

「まぁ、それは高城《たかしろ》くんの案件だったから」

一瞬、不穏な空気が立ち込めた。

「高城さん？」

「ああ、いや、まぁ、そこに関して私は深く立ち入ってないっていうことだ。でも、何も問題はなかったと聞いてるよ」

高城という名前に覚えはあった。たしか神奈川県の地元紙の中で目にしたはずだ。記事の扱いは小さく、上野の補助的な役割の弁護士ということであまり注目はしていなかったが、当たってみる価値はありそうだ。

高城は四谷の大手事務所に所属する弁護士だった。ごま塩頭の上野とは違い、まだ四十代前半の高城の顔には精悍《せいかん》さが充ちている。

高城の方はなぜか翔の訪問を歓迎してくれた。多忙であろう時間を割いて、わざわざ近くのイタリア料理店に連れ出した。そして「あの件にはあまり関われなかったんだけどね。僕にわかることならなんでも答えるよ」と、濁りのない笑みを口もとに浮かべた。

翔が高城に聞きたいのは一つだけだ。警察での取り調べについてである。

「うーん、いや、それはね」

高城は敏感に表情を曇らせた。

「おそらく強制自白を疑っているんだろうけど、その線はないと思うよ。被告人は全面的に犯行を認めていたっていうし、警察の見立てにも無理筋なところは見られない。拍子抜けするほど簡単な取り調べだったというし、被告人は早々に調書にサインしたそうだよ」

「秘密の暴露については？」

「もちろんあった。灯油缶を投げ捨てた場所だ。恩田川という川だった」

「たとえば心神喪失での責任能力の線で争うことは考えられなかったのですか？」

「抗不安剤を摂取していたことでかい？　もちろん起訴前鑑定はきちんと行われてい

るよ。だけど精神科医は摂取量も含めて、特段の異常を認めなかった。上野先生はそれでも正式鑑定を申請しようとしていたんだけど、被告人自身が拒んだんだ」

「幸乃が？　どうして？」

「さぁ。とにかく罪をつぐないたいって、そればかり言ってたのは間違いない。でも、その点に関して、ちょっとね」

流暢《りゅうちょう》だった高城の言葉が不意に途切れる。

「いや、べつにたいした話じゃないんだ。ただ取り調べを担当した刑事が不思議だって言ってたんだよね。質問したことにはなんでも素直に答えるくせに、絶対に反省は口にしないって。水を向けても小さく首を振るだけだって」

「その刑事さんの名前をうかがうことはできませんか？」

「いいよ。たしか名刺があったはずだ。なかなか優秀な刑事だよ」

高城はパンパンに膨らんだ名刺入れを取り出し、担当刑事の名前と電話番号をメモに書き出した。

受け取った紙をボンヤリと見つめながら、翔は情に訴えかけるように口を開く。

「どうしてこんなに良くしていただけるんですか？　正直、もっと迷惑がられるものと思っていました」

「上野先生みたいに？」

「まぁ、そうですね」

「君の疑問に答える前に、僕の方から質問してもいいかな？」

柔和な笑みはそのままに、高城の声が鋭さを孕《はら》んだ。

「君こそなんでこんなに一生懸命やるんだい？　幼なじみだったたっていうけど、それだけでこんなふうにがんばれるものなのかな」

それは父から尋ねられたことと同じだった。明確な答えは今もない。でも、一つだけ言えることがある。

「彼女とつながっている人間って他にいないと思うんですよ。彼女がずっと望んでいたものをもたらせるのは自分しかいないんじゃないかって。僕しかいないと思うんです」

素直な気持ちで翔は言った。尚《なお》もうかがうように翔の目を見つめていた高城は、ようやくおどけたように首をすくめた。

「さっきの質問の答えだけど、一つは僕の持つ正義のイメージに反さないからだと思う。法に仕える者としては失格なんだろうけどね。勘違いして欲しくないのは、上野先生の方が絶対的に正しいということだ」

高城は残っていたパスタを一気に頬張り、いたずらっぽく微笑んだ。

「もう一つは僕に似てると思ったからかな。君、来たときからずっと笑ってるもんね。周りの人間に〝人たらし〟とか言われたりしない？」

「ああ、するかもしれません」

「それを自分の武器だとか勘違いしてるでしょ？」

言葉に窮した翔に手を振り、高城は頬をほころばせた。

「いや、べつに批判したいわけじゃないんだ。僕も同じだったからさ。でも、すぐに壁にぶつかった。君にも早く同じ経験をしてほしくて、先輩面《づら》したくなったのかな」

どこかへ誘導されている気分だった。同じ法律家の端くれとして悔しくはあったけれど、それよりも胸の内を吐き出したい気持ちの方が強かった。

「僕がこんなふうに笑っているようになったのって、幸乃が関係しているのかもしれません」

「へぇ、そうなの？」

「彼女のお母さんが事故死して、お父さんが暴力を振るっているという噂が流れ始めた頃、僕はいつも仏頂面してました。なんか毎日がひどくつまらなくて、早く落ち着いてまたみんなで遊びたいのに、どんどん悪い方に転がっていって。さらに苛立っていったんです」

「わからなくはないけどね。子どもの手に負えることではなかっただろうし」

「僕もそう決めつけていました。でも、今はもっと一緒に考えてあげれば良かったと思ってるんです。せめて笑っていれば良かったのに、それを放棄して、勝手に苛立って。結果、迎えたのが最悪の別れですからね。ブスッとしててもいいことないんだって、幼心に学びました。だったらいつでも笑ってようって、あの頃に決めたんです」

高城は何かを確認するように一度だけうなずいた。その仕草を見つめながら、翔はもう一つだけ付け足した。

「僕の人生で彼女たちは一番の友だちでした。ひょっとしたら僕は本当に幸乃を必要としているのかもしれません」

高城はそれに応《こた》えようとせず、翔の肩に手を置いた。

「青臭い正義感の香りがするのもよく似てるよ。君も自分が正義だと信じることは胸を張ってすればいい。もちろん、責任を取るのも君自身だ。絶対に他人のせいにするなよな。この世界もそんなヤツばっかりだから」

翌日に訪ねていった神奈川県警の刑事も、高城の言うように心ある年輩の男で、押しかけていった翔に真摯に対応してくれた。

しかし、期待した情報を聞き出すことはできなかった。興味を引いた話は一つだけだ。

刑事は翔の差し出した名刺を眺めながら、しみじみとつぶやいた。

「あの子、とにかく死んでつぐないたいって言ってたんだよね。控訴しないっていうニュースを見たとき、俺、ちょっとだけ腑《ふ》に落ちたんだ。ああ、やっぱりかって思ったんだよ」

日常に忙殺されている間に季節は過ぎていった。死刑囚の拘置期間は平均して五～七年。刑事訴訟法に規定されている〈判決確定の日から六箇月以内〉からすれば明白に長く、「税金の無駄遣い」という批判の声も理解はできるが、リミットがあることに変わりはない。とにかくいつ刑が執行されても不思議はない。

でも、翔のやれることは限られ、そしてどんどん減ってもいった。幸乃の中学時代の同級生や施設で一緒だった仲間を訪ねていっても、有用な情報は得られない。それどころか、すでにマスコミによって生活をかき乱された彼らの拒否反応はすさまじく、露骨に煙たがられることも少なくない。

被害者遺族からも当然のように拒絶された。マスコミで散々目撃情報を語っていたはずの中山に住む老婆《ろうば》には激怒され、玄関先で塩まで撒《ま》かれた。

唯一、翔を受け入れてくれたのは、半焼したアパートオーナーの草部猛だ。草部は幸乃を恨むでもなく、むしろ愛情のこもった語り口で思い出話を聞かせてくれた。しかしマスコミに語られた以上の情報は出てこなくて、逆に翔の気を滅入らせた。

当時の仲間についても調べてみたが、中学から私立に行った翔にはなかなか彼らの足取りがつかめなかった。幸乃の姉の野田陽子も中二の春に横浜から東京に引っ越していて、その後の消息はわからない。

もう一人いた「シンちゃん」に至っては、一つ年下だったせいか、翔自身が名字も、漢字も思い出せなかった。当時の家には違う家族が住んでいて、公立中に上がった小学校の友人たちに人となりを説明しても伝わらない。ネットで検索をかけようにもヒントとなるワードさえ浮かばない。

帰国から二年が過ぎようとしていた頃には、翔はひどく焦《あせ》っていた。いや、焦らなければと自分を焚《た》きつけなければ、何も起こらない毎日を今にも受け入れてしまいそうで恐かった。

そんなある日のことだった。前夜に初雪の予報が出た十二月十四日、金曜日。寒さでなかなかベッドから這《は》い出せなかった翔は、母の入れてくれた熱いコーヒーを飲みながら、見るともなくテレビを眺めていた。

反原発団体の抗議デモに、名古屋のホテルでの食中毒、芸能人のオークション詐欺《さぎ》、昨夜観測されたふたご座流星群や、シリアでの内戦の激化を伝えるもの……。いつも通りの種々雑多なニュースを見つめていたら、心がざわりと震えた。

「ちょっと、翔。何ボンヤリしてるのよ」

そう言ってきた母を「しっ」と制し、「おい、翔。俺、昨日ちょっと面白いもの見つけたんだけどな」と空気の読めない父には、「ごめん。ちょっと黙ってて」と強く言った。

翔はザッピングを繰り返した。どの局でも大々的に同じニュースを取り上げていた。忘れていた記憶の数々が連なるようによみがえる。

「ごめん、親父。俺、今日先に行ってるわ」

出された朝食もそこそこに家を出た。底冷えの厳しい事務所に着くと、真っ先に昨夜綴った手紙をシュレッダーにかけ、新しい便せんをデスクに広げた。

久々に心の奥底から言葉があふれ出た。これが突破口になるという予感があった。

翔は気持ちをあえて抑えず、幼い頃の思い出を書き殴った。

『昨日、横浜でもたくさんのふたご座流星群が見られました。昔のことをたくさん思い出しました。ねぇ、幸乃ちゃん。そこから星は見えますか？』

この日はほとんど業務が手につかなかった。たまっていく一方の事務仕事をなんとかやっつけて、正午過ぎ、翔はいつもより早く事務所を出ようとした。

だがその間際《まぎわ》、父があわてたように翔を引き留めた。

「ああ、すまん。翔、ちょっとこれ見てくれないか」

父はすぐに視線をノートパソコンに移し、神妙そうな顔をする。「なんだよ、急いでるんだけど」と不満を漏らしつつも、翔は言われるままモニターを覗《のぞ》き込んだ。

開かれていたのは、大手ポータルサイトが運営するブログのページだった。よく目にする明るいフォーマットとは裏腹に、タイトルはやけに仰々しい。

「なんだよ、これ」

翔はたまらず口にする。『ある死刑囚との日々』と記されたタイトルに、目は釘付けになったままだ。

「俺もたまたま見つけたんだ。名前はうまいことぼかされているし、この死刑囚というのが田中さんのことだという確証はない。でも、女性の確定死刑囚なんてそんなにはいないだろ？」

「誰が書いてんの？」

「さぁ、それもわからない。男性であるのは間違いなさそうだが」

「わかった。調べてみる。とりあえず急ぐから行くね。ありがとう」

ネットに転がっている情報については、くまなく調べているつもりだった。むしろ最近ではそれくらいしかやることがなくて、たいていのページを網羅している気になっていた。

横浜駅で電車に乗り込むと、翔はすぐにスマートフォンでページを探した。以後、約一時間で東武伊勢崎線の小菅駅に到着するまで、ほとんど顔を上げた記憶がない。座席に腰かけているときも、コンコースを歩いている間も、ひたすら画面をスクロールし続けた。

ブログに記された〈死刑囚A子〉が幸乃であるのは間違いない。A子を二年ほど近くで見ていたという筆者は、今から半年も前の『悔い』というエントリーからブログを始め、以来、一日も欠かさず書き続けている。そのほとんどが長文だ。そこにはたしかに筆者の後悔の念が綴られていて、翔にとってもまた胸を掻《か》きむしられる内容が多かった。

A子とつき合っていた親友というのは、遺族の井上敬介のことだろう。メディアで報じられているような純真無垢《むく》な被害者家族としての表情ではなく、文章中の井上敬介には人間としての匂《にお》いが感じられた。

小菅に着くまでに十日分ほどしか読み進められなかったが、午前中に抱いていた高揚感はすでに消えていた。

毎週歩いている見慣れた景色が、今日は少し違って見える。その違和感は拘置所に入ろうとしたときにさらに増した。不安そうに建物を見上げている女の顔に、見覚えがあったのだ。懐《なつ》かしさと息苦しさとが同時に胸の中を駆け巡った。

「ちょっと、あの――」

翔は無意識のまま声をかけていた。あの頃に感じた華やかな雰囲気は残っていない。不安そうに振り向いたのは、直視するのも忍びない痩《や》せ細った老婆だった。

女は言葉を発せず、怪訝そうに眉をひそめている。翔には絶対的な自信があった。

「ごぶさたしています。幸乃ちゃんのおばあさんですよね？」

女の顔色は変わらない。目の前にいる人間が、敵か、味方か、必死に読み取ろうとしている様子がうかがえる。

「丹下翔といいます。山手に住んでいた頃の幸乃ちゃんの友だちです。あなたと会ったこともあります。幸乃ちゃんがあの白い家を出ていった日に」

翔は女の顔を鋭く見つめた。女は思ってもみないことを口にした。

「どうしても覚悟が決まらないの」

冷たい風が二人の間を吹き抜ける。言葉の意味はわからなかったが、翔は平静を保った。

「どういう意味ですか？」

「いつもここまでは来れるんです。あの子の顔が見たいのに、直接会って謝りたいのに。そうすることができなくて」

「どうしてですか？　行きましょうよ」

「でも、無理なんです。私にはもうあの子しかいないけど、あの子は絶対に私を許しません。私の好きなようにしてしまったから。もし拒絶されたらと思うと、どうしても顔を合わせるのが恐いんです」

独り言のように言い切ると、女はそのまま踵《きびす》を返した。本当は聞くべきことはたくさんあったのに、大切なことは何一つ聞き出せなかった。でも、ギリギリのところで連絡先を聞き出せたのは大きかった。〈田中美智子〉と記された古い名刺には、ほんのりと熱が残っていた。

翔は拘置所に入り、いつものように〈面会受付用紙〉に幸乃の名前と性別を記入した。するとなぜかいつもよりもずっと短い待ち時間で、窓口に呼ばれた。翔の気持ちなど知りようのない係の人間が、小さな紙を差し出してくる。そこには〈面会整理表〉とあって、〈面会実施フロア2階〉と記されている。待ち焦がれた日は唐突にやってきた。

呆然《ぼうぜん》と腰を落とした長椅子《ながいす》で、翔は周囲を見渡した。他に十人ほどの人がいる。テレビの音が寒々しく耳を打ち、〈本日の面会時間、20分〉という張り紙が目に入る。

十数年ぶりの再会だ。むろん充分な時間とは言えないけれど、混雑していれば〈5分〉という日もあるというから御の字だろう。

しばらくすると整理表にある番号を呼ばれた。エレベーターで向かった二階であらためて整理表を提示すると、「2番の部屋へどうぞ」と告げられた。すべてがはじめてのことだった。この二年間、夢に見続けてきたことだ。ベルトコンベアに乗せられたように、気づいたときには翔は面会室のパイプ椅子に座っていた。

面会人と囚人とを隔てるアクリル板に、うっすらと自分の姿が映っている。意味もなく髪の毛をいじくった。

十分ほど待っただろうか。不意に奥の扉を開いたのは、まだ若い女の刑務官だ。ほんのりと茶色く染められた髪の毛が制帽の下から見えている。拘置所という場所に似つかわしくない今どきの雰囲気を放っていて、翔は意外に思った。

しかし、そんな違和感はすぐに消し飛んだ。次の瞬間、部屋の空気が一変する。刑務官の背中に隠れるようにして、二十六歳になった幸乃が立っている。

「時間は二十分です。お話しください」

刑務官は素っ気なく言った。いや、素っ気なさを装《よそお》っているだけで、強い関心を持っているのが翔にはわかった。決して卑《いや》しさからというわけではなく、まるで庇護《ひご》を必要とする幼子に対するように、女性刑務官の幸乃への眼差しは優しい。

うすいアクリル板越しに相対するのは念願の姿だ。幼少期の雰囲気そのままに、というわけにはいかないけれど、間違いなく面影は残している。少なくとも〝悪魔〟や〝整形シンデレラ〟などと騒がれるような劇的な変化は感じない。当時の雰囲気を色濃く残すのは、皮肉にも一番メスを入れたという涼しげな目だ。

「久しぶりだね、幸乃ちゃん。元気にしてた？」

再会の挨拶をたくさん考えていたはずなのに、ありきたりな言葉が漏れた。幸乃はゆっくりと首をかしげ、か細い声で口にする。

「よく聞こえないんです」

「え？」

「音がこもっちゃって。少し大きな声で話してくれると助かります」

目を合わせようとはせず、幸乃は円形状に開けられたアクリル板の穴を指さした。ハッキリと懐かしさを感じさせる、彼女の声だ。

「ああ、そうなんだ。ごめん。ごめんね」と、翔は言葉に詰まりかけたが、なんとか声のトーンを一段上げた。

「あの、ずっと会いたいと思ってた。会えて良かった。十八年ぶりだよ、幸乃ちゃん」

幸乃はボンヤリとうつむいたまま、今度は何も応じようとしてくれない。それでも怯んでいる時間は翔にはない。

「なんで今日に限って会ってくれようと思ったの？　何かあった？　中でつらいことかあったら言うんだよ」

そう水を向けても尚、幸乃は表情を変えなかった。無言の時間が途端に大きな圧力のようにのしかかる。

「幸乃ちゃん、再審請求をしてみるつもりはないか？」

まだそのタイミングではないとわかっていたが、早速手詰まり感を覚えた。

「俺が責任持って先頭に立つからさ。信用してもらえないかな。争える部分はいっぱい残ってると思うんだ。少なくとも時間は稼げる。俺、幸乃ちゃんが普通の精神状態であんなことをしたわけじゃないって信じてるから。俺に抗《あらが》わせて欲しいんだ」

幸乃はこのときはじめて卑下したように微笑《ほほえ》み、小声で言った。

「あんなことってなんですか？」

「いや、だからそれは」

「時間は稼げるって、なんの時間ですか？」

「なんのって、わかるでしょ」

「刑の執行までどれくらいありますか？」

「それは……約六年って言われているけど。でも、やりようによってはもっと延ばせるはずで」

「逆に短くする方法はありませんか？」

「え？」と言ったきり絶句した翔を力なく見つめ、幸乃は小さくうなずいた。

「弁護士になられたんですね。お医者さんじゃなくて」

少しの沈黙のあとに出てきた言葉にだけは、幸乃の感情が込められている気がした。

翔は無意識に背筋を伸ばす。

「君、俺のじいちゃんが医者だったのなんて覚えてるの？　というより、幸乃ちゃんって俺のこと覚えてた？　俺たちがよく一緒に遊んでた山手のことって覚えてる？」

畳みかけた「覚えてる？」という質問に、幸乃は再び黙りこくる。その沈黙が五分にも、十分にも感じられたが、翔は幸乃の答えを待ち続けた。すでに幸乃と対面して十分が過ぎようとしている。でも、ここからが始まりなのだと胸の中で言い聞かせる。

幸乃はあいかわらず目を伏せたまま、こくりとうなずいた。

「この中って比較的自由なんです。不満なんてありません。担当してくれているみなさんもすごく良くしてくれます。感謝しています」

幸乃が背後の刑務官に語りかけているのはなんとなくわかった。幸乃は翔の返事を待とうとしない。

「ラジオも聴けるんです。昨日もニュースが流れていました。流星群のことも聞きました」

はじめ翔は幸乃が手紙のことを話しているのかと勘違いした。でも、会えなかった場合に投函しようと思っていたものだ。まだ出してもいない手紙の内容を知るはずがない。

「昨日はよく寝られなくて。ずっと磨《す》りガラスの窓を見ていました。星なんて見られるわけないのに、部屋が明るくなったらいいなと思って」

少しずつ幸乃の言葉に輪郭が伴っていく。自分に会おうと思った理由について説明しているのだと気づいたとき、翔はたまらず口を開いた。

「俺も覚えてるよ。あの日も冬だったよね。みんなで秘密基地に星を見にいったんだ。暗闇《くらやみ》の中で一つの星が真っ直ぐに尾を引いて、俺たちのいるところを照らした。驚いたこともよく覚えてる。そのあとみんなで笑ったのも」

翔の思い出話に、幸乃はつまらなそうに首をかしげた。

「冬じゃないですよ」

かすかに鋭さを増した口調に、刑務官がこちらを一瞥《いちべつ》する。

「私の誕生日だったんです。三月。あの年は早咲きで、桜が満開の春でした。それに、丘の基地には行っていません。私は病気で家で寝ていて、みんながお見舞いにきてくれたんです。それで私たちの部屋の天窓から空を見上げて。なかなか星は出てきてくれなかったけど、大きい流れ星が一つ現れて。でも、すぐにお母さんに見つかっちゃって――」

母親に叱《しか》られたことについて、食べたケーキのおいしさについて、父親のギターで歌った曲について、みんなで過ごした温かい時間について。幸乃の話はいつ尽きるともなく続き、翔は黙って耳を傾けていた。大半のエピソードがはじめて知るようなことばかりだったが、幸乃の声は胸に染《し》み入るように心地良かった。

幸乃は抑揚のない語り口で話し続けた。でも、不意に言葉が途切れたときだ。

「そろそろ時間です」

刑務官がおもむろに顔を上げ、幸乃に告げた。幸乃は小さく息を吐き出し、うながされるまま立ち上がる。静かに部屋を出ていこうとする幸乃を、翔は必死に呼び止めた。

「ごめん。ちょっと待って、幸乃ちゃん」

振り返った幸乃の顔に怪訝そうな影が差す。一瞬たじろぎそうになったものの、翔はすがるように質問した。

「君、シンちゃんの名前って覚えてる？」

うかがうように翔を見つめていた幸乃の顔に、不満そうな色が滲んだ。

「シンイチくん、ですよね？」

当然とばかりに言い切って、幸乃は少しだけ微笑んだ。

「ササキシンイチくん。彼、何も変わっていませんでした。私、すぐにわかりました」

「どういうこと？」

「私、見かけたと思うんです。法廷の傍聴席で、マスクをしていたけど、彼、何も変わっていませんでした」

最後に小さく頭を下げて、幸乃は今度こそ面会室を出ていった。一人取り残された部屋に冷たい空気が流れ込む。翔は頬が引きつっているのを自覚して、自分が楽しくもないのに笑っていたことに気がついた。

白紙のままだったメモ帳に〈ササキシンイチ〉と書き記す。ようやく対面できた喜びや、再審請求するという言葉を引き出せなかった悔しさより、幸乃との時間から解放されたことに翔はひどく安堵《あんど》していた。

自分の傲慢《ごうまん》さを思い知らされた気分だった。幸乃につながろうとしていたのは自分だけではなかったのだ。翔が事件に気づくずっと前から、「シンちゃん」は彼女を見ていた。面会の日から時間が過ぎるにつれ、翔は恥ずかしいという思いに駆られていった。

名前を知ったところで、やれることはとくになかった。「信一」「慎一」「新一」「伸一」と、考えられる限りの漢字を当ててネットで検索をかけてみても、それらしい人物はヒットしない。彼の出身中学に問い合わせてみたり、昔の仲間に尋ねたりもしたものの、めぼしい答えは得られなかった。

唯一《ゆいいつ》わかったのは〈ササキシンイチ〉が中学時代にイジメに遭っていたということだけだ。でも、そう教えてくれた彼の同級生でさえ「目立つ子じゃなかったですからね。あまり覚えていません。たしか途中でどこかに転校したと思います」と、申し訳なさそうに言っていた。

幸乃も二度目の面会には一向に応じてくれなかった。流星群という千載一遇のチャンスをきっと自分は活《い》かせなかったのだ。なんとなくそのことだけは理解できて、翔は払拭《ふっしょく》しようのない悔いを抱え込んだ。

状況をなかなか突き動かせず、時間だけが無為に流れていく。いつからか手紙の内容が乏しくなり、拘置所からの帰りに出しそびれたこともある。

一緒に住む両親は翔の異変に気づいていないようだったが、たまに会う祖父だけは心の内を見透かしていた。食事に誘われたのは、幸乃との面会の日からちょうど一年が過ぎた十二月のある日のことだ。

あまり気乗りはしなかったものの、翔は逆に小学校時代の同級生が経営する寿司屋に祖父を招待した。ちょうどその同級生の富樫健吾《とがしけんご》から、話があると呼び出されていた。

「まさか行きつけの寿司屋とはな。お前も立派になったもんだ」

温かいおしぼりで顔を拭《ふ》きながら、祖父は小馬鹿にしたように微笑んだ。

「そんなたいしたもんじゃないよ。いつ潰《つぶ》れてもおかしくないからたまに来てやってるんだ」

翔はカウンターに立つ健吾に目配せする。女好きで、いまだに夜ごとネオン街に繰り出すような男ではあるが、不思議と昔から馬が合った。

「ひどい言われようだな。おじいさん、ご無沙汰《ぶさた》しています。っていっても、僕のことなんて覚えてないですよね？　その方が僕にとっては都合がいいのかもしれないんですけど」

「ん？　君と会ったことがあったかね？　小さい頃か？」

「中二のときだったと思います。当時つき合ってた彼女の生理が遅れて、二人とも思い当たる節がありまくりで、翔のじいちゃんのとことも知らずに病院に駆け込んだんですよ。結局、妊娠はしてなかったんですけど、そのときめちゃくちゃ叱られました。あの日は『うるせぇ、ジジイ』って突っかかったんですけど。いや、その節はすみませんでした」

健吾はちゃめっ気たっぷりに首をすくめる。中学時代には厳しかった父親への反発から、髪の毛を金色に染め、眉毛をすべて剃《そ》り落とすといった風貌《ふうぼう》だった。小学生の頃からのあまりの変化に街で見ても声をかけることもできなかったくらいだ。

その友人が高校を中退したあとはきっぱりと不良仲間と距離を置き、東京の寿司屋で修業を重ね、数年前に脳溢血《のういっけつ》で倒れた父親の跡を継いでカウンターに立っているというのだから、人生どう転ぶかわからない。そしてもし健吾の改心に祖父の言葉が一役買っているのだとしたら、こんなに嬉《うれ》しいことはない。

そんなことをふと思ったとき、幸乃のことが脳裏を過《よ》ぎった。あるいは幸乃の人生においても一人でもそんな存在がいたとしたら、彼女は道を誤らないで済んだのだろうか。あんな凶行に手を染めずに済んだのか。

最近よく考えることがある。まだ彼女の母が生きていた頃、たとえ連れ子だったとしても、幸乃は間違いなく幸せだった。あの一時期だけを切り取れば、自分と幸乃の人生にそう違いはなかったはずだ。それがあの事故を分岐点とするように、二人の歩む道は見事にわかれた。

幸乃の母親があの事故を起こさなければ、いや、あの日に冷たい雨さえ降ってなければ、家族は当然のように健在で、田中美智子につけ込まれることもなく、幸乃は今も人に囲まれ幸せな毎日を過ごしていたのではないだろうか。あるいは人を殺すような人間は、生まれながらにしてそのような残虐《ざんぎゃく》性を隠し持っているものなのか。

いくら自問しても答えは出ない。答えは出ないが、考えずにはいられない。あの寒々しい面会室の、アクリル板の向こうとこちらとを隔てるものは何なのか。犯罪者を「自分とは違う生き物」と断じられるのはどうしてか。たまたまいつか雨が降らなかったから、自分たちは平々凡々と生きてこられただけかもしれないのに。

「なんて顔してるんだよ。お前、また田中幸乃のこと考えてんだろ？」

遠いところで声が揺らいだ。顔を上げると、健吾が呆《あき》れたように笑っていた。

「ああ……。いや、まぁな」

「深刻そうにしててもいいことないってのが、お前の座右の銘なんだろ？」

「そんな偉そうなもんじゃないけどな」

「いいから笑えよ」

「はぁ？」

「笑ったらいいこと教えてやる。だから笑え」

元ヤンキーの迫力は今も健在だ。口調は冗談っぽかったが、翔は気圧《けお》されるように従った。

「はい、これでいいな。なんだよ、いいことって」

強引に作った笑みをすぐにかき消し、翔はうながした。健吾は再び意地悪そうに笑い、背後の食器棚からスマートフォンを取り出した。

「実は今日お前に来てもらったのは他でもないんだ。やっと返信が来たんだよ、メール」

「メール？」

「ざけんな。お前に頼まれてた例の件だよ。〈死刑囚A子〉の元カレの親友さん。八《はっ》田聡《たさとし》っていう名前らしい。歳《とし》は俺らの一つ上、三十歳だって」

胸がトクンと音を立てる。健吾から「なんか俺に手伝えることはないのかよ」と執拗に迫られたのは、半年ほど前のことだった。幸乃との二度目の面会がなかなか叶わず、ただでさえやれることが限られていた中での申し出に、翔は一度は「そんなもんないよ」と首を振った。

しかし、健吾はいつにも増してしつこかった。「ウソだね。あるに決まってる」と迫ってきて、翔は仕方なく自分の日課の一つを振ったのだ。父から教えてもらったブログ『ある死刑囚との日々』の執筆者に、定期的にメールすることだ。

「なんで急に」

健吾からスマートフォンを受け取り、翔は呆然とモニターを覗き込んだ。生々しいブログの内容から、おそらく返信は来ないだろうと予想していた。現に数ヶ月間送り続けたメールは黙殺され続け、だからこそ健吾に丸投げしてもいいと思えたのだ。

「いやぁ、難儀したぜ。ホントにあの手、この手を使ったよ」

健吾は自慢気に目を細める。

「なんて書いてあるの？」

「自分で読めよ」

「なんか目がすべっちゃって」

「なんだ、そりゃ。とりあえず会いましょうって言ってくれてるよ。ネット以外で吐き出すつもりはなかったけど、丹下さんになら話そうと思いますって」

「丹下さん？」

「ああ、お前の名前で勝手にウェブメールのアカウントを作ったんだ。『アドレスを変えましたが、引き続き丹下翔です』って伝えてな。あとでアドレスとパスワード教えるよ。俺の送信したこれまでのメールを全部見直して、またお前が一からやり取りすればいいじゃん」

不意に立ち込めた静寂のあと、祖父がしみじみとつぶやいた。

「翔は幸せ者だな。いい友に恵まれて、いい仕事に恵まれて」

「さすが丹下医院の先生だ。よくわかってらっしゃる。まぁ、一円にもなっていない仕事の方は恵まれてるかどうかは知らないですけどね」

「何を言う。こんな幸せなことがあるものか。私を含め、多くの人間が自分の仕事が世のなんの役に立ってるのかと悩みながら働いているんだぞ。その点、翔はすでに明確な目的のある仕事に触れさせてもらっているんだ」

大昔に聞いた自分が生まれた日のエピソードが胸をかすめた。怪訝《けげん》そうに眉《まゆ》をひそめる健吾を見やって、祖父は顔をくちゃくちゃにほころばせる。

「お金じゃないよ。お金なんて二の次だ。お前さんだってこんなに旨《うま》いブリをこんな値段で食わせてるじゃないか。それはつまり、客の喜ぶ顔を見たいってことなんだろう?」

健吾を満足そうに眺めたあと、祖父はゆっくりと翔を見返った。

「人間が人生を賭《と》して挑める仕事なんてせいぜい一つか二つしかないんだ。お前は早々にそのチャンスを授かったんだよ」

「ああ、じいちゃん。俺、その話知ってるわ」

「知ってる?」

「うん。いつか親父からまったく同じことを言われたことがあるんだよね。たしか司法修習期間が終わる頃だったと思う。『俺の尊敬する人が教えてくれた』とか言ってたよ。だったら最初からじいちゃんがって言えばいいのにね」

「へぇ、あの広志がねぇ」と、祖父は嚙《か》みしめるように繰り返した。翔はスマートフォンを健吾に返しながら、頭を下げる。

「あとで全部転送してくれるか。ホントにありがとな、健吾」

「またなんかあったら言ってくれよ。ってか、もう他にないのかよ。なんかうずいちゃって」

「今はないけど、何かあったら相談するよ。お前の腕のいいことはもう知ってるから」

翔は冗談のつもりで返したが、健吾は真に受けたらしい。「俺は親友のピンチを放っておけないタチだからよ」と、誇らしそうに胸を張る。

祖父も追うように口を開いた。

「私もいい孫を持って幸せ者だ」

不思議と照れくさいとは感じなかった。ただ二人の期待を肌で感じて、久しぶりに身が引き締まる思いがした。

ブログの執筆者、八田聡と会うことができたのは、それから二ヶ月が過ぎた二月の極寒の日だった。

八田に指定された渋谷のカフェは、平日だというのに多くの若者たちで賑《にぎ》わっていた。やり取りしたメールやブログの文面から実直な人柄を想像していただけに、店内の華やかな雰囲気は少し意外だった。

翔は約束した十八時より二時間ほど早く店に到着した。渋谷に来る前に拘置所に寄ってきたからだ。

金曜の午後に拘置所を訪ねることは今も続けている。その帰りに近くのポストから手紙を投函《とうかん》することも変わらないが、今日はすんでのところで思い留まった。どうせなら八田と会ったことを書き記そうと考え直したのだ。

店の最奥部《さいおうぶ》のテーブルに案内され、翔はコーヒーを注文した。井上敬介に幸乃を紹介された経緯や、日常的に振るわれていたという暴力について、薬への依存度など、質問に抜けはないかとメモを見て確認する。声をかけられたときには陽はすっかり暮れていた。

「あの、丹下さん？」

顔を上げると、キャメルのロングコートを身にまとった男が立っていた。「はい」と応じながらも、翔はすぐに男を八田と認識することができなかった。想像していたよりもずっと若く、明るい雰囲気を湛《たた》えていたからだ。差し出された名刺には有名商社の社章が記されている。

「何を飲まれてるんですか？」

八田はゆっくりとコートを脱ぎながら、翔のカップを覗き込んだ。なんとなく酒が飲みたくなって、三杯目からはアルコール入りのアイリッシュコーヒーに変えていた。

素直にそのことを伝えると、八田はくすりと笑い、「いいですね。じゃあ、僕もお酒をもらおうかな。食事はどうします？　ここのチキンはいけるんですよ」と、矢継ぎ早に口にする。

弁の多さに呆気《あっけ》に取られ、翔はうまく対応できなかった。そうした心の内をきっと気取ったのだろう。

「僕、メールだと愛想がないってよく怒られるんですよね」

一瞬虚を突かれたが、翔は素直にうなずいた。

「ブログから受ける雰囲気とも違いますすね」

「あれは、まぁ内容が内容ですからね。それにあの頃のことを思い出すと、やっぱり気が沈むんです。どちらかが本物で、偽物《にせもの》ということはたぶんないですよ。で、どうします？　食事」

「あ、いただきます」

「チキンでいいですね？　ビールも？」

八田は店員を呼び止め、いくつかの料理と一緒にビールをもう一本オーダーしてくれた。運ばれてきたビールで乾杯すると、八田はおいしそうに喉《のど》を鳴らす。そして何かを回想するように口を開いた。

「この店、彼女とはじめて会った場所なんだよね」

「そうだったんですか。なんで渋谷なんだろうって思ってました」

「この裏に大きなパチンコ屋があるの知ってる？」

「いえ」

「そこに敬介とよく来てたんだ。ああ、敬介って井上敬介のことね。田中幸乃の元恋人。あの事件の被害者遺族。ブログでは〈友人B〉」

「大丈夫です。わかります」

「あそこにも書いたけど、あいつ一時期ひどいパチスロ中毒でさ。僕もしょっちゅうつき合わされてたんだ。で、どっちかが大勝ちすると、たまにここでチキンを食べた。そういう店」

「そうだったんですね。あの、どういうふうに彼女と会ったか覚えてますか？」

「敬介から新しい恋人だって紹介されたんだと思うよ」

「いくつの頃に？」

「うーん。まだ就職する前だから二十二、三だったかな。もう七、八年前になるのか」

「第一印象はどうでしたか？」

「なんか暗い女だなって」

「どんなことを話したかって覚えてます？」

「いやぁ、どうだっただろう。っていうか、ちょっと待って。今日ってそんな感じ？なんか取材を受けてるみたいなんだけど。丹下くんってマスコミの人じゃないんだよね？」

ペンを走らせる翔を制して、八田は先ほど渡した名刺を見返した。

「あ、すみません。なんか聞きたいことがいっぱいあって」

「ううん。べつにいいんだけどさ。ただ僕、マスコミっていうのが昔からどうも苦手で」

「そうなんですか？」

「うん。彼女の件でもほとんど取材は受けてないよ。っていうか、後にも先にも僕が受けたインタビューは一つだけだ。それもわりと最近のことなんだけどね。君と同じようにブログ経由でメールをくれた人がいて。しつこさは君以上だったな」

それを聞いて思い出すことがあった。幸乃が放火したアパートのオーナーの草部猛や、四谷の弁護士の高城など、翔が今でも連絡を取っている数人も同じような記者の存在を口にしていた。

質問したいと思ったが、八田が先んじるように肩を揺らす。

「マスコミの報道って一方的でしょ？　僕はまだ小学生だった頃に痛い目を見ていてさ。たとえば今回の事件だって、敬介はあまりにも無垢な存在として語られすぎだと思うんだよね」

「でも、井上さんは被害者遺族なわけですから。守られてしかるべき存在だとは思いますけど」

「ホントにそうなのかな？」

八田はどこか挑発的に首をひねった。

「本当にそんな単純なことでいいんだろうか。それは絶対的に罪のない美香ちゃんや双子の子どもたちにこそ当てはまることであって、敬介自身がすべて許されていいわけじゃないって僕は思うんだけど」

「ブログにもそう書いてありましたね。『裁くつもりはないけど、自分から見た事実をありのまま伝えたい』って」

「田中幸乃の犯した罪を許すことは絶対にないよ。でもね、火を放った瞬間の彼女はたしかにモンスターだったかもしれないけど、生まれながらにしてそうだったわけではないことを僕は間近で見て知っている。じゃあモンスターにしたのは誰だったのかって、検証してみる必要があったんだ。彼女を見てきた時期を綴《つづ》ることは、僕にとってはある意味では禊《みそ》ぎだった」

「禊ぎですか？」

「うん。僕はあのブログで自分のことも批判しているつもりだよ。敬介だけじゃない。彼女をあの事件に駆り立てた、僕だって間違いなく当事者の一人だ」

たしかにそうだ。八田が毎日更新を欠かさないブログには、悲観的すぎるとも思えるような自己への批判が綿々と綴られている。

「だとすれば、僕もその一人なんだと思います」

翔の言葉を肯定も否定もせず、八田は続けた。

「僕は彼女に大きな荷物を背負わされたと思っている。自分はあの事件を傍観していていい人間じゃない。ようやくそれに気づいたとき、取材を受けてみようと思ったんだ」

「幸乃に会いにいかれたことはあるんですか」

「いや。今までもないし、これからもそのつもりはないよ」

「どうして？」

「古い傷を舐《な》め合いたいとは思わないからかな。だからといって、僕は彼女のしたことを許そうとは思えないし。もう何年も会ってないけど、敬介だって友だちだったわけだから。今さらどんな顔して彼女に会ったらいいか――」

すらすらと口をついて出ていた言葉が、そこで途切れた。顔を覗き込むと、八田は険しい表情でどこか一点を見つめている。

「いや、違うよね。そうじゃないや」

ゆっくりと翔に目を戻すと、八田はなぜか申し訳なさそうに頭を垂れた。

「ごめん、丹下くん。全然違うわ。本音を言うとね、僕はもうこれ以上何かを背負うことが恐いんだ。幸乃ちゃんのことはもちろん家族にも明かしていない。僕が陰であんなブログを書いていることを知ったら、きっと妻は気味悪がるだろうね。三歳になる娘も」

「お子さんがいらっしゃるんですね」

「うん、早くも生意気になってきていて末恐ろしいよ。丹下くんは？」

「僕は彼女もいませんよ。仕事が忙しいとかじゃありません。昔からモテないんです」

「へぇ、モテそうなのに。どうせ選り好みしてるんでしょ？」

八田の追及を軽くいなしたところで、表層的な会話は停滞した。八田は真顔を取り戻し、さらに一歩踏み込んだ。それはおそらくこれまで誰にも明かせずにいたはずの、彼の告白だったと思う。できれば聞きたくない話だった。

「もっと言うとね、僕は早く彼女の刑が執行されないかとも思ってるよ。それがいかにひどい考えかってわかっているけど、どうしてもその思いが拭《ぬぐ》えない。彼女が今もどこかで生きていることが恐いんだ。毎晩のように夢に出てくる彼女から逃れたい」

やはり今日手紙を出してくるべきだった。これまでもっとも長い沈黙を受け止めながら、翔は思った。新しく記せることなどない。彼女の死を望んでいる男と会ったことは綴れない。


その後は当たり障《さわ》りのない会話を続けた。八田の方がむしろ幸乃のことに触れたがっているのはわかったが、翔が深い話に持ち込ませなかった。

「またいつでも連絡してよ。今日は僕も少し気持ちが軽くなった」

八田は当然のように伝票に手を伸ばしかけた。そのことになぜかムッとして、翔はなかば強引に奪い取った。

「あ、すみません。もちろん僕が払います」

最後の最後で気まずい沈黙が立ち込めそうになり、翔はあわてて話題を変える。

「あの、八田さんが取材を受けた会社の連絡先って教えてもらうことできますか？　僕も何かお話しできることがあるんじゃないかと思うんです」

そこに何かヒントがあると思ったわけではない。ただ、一つでも多くのチャンスが欲しかっただけだ。

幸乃の情報を得て、その輪郭をつかむことで自分が何をしたいのかわからない。もう二度と会えないという気もするし、再審請求などすでに夢のようでもある。でも、このままでは終われない。せめて自分が流れに抗うことでしか、何かを切り拓《ひら》ける気はしない。

八田は平然とした様子で手を振った。

「いや、会社とかじゃなかったよ。フリーのライターって名乗ってたかな。名刺にも家の住所が書いてあったと思う」

「有名なライターなんですか？」

「いや、まだ駆け出しだって言ってたけど。年齢も若かった。丹下くんと同じくらいじゃないかな。ええと、名前はなんだったっけ」

少しの間考える素振りを見せて、八田は表情を輝かせた。

「ああ、そうだ。佐々木って言ってた気がするな。ええと、下の名前がたしか——」

「シンイチ？」

思わず口走っていた。言ってから、まさか、そんな……と打ち消しかけたが、八田は瞳《ひとみ》をパチクリさせた。

「へぇ、すごい。そう、佐々木慎一くん。彼ってそんな有名人なんだ？　ネットで検索してもヒットしなかったから、怪しいなって思ってたんだよね。実際にちょっと変な人だったし」

「変な人？」

全身を血が激しく巡った。それでも翔は平静を装った。慎一との関係を知られたところで問題はないはずなのに、隠さずにはいられなかった。ようやくつかんだきっかけがすり抜けていきそうな気がして恐かった。

八田は少し迷うような仕草を見せた。

「いや、実はね、僕、彼を見たことがあるはずなんだ。取材を受けるずっと前に、法廷で。幸乃ちゃん、判決が出たあとに一度だけ傍聴席を振り向いたんだよね。それで彼女の見た先に佐々木くんがいたと思うんだけど、彼は絶対に行ってないって、最近取材を始めたばかりだって言い張るんだ。でも、その言い方がすごくきつくてさ。ちょっと面食らったよ」

間違いない。幸乃の話と完全に合致する。翔は何食わぬ顔でメモを広げた。

「その人って、面会には行ってるんですかね」

「いや、行ってないって言ってたよ」

「〈ササキシンイチ〉の〈シン〉って、どういう字だったか覚えてますか？」

「ええと、りっしんべんの『慎』だったかな」

「連絡先、本当に教えてもらってもいいのでしょうか？」

「うん、帰ったらメールするよ。彼だって情報は欲しいだろうしね。ああ、そういえば彼、中学校時代の強盗事件のことをしきりに知りたがってたよ。何か聞いてませんかって」

「あの古本屋の事件のことですか？　なんで？」

「さぁ。何か不審なことでもあるの？　って聞いても、べつにそういうわけじゃないって濁してたけど」

翔の思い詰めた表情をどう捉《とら》えたのかはわからない。気づいたときには八田は柔らかい笑みを浮かべ、「早くできるといいね」と言っていた。

「恋人。丹下くん、やっぱり普通にモテそうだもん」

八田の声はほとんど耳に届かなかった。翔はメモを凝視して、必死に手の震えを抑えていた。


その日の夜、帰宅した八田から早速メールが送られてきた。食事の礼とともに、佐々木慎一の住所と電話番号、メールアドレスが記されている。

驚いたのは慎一も横浜市内に住んでいることだった。〈横浜市神奈川区神之木台《かみのきだい》――〉と記された住所を、翔はインターネットで検索にかけた。建物の外観まで表示されることに気味の悪さを感じたものの、生活の一端が垣間見られてありがたい。

慎一がかなり古びたアパートに住んでいることはわかった。最寄りはJR横浜線の大口《おおぐち》駅。八田や井上一家の住んでいた中山から横浜寄りに五つ目の駅だ。偶然なのだろうと思いつつ、抗いがたい違和感を抱く。

八田へのお礼のメールを先に送って、翔はスマートフォンを手に取った。教えられた番号を打ち込み、一度は通話ボタンをプッシュしたが、つながる直前に電話を切った。先に幸乃に伝えなければと思ったのだ。彼女から「シンイチくん」という名前を聞いたとき、翔は自分のなすべき仕事が切り替わったことを肌で感じた。あの日の気持ちを思い出した。

翔はカバンから今日出さなかった手紙を取り出し、ゴミ箱に投げ捨てた。そして机から新しい便せんを出し、無心でペンを走らせる。その間の記憶が翔にはほとんど残っていない。

一時間ほどして目が乾く感じを覚え、我に返った。書いたものを読み返す。いつも以上に乱筆で、ところどころに誤字もあった。それでも書き直そうとは思わない。こんなふうにありのままの思いを綴ったのは、流星群のニュースを見た日以来だ。

翔はあらためて便せんと向き合った。手紙を読む幸乃の姿を想像する。最後の一文だけは覚悟を持って書き記した。

『近く、慎ちゃんと会うことになりました。そっちに連れていけるかもしれません。君はそれを望みますか？　教えてください』

それからの一週間はひどく長く感じられた。ようやく迎えた金曜の昼、コートをまとって事務所を出ていこうとする翔に、父が厳しい表情で尋ねてきた。

「今日なのか？」

翔は思わず眉をひそめた。父に慎一のことは言っていないし、手紙のことも明かしていない。

「なんで？」

「顔」

「顔？」

「なんか朝からものすごい顔をしてるぞ。今日だけじゃない。ここ最近のお前はなんかちょっと恐かった。私の子じゃないみたいだって、お母さんも怯《おび》えてた」

「いや、知らないけど」

そう言いかけて、翔は言葉をのみ込んだ。父の吐いた何気ない一言に、あらためて確信を強める思いがした。

「うん。今日なのかもしれないね」

「そうか、今日なんだな……。で、何がだ？」

自分で言っておきながら、父はおどけたように首をひねる。まるでコメディ映画のようなやり取りに、翔はたまらず噴き出した。

何かを突き動かせるとしたらきっと今日だ。その予感は強まっていく一方だったが、理由を一から説明するのが面倒で、翔は軽く受け流した。

「悪いな、親父。守秘義務だ」

拘置所に向かう間、翔は一つのことだけを考えていた。本も開かず、手帳も見ず、音楽も聴かずに、幸乃の未来のことだけを考え続けた。

拘置所に入り、いつものように面会の申請をし、受付で呼ばれるのを落ち着いた気持ちで待ち続ける。実際に番号を呼ばれたときも、いつかのように高揚はしなかった。手続きを淡々と済ませ、今回は手帳も持ち込まず、面会室の扉を開く。数分待ったところで足音が聞こえてきた。

扉を開いたのは、前回と同じ女の刑務官だった。たった一年ほどの間に、彼女は少しやつれたように見えた。茶色だった髪が黒くなり、化粧もうすくなっている。

直後に姿を見せた幸乃の方は、時間の流れをまったく感じさせなかった。髪の長さも、目の下の窪《くぼ》みも、線の細さも、青白い肌の艶《つや》も。幸乃を幸乃たらしめているすべての要素に、翔はなぜか少し苛立《いらだ》った。

翔は呆然《ぼうぜん》と席を立っていた。目の前に対峙《たいじ》するのは、すでに幼なじみの「幸乃ちゃん」ではない。多くの人に裁かれることを望まれている凶悪犯罪者であり、罪のない三人の未来を奪い取った確定死刑囚だ。幸乃が平然と自分の罪を許容して見えることが、翔にはどうしても許せなかった。

「なんで君は罪を悔やもうとしないんだろうね」

翔はポツリと言った。顔色を変えて「お座りください」と口にした刑務官を無視して、アクリル板に手を触れる。

「どうして反省しようとしないんだろう？　自分が何をしたのかわかってるのか？　犯した罪から逃げるなよ。君が死にさえすればいいっていう問題じゃない。君から逃れられない人間はたくさんいるんだ」

なぜか幼い頃の慎一の姿が脳裏を過ぎった。真っ直ぐに翔を見据えていた幸乃の瞳に、卑下するような笑みが浮かぶ。

「私は慎一くんに会いたいとは思っていません」

冷たい静寂に身が裂かれそうだった。

「今日はそれだけを伝えにきました。もう来ないでください。手紙も結構です。これまでありがとうございました。感謝しています」

幸乃は深々と腰を折って、そのままゆっくりと踵《きびす》を返した。「逃げるなよ」という思いは、もう声にならなかった。

面会室に翔は一人取り残された。笑っていても事態は動かず、封印しても好転しない。そのことを理解し、自分の無力さをひたすら突きつけられる気持ちだったが、それほど落胆はしなかった。

むしろ翔は覚悟が決まった気がした。判決の日からすでに三年余。時間はそれほど残されていないはずだ。せめて彼女が彼女自身と向き合うために、罪を直視するために。自分のやれることはもう一つしかない。

無意識にポケットをまさぐって、翔ははじめてスマートフォンをロッカーに預けていたことを思い出した。そのほんの数分の間でさえもどかしく感じた。

自分を含めた〝丘の探検隊〟にとっての最後の希望だ。きっとそこにしか救いはない。

慎一を幸乃につなげることが自分の使命だと、翔は唇を噛みしめた。

第七章「証拠の信頼性は極めて高く――」

田中幸乃のことをいつものように思っていたとき、佐々木慎一は着信に気がついた。どうせ母からだろうと携帯を開くと、登録されていない番号が表示されている。

一件目の履歴は十五時半。かなり前の着信に気づかない自分に呆《あき》れながら、その他の着信時間も調べてみる。二件目もバイトが始まる前の二十一時、もう一件の記録は日付が変わった〇時半に残っている。

なぜか鼓動が早まった。すでに深夜二時を回っている。普段だったら絶対にかけ直さない時間なのに、慎一は通話ボタンを押していた。

電話はなかなかつながらなかった。七回、八回……と呼び出し音が聞こえてくる。途中から早く留守電に切り替わることを願っていたが、結局アナウンスは流れなかった。十数回目のコールの途中で、応答があった。

『へへへ。慎ちゃん？　久しぶり。誰だかわかる？』

忘れるはずがない。声に覚えはなかったけれど、自分を「慎ちゃん」と呼ぶ人間は多くない。

「う、うん、わかるよ。もちろんわかる」

慎一はかすれる声で繰り返し、冷たい窓に手を触れた。大手都市ガス会社のオペレーターのアルバイトを始めて、一年が過ぎた。三十階の休憩室から見えるのは、みなとみらいに赤レンガ倉庫、マリンタワーと横浜港……。見慣れた景色の少し先には、ずっと目に触れることさえ拒んできた山手の丘も見渡せる。

「げ、元気にしてた？　翔ちゃん」

自分の数少ないまばゆい思い出には、必ず彼の姿があった。慎一にとってもっとも古い友人の一人、丹下翔の声が弾《はじ》けるように耳を打つ。

『うはっ。マジかよ、慎ちゃん。覚えててくれて嬉《うれ》しいよ』

翔は笑い声を上げたあと、近況を報告しようともせずに切り出した。

『ねぇ、慎ちゃん。近々会うことできないかな？』

翔は慎一の返事を待とうとせず、さらに畳みかけてくる。

『今日、幸乃ちゃんと会ってきたよ。慎ちゃんも何かしようとしてるんだろ？　その話がしたいんだ』

その声を遠くに聞きながら、慎一は再び視線を窓の外に向けた。普段はモノクロの横浜の街並みに、ふっと光が差したように見えた。まぶたの裏に丘の上からの景色がよみがえる。慎一は見えない相手にうなずきかけた。

「う、うん。そうだね。そうしよう」

いつかこんな日が来ると思っていた。自分の声が耳に滲《にじ》む。二度と取り戻すことができないと思っていた優しい光景が、眼下にたしかに広がっている。

翔とは二日後の日曜に会う約束をした。電話で何よりも驚かされたのは、翔もまだ横浜市内に住んでいるということだった。家は今も山手にあり、職場は慎一と同じく横浜駅の徒歩圏にあるという。

翔の方はかねての夢を叶《かな》え、弁護士になったのだと聞かされた。アルバイトさえ長続きしなかった自分との差に卑屈な思いが芽生えかけたが、胸に押し留めた。

翔は待ち合わせ場所に山手を指定してきた。その申し出を受けるのは、慎一にとってはかなりの覚悟を要することだった。

そんな思いを知らない翔は平然と笑い、『幸乃ちゃんたちの住んでた家って覚えてる？　あの近くに〈エリーゼ〉っていう喫茶店があるんだ。そこに十八時でどうかな？』と言ってきた。

　そうして迎えた約束の日、指定された店で、翔は先に待っていた。やんちゃだった当時の面影は残っていない。上等そうなウールのジャケットを着て、革のカバーをつけた文庫本を開く男性は見るからにエリート弁護士といった風貌《ふうぼう》だ。

「あ、あ、あの……」

　情けないほど声が上ずった。顔を上げた翔の瞳《ひとみ》に不思議そうな色が浮かぶ。慎一を認識し、柔らかい笑みを湛《たた》えるまでに、一瞬の間があった。

「うわぁ、慎ちゃん？　すげぇ、久しぶり。全然変わってないじゃん」

　笑いながらも、しっかりとこちらを値踏みするような視線が突き刺さる。

「う、うん。ひ、ひ、久しぶりです」

　慎一は翔の目も見ずに頭を下げた。誰かと話すときはいつもそうだ。挙動不審と思われているに違いない。そう思ってしまうだけで、うまく言葉が出てこない。電話でなら少しは話せるのに、直接会うとどこを見ていいのかわからない。

「いやぁ、ホントに久しぶりだね。慎ちゃん。まだ横浜に住んでたんだね」

　翔は気にする素振りを見せず、飄々《ひょうひょう》と尋ねてくる。

「い、一年前に引っ越した。それまでは、あの、は、八王子の方にいて」

「そうなんだ。八王子にはいつから?」

「中学を出たあとから……。あの、親の仕事の都合で」

「今は一人暮らし?」

「そうだけど」

「そうか。いや、とにかく元気そうで安心したよ」

少しでも気を抜けば、その瞬間、沈黙にのみ込まれそうになる。翔は濁りのない笑みを浮かべているが、やりづらいと感じているに決まっている。

その後、しばらくは翔の近況を聞いていた。慎一はひたすら相づちを打っていたが、自分から言葉は出てこない。

「で、慎ちゃんの方は?」

翔は不意に話を振ってきた。

「え、ごめん。な、なんだっけ?」

「だから、今は何やってるの? 仕事」

「あ、ああ、東都ガスで働いてる。こ、ここからビルが見える」

慎一は早口でまくし立て、顔をビルの見える窓に向けた。しかし翔は視線を外さず、慎一が思ってもみなかったことを口にする。

「やっぱりフリーライターとかじゃないんだね」

「え？」

「そう名乗ってたって、八田さんが言ってたから。何か聞きにいったんでしょ？　幸乃ちゃんのブログ書いてる人」

すぐには話をのみ込めなかった。しばらくして顔が熱くなることを自覚する。翔に他意がないことはわかったが、慎一はたまらなくなってうつむいた。

『友人が事件を起こしました。関係者に話を聞きたいのですが、どうしたらいいですか？』

ネットの〈Q&A〉サイトにそんな質問を書き込んだのは、もう二年も前のことだ。暴言を含むあらゆるアドバイスの中で、慎一がもっとも感心し、実行しようと思ったのは『勝手にライターを名乗ればいいんですよ』というものだった。

慎一はすぐに自分で名刺を刷り、話を聞きたい人のリストを作った。それでも実際に行動に移すまでには、ずいぶんと時間がかかった。

ようやく覚悟を決められたのは『ある死刑囚との日々』を発見したことがきっかけだ。当時はコンビニのバイトを辞めたばかりで、自室に籠《こ》もり、時間だけは山のようにあった。一週間ほどかけてすべての記事を読み切ったとき、慎一は胸で何かが突き動かされるのを感じた。実家を出て、横浜に戻ることを決めたのもこの頃だ。

「でも、たいしたもんだよ。ライターを名乗るのとか、勇気が要ったでしょう？　ホント、俺なんかよりずっと行動力がある」

翔はしみじみとうなずき、続けた。

「八田さんの話を聞いていても、充分再審の余地はあると思うんだよね。少なくとも時間は稼げると思うんだ」

いきなり本題に触れられて、慎一は呆気《あっけ》に取られそうになる。

「じ、時間って……。なんの？」

翔はなぜか苦笑した。

「それ、幸乃ちゃんにも同じこと聞かれたよ。もちろん、あの子が死刑になるまでの時間。彼女にはそこまで言えなかったけど」

「あ、あの、ごめん。そ、そのことなんだけど、翔ちゃん――」

はじめて面と向かって翔の名を呼んだ。今にも閉じてしまいそうな口を、慎一は必死にこじ開ける。ずっと疑問に感じることがあった。

「し、死刑って、なんのためにあるのかな。は、反省させるため？　でも、あの子は、そんなのしてないんだよね？　そ、それに反省させたって、こ、こ、殺しちゃったら意味ないよね」

翔の顔に意地悪そうな笑みが滲んでいった。

「何？　慎ちゃんって死刑反対派なの？」

「そ、それは、よくわからない」

「わからない？」

「はじめは、というか、い、今までは、当然必要なものだと思ってた」

「けど今は……っていう話？」

「わからないけど、でも僕は、い、今は、とりあえず加害者の側だから。ゆ、ゆ、幸乃ちゃんのことしか考えられないから、今は反対なんだと思う」

全然違う、そうじゃない。本当に伝えたかった言葉は出てこなくて、出てくるのは稚拙な考えばかりで、慎一はもどかしくなって唇を噛《か》んだ。

それなのに翔は感心したように目を細めた。

「へぇ、いいじゃん。ちゃんとめちゃくちゃ自分勝手だ。世界では死刑廃止が主流とか、国家による殺人だとか、そんな理由だったらたぶん俺はガッカリした」

翔は一息に言うと、おもむろに窓の外に顔を向けた。

「やっぱりいいよね。この夜景。でも、横浜に住んでない人にはわりと評判悪いみたことらしいよ」

いなんだよね。排他的な景色だとかって。いずれにしても、見方は一つじゃないって

「ね、ねぇ、翔ちゃん」

慎一はツバをのみ込み、もう一度だけ覚悟を決める。こんな日を自分はずっと待ち続けていたはずなのだ。

「は、判決が、く、く、覆《くつがえ》ることって、あるのかな？」

「何が？　幸乃ちゃんの？」

うん、と慎一がうなずいた瞬間、空気が凍《い》てつくのがわかった。ジリジリという蛍光灯の音が耳につく。しばらく慎一を見つめていた翔の目が、逃げるようにそちらを向いた。

「それは、まぁ過去にはなかったわけじゃないけど」

「ど、どうすれば？」

「うーん、かなり決定的な新証拠が出てくればって感じかな。でも、そんなことは九分九厘ありえないよ」

「こ、今回が残りの一厘であるってことは？」

「いやいや、慎ちゃん、変な期待を持つのはよそうぜ。気持ちはわかるけど、声をか

けたのはそんな理由じゃない」

「知りたいんだ、僕」

声の大きさをうまく調整することができなかった。翔は眉《まゆ》をひそめていたが、少しすると面倒くさそうに息を吐いた。

「だからさ……。たしかに特別丁寧にってわけじゃなかっただろうけど、捜査はきちんと行われてるよ。矛盾したところはべつにない。犯行時刻の前にアパートの近くにいるのを目撃されているし、川に灯油缶を投げ捨てたところも見られている。勾留期限ギリギリの自白とかなら、まだ強制的な取り調べの可能性も出てくるんだけど、今回はそうじゃなかったしね。幸乃ちゃんは最初から罪を認めてるんだ。覆ることは絶対にない」

「で、でもさ、翔ちゃん。でもだよ――」

会話に慣れてきたせいか、それともこれが本題だと思ったからか、思いが口からあふれ出そうになる。翔は先んじるように首を振った。

「違うから。俺たちのやるべきことはそれじゃない。俺が知りたいのはそこじゃない」

お前の意見は聞きたくないというふうに、翔は言葉を重ねて否定した。まだ伝えたいことがあったのに、はじめて現れた上から目線の翔の表情に、気持ちが一気に萎《な》えていく。

翔は冷たい表情を崩さなかった。

「どうして罪と向き合おうとしないのかって、俺が知りたいのはそこなんだ。俺たちの知ってる幸乃ちゃんはそんな子じゃなかったよね。俺にはどうしてもそのことが解《げ》せなくて」

翔はそこで一度言葉を区切って、あらためて語り出した。自分の知る田中幸乃という人間について。彼女の人生における分岐点について。自分が救ってやれなかった悔いについて。これからしようとしていることについて。幸乃が罪と向き合うということについて。時間を稼ぐことの意味について。一つ一つの話には、たしかに納得するものが多かった。

「なぁ、慎ちゃん。『誰かが悲しい思いをしたらみんなで助けてやる』って、そんな話をしたの覚えてる？　〝丘の探検隊〟の仲間たちで」

「もちろん。覚えてるよ」

「今こそ俺たちの出番だよな」

「そ、そうだね。そうかもしれない」

「幸乃ちゃんの方から慎ちゃんの名前を出してきたんだぜ」

翔の言葉に鋭さが孕《はら》まれた。

「法廷でマスクをした君を見かけたって、忘れるわけがないって、あの子の方から言ってきた。ねぇ、慎ちゃん。幸乃ちゃんに会わないか？　彼女の心を溶かせるのは慎ちゃんしかいないと思うんだ。お願いだ。せめて手紙だけでも書いてほしい」

自分こそ彼女の正当な理解者だと誇るように、翔は深々と頭を下げた。その姿を慎一は妙に冷静に見下ろした。翔の言葉に感じることはほとんどない。むしろ先ほど抱いた寒々とした気持ちは膨らんでいく一方だ。

自分と翔とでは立っている場所がまったく違う。一緒に山頂を目指していると信じていた仲間が、実はまったく違う山にいた。そう知らされたかのように、慎一は孤独な気持ちを抱かずにはいられなかった。

「今の俺たちが彼女にしてやれるのは、少しでも落ち着いた心境で最期《さいご》を迎えさせてやることだと思うんだ。このまま逝《い》かせるわけにはいかないよ」

その言葉が勇ましければ勇ましいほど、慎一はしらけた気持ちに駆られていく。死刑という前提を当然のように受け入れた人間に、話せることは何もない。

あの子、たぶんやってない――。

何よりも伝えたかった思いは喉《のど》もとまでも出てこなかった。確たる理由はないけれど、虫さえ殺せなかったかつての幸乃がやったとはどうしても思えない。

いや、違う。そんなことではないはずだ。この期に及んで自分はまだ取り繕っている。自分だけが知っている秘密がある。

不思議そうに眉根を寄せた翔にうなずき、慎一は伝票に手を伸ばした。視界の端に横浜の夜景を捉《とら》える。あの日のことが鮮明に脳裏を過《よ》ぎる。幸乃を思い出すとき、決まって胸をかすめる場面がある。

田中幸乃が自分の人生から消えた。そのことをはじめて突きつけられたのは、幸乃が街からいなくなった翌朝の布団《ふとん》の中だった。

直前まで恐い夢を見ていたのを覚えている。世界が真っ黒に塗り固められ、すべての色が失われるという夢だ。

「慎ちゃん、起きてる？　もう朝よ」

エプロンをまとった母は、静かにカーテンを開け放った。その瞬間、慎一は「あっ」と声を上げた。部屋に差し込む朝の陽が本当に黒く見えたからだ。慎一はこのときはじめて世界が変わっていることを痛感した。

「どうかしたの？」

振り返った母は、なぜか勝ち誇った表情を浮かべていた。すでに幸乃が街を去ったことを知っているのか。物心ついた頃から仲の良かった、近所に住む「幸乃ちゃん」だ。母親同士も笑顔で挨拶《あいさつ》していたし、お互いの家でお茶を飲んだこともあったはずだ。

その母から前触れもなく幸乃と遊ぶことを禁じられたのは、夏休みが明ける直前だった。遠回しに、でも有無を言わせない口調で語られた野田家の話は、慎一の知らない淫靡《いんび》な雰囲気をまとっていた。

それでも母の話だけなら、慎一は意に介さなかったはずだ。母の言葉を証明するような出来事に直面したのは、そのわずか二日後だった。いつもの公園で探検隊のみんなが来るのを待っているとき、身に覚えのない視線が突き刺さった。

顔を上げると、うすいピンクの服を着た中年の女の人が微笑《ほほえ》んだ。慎一は釣られるように頭を下げた。女性は安心したように歯を見せると、左足をかすかに引きずりながらこちらに向かってきた。

「はじめまして。田中美智子といいます。まだまだ暑いわね」

足が悪いのを不憫《ふびん》に思い、慎一は身体を端に寄せた。不思議なほど警戒心は湧《わ》かなかった。彼女の放つ雰囲気がなぜか幸乃の母に、もっといえば幸乃自身に似ていたからだ。

しばらく他愛のない会話を交わしていた。女性はニコニコとよく笑っていたが、慎一が少し焦《じ》れ始めた頃、ふと真顔になった。

「今から私が言うことは絶対に誰にも話さないでもらいたいの。いい？　約束できる？」

おずおずとうなずいた慎一の目を見つめ、女性は諦《あきら》めたように息を漏らした。

「私はあなたの友だち、野田幸乃の身内の者です」

すぐに言葉の出てこなかった慎一から、女性はなぜかまぶしそうに視線を逸らした。そして少し考える仕草を見せたあと、昂《たか》ぶった声で語り始めた。彼女の離婚をきっかけに、幸乃の母と生き別れになったこと。幸乃の母が若い頃から水商売をしていたこと。男に頼らなければ生きてこられなかったこと。幸乃の本当の父親のこと。自分がどれほど大変な思いをして娘を探していたかということ。自分がいかにつらかったかということ……。

簡単に信じられる話ではなかったけれど、慎一は腑《ふ》に落ちる思いもした。母が神妙そうな表情で語っていた話と通じる部分が多かった。

「私、たまにここに来るから。あの子たちのことをいろいろと教えてくれる？」

「どうするんですか？」

「あの子たちを取り戻すの」

「取り戻す？」

「大丈夫。あなたに迷惑はかけないから。何も変わらない。私の敵はあの男よ。たった二人しかいない家族に会わせてもくれないなんて、ひどい話だと思うでしょ？」

「幸乃ちゃんのお父さんですか？」

「とんでもない男よ。人の弱みにつけ込んで。最低の男」

女性の口調はこれまでで一番厳しかった。普段の幸乃の父親の姿を思い返せば、納得できる話ではない。でも彼女がウソを吐《つ》く意味がわからなくて、胸が痛んだ。

「私のことは絶対に誰にも言わないで。たまにここに来るからね」

女性はあわてたように腰を上げた。公園の入り口に幸乃の姉の陽子が立っている。彼女は陽子を一瞥《いちべつ》すると、最後に「お願いね」と念押しして、足早に公園を去っていった。

その日以来、田中美智子は本当にたびたび慎一の前に現れ、幸乃たちのことを尋ねてきた。告げ口しているようでうしろめたくはあったものの、彼女が幸乃の祖母であるということだけが理由になって、慎一も聞かれるまま答えていた。

そうこうしているうちに、街で野田家に対する良からぬ噂《うわさ》が流れ始めた。慎一は耳をふさいでいたかったが、新しい話は毎日のように入ってくる。日に日に田中美智子の言葉に真実味が増していった。そして比例するように、幸乃の両親を汚《けが》らわしく感じるようになっていった。幸乃がかわいそうに思えてならなかった。

しかし母からは一緒に遊ぶことを禁じられ、頼みの翔も「今は耐えろ」と言うだけだ。歯止めの利《き》かない流れの中で、慎一もまた幸乃に対して口数を減らしていった。気持ちをうまく言葉にすることができなくて、苛立《いらだ》ちを募らせた。

幸乃の母が自動車事故を起こしたのはそんなときだ。母と訪ねた通夜《つや》の席で、田中美智子は誰よりも大粒の涙をこぼしていた。弔問客に気丈に振る舞っていた幸乃の父はもとより、陽子より、幸乃よりも泣いていた。

冷たい雨が降りしきる中、慎一は一人で来ていた彼女を追いかけた。そして「幸乃ちゃん、大丈夫だよね？」と叫ぶように言うと、田中美智子は振り返り、力強くうなずいた。

「私にはもうあの子しかいないから。私はあの子が必要なの。命に替えても守ってみせる」

自分の中に渦巻いていた感情の正体が「怒り」だと知ったのは、このときだ。抗《あらが》うことのできない現状に、理不尽な人間の死に、幼なじみの運命に、何よりも自分自身の無力さに、吐きたくなるほどムカついた。

慎一は田中美智子を信じようと思った。自分が幸乃にしてやれることは、唯一《ゆいいつ》の肉親とつなげてやることだ。好き勝手なことばかり言っている大人たちの中で、少なくとも彼女だけが幸乃の身を案じている。幸乃を必要だと口にする。それ以上に信じられる言葉があるだろうか。

慎一は耳に入るすべてのことを田中美智子に伝えた。幸乃がケガをしたことも、それが父親によるものであろうことも。すべて幸乃のためだという思いは揺らがなかったし、自分が正しいことをしていると信じて疑わなかった。

それなのに、待っていたのは最悪の結末だったのだ。街に悪い噂が流れ始めてから、やけに澄んだ顔で幸乃が坂を下りていくまで、あっという間の出来事だった。

絶対のものと信じていた〝丘の探検隊〟はあっけなく空中分解した。輪の中から誰かがいなくなったからではない。幸乃が目の前から消えたからだ。病弱な彼女を守ろうとしたことでつながっていた仲間たちは、みな同じ傷を抱えたのだと思う。幸乃が街を去ったあと、学年の違う彼らと口を利いた覚えもない。

崩れたのは仲間たちとの関係だけではなかった。

「ご近所で噂になっている」

そんなことを平然と口にしながら、その実〝噂〟の中心に母自身がいたことを慎一は知っていた。

もうあの子とは遊ばないで。そういった母の願いははからずも叶えられた。そのことに慎一は言いようのない違和感を覚えたが、当の母は幸乃のことなどすぐに忘れて、次に熱中できるものを見つけてきた。慎一の私立中学校受験だ。

言われるまま塾に通いながら、慎一は日に日に不信感を募らせていった。母の言葉にはいつだって「自分」がない。テレビで流れていそうなことばかり言っている。なぜこの母親の言葉を信じたのか、幸乃のいないモノクロの毎日を過ごす中で、慎一は今さらながら不思議に思った。違和感から転じた不信感が怒りに変わり、その怒りが暴力へと化けたのは、勝手に本命とされていた私立中から不合格通知が届いた日だ。

「ホントにもう情けない」という言葉がきっかけだった。拳《こぶし》を振り上げ、躊躇《ちゅうちょ》なく母の背中に振り下ろした瞬間、慎一は叫び声とともに胸から何かがあふれ出すのを感じた。幸乃がいなくなってもなぜか流れることのなかった涙が、止めどなくこぼれ落ちた。

母は必死に頭を守りながら、「ごめんなさい、ごめんなさい」と繰り返した。それ以来、母は何をするにも慎一の顔色をうかがうようになった。慎一もまた気に入らないことがあれば平気で母に手を上げた。家庭の中でのパワーバランスは完全に崩壊したが、この頃はまだ学校に通うことはできていた。慎一が部屋に閉じこもるようになったのには、明確な理由があった。

なんとか逃げきることのできた小学校時代と違い、中学校では慎一が自分の殻に閉じこもることを許してはくれなかった。

「こいつ、なんかすかした目してるよね？　前から思ってたんだけど」

一年生が終わろうとしていたある日のことだ。前触れもなく他の小学校から上がってきていた不良たちに因縁をつけられた。慎一は瞬《また》く間に彼らの攻撃の的となり、そのうち「シカト」の波が他のクラスメイトにも伝播《でんぱ》した。

最初から友だちのいない教室で、無視されることは恐くなかった。殴られることもまた、家で同様のことを母にしていればたいして鬱屈《うっくつ》することもなかった。

だが、彼らの暴力は次第にエスカレートしていった。休み時間のたびに学校の屋上に呼び出されては、ナイフを額に突きつけられたり、至近距離からエアガンを発射されたりした。針やピンを腿《もも》や膝《ひざ》、ひどいときには頬の裏に突き刺され、お決まりのように金品を要求された。口の中にはいつも血の味が染《し》みていた。

はじめのうちは母の財布から言われるままの額を抜き取っていた。だが、ある頃からバッグから財布が消えて、そのうち棚に隠されるようになった財布から金が消えた。慎一は許せないという思いに駆られた。誰のせいでこんな目に遭っているのだと、怒りのすべてを拳に込めた。叫び、殴り、怒声を浴びせては、また殴って、金を奪った。

もちろん、そんな日はいつまでも続かなかった。小学校卒業間際《まぎわ》から一年近く堪え忍んでいた母だったが、ついに音を上げ、父にすべてを報告した。あんなに怒り狂った父を見るのははじめてだった。今度は父が声にならない声を上げ、慎一を力の限り殴りつけた。

まるで弱者から、弱者へと、暴力が連鎖していくようだった。しばらくは鬼の形相を浮かべていた父だったが、我に返ったように手を止めると、今度は神妙そうな顔で息を吐いた。

「お前、イジメられているのか?」

慎一は笑いたくなるのをこらえた。父なんかに本当のことは明かせない。そんなことを打ち明けられるくらいなら、最初からイジメになど遭っていない。

「お父さんたちはお前の味方だからな。つらいことがあったらなんでも言え」

威厳を示すかのように言っていた父は、翌朝、なぜか難しい顔をして慎一に学校を休むよう告げてきた。その理由を、慎一は鏡を見てはじめて知った。滑稽《こっけい》なほど顔面が腫《は》れていたからだ。散々カッコイイことを口にしていながら、自分の暴力はやはり隠しておきたいようだった。

その日、二人が仕事で出ていくのを確認して、慎一はもう一度ベッドに横たわった。

「学校休んだら殺しちゃうよ」というイジメの首謀者の声を心の奥に封じ込めて、久しぶりに深い眠りを味わった。

次に目を覚ましたときにはもう昼を過ぎていた。遮光カーテンを開き、思いきり外の空気を吸い込む。そのとき「くはぁ、もう見つけた。超ビンゴ」という聞き慣れた声が、冷たく耳を打ちつけた。

声の方に顔を向けると、加藤という不良のリーダーが笑顔でドアを指さした。家に招き入れた加藤を中心とする四人組は、一様に驚きの表情を浮かべた。「何それ。どうしたの？」と一人に尋ねられても、慎一にはピンとこなかった。加藤が苛立ったように口を開く。

「だから誰にやられたんだよ。顔、ボコボコじゃん」

「あ、ああ、お父さんに」

「はぁ？　なんで？」

「お、お母さんの財布から、お金盗んでるの見つかって……」

加藤は腹を抱えて笑い始めた。「だから顔はやっちゃダメって言ってるのに。こうなっちゃったらバレるんだよ」とバカにしたように言う加藤は、たしかに仲間たちに絶対に慎一の顔を殴らせない。

「ま、こんなチャンス滅多にないし。俺もお父さんに便乗しちゃお」

加藤は慎一の上にまたがった。そして躊躇なく拳を鼻に振り下ろした。鈍い音が部屋の壁を震わせる。もちろん止めてくれる者などいない。加藤は慎一に馬乗りになったままヘラヘラとよく笑う。

「テメーの親父が何言ってるか知らないけどさぁ。とりあえず金はちゃんと持ってこいよなぁ」

「で、でも……」と、懸命に口を開こうとした慎一に、加藤は力なく首を振る。

「万引きでもすりゃいいよ。ＣＤでもマンガでもパクってさ、それをどっかで換金してこい」

数分にわたって殴り続け、加藤はそうすることに飽きたように慎一のとなりに寝転んだ。

「でも、お前の親父もひでぇよな。ただでさえ弱ってる息子を相手に。人間じゃねぇよ」

掲げられた加藤の拳に血がねっとりとついていた。それが視界に入った瞬間、ようやく激しい痛みが慎一の全身を貫いた。

この日以来、慎一は命じられるまま万引きに手を染めた。幸か不幸か、慎一にはその才能があった。教室の中での存在感のとぼしさが、そのまま犯行のしやすさにつながった。

書店やレンタルビデオ店、ゲームショップなど、可能な限りの店で万引きを働いた。すると次第にやりやすい店を嗅《か》ぎわけられるようになっていった。

狙《ねら》い目は本だった。そのうち慎一は換金するのもある古書店に絞るようになった。保護者の同意書が必要なチェーンの大型店を避け、老婆《ろうば》が一人で営む〈佐木古書店〉という野毛にある店に通うようになったのだ。

老婆はいつも笑顔で慎一を受け入れてくれた。刊行年が新しければそれだけで高く引き取ってくれ、「父が読書家なんです」というウソも簡単に信じてくれた。

心はまったく痛まなかった。それどころか慎一はさらなる犯罪に手を染めた。老婆にはある癖があった。本を買い取ろうとするたびに、母屋《おもや》に電卓を取りにいくのだ。ある日、慎一は老婆がいなくなるのを見計らい、レジから少額の金を抜き取った。さすがに次に行くときは緊張したが、やはり老婆は笑顔で迎えてくれた。少しずつ盗む額が多くなり、店を訪れる回数も増えていった。いつかバレるという予感はあったが、これ以上効率の良い方法は他になかった。

冬本番を迎え、学校が長い休みに入る頃、加藤から「来月は新年特大号ね」などと、いつもより多くの金を要求された。お年玉でそのノルマはクリアしたものの、憂鬱ばかり募っていた年明けの四日。慎一はむしゃくしゃして夕方過ぎに家を出た。

正月から万引きするつもりはなかったし、レジからお金を抜く気もなかった。それなのに足は自然と古書店に向かっていた。異変にはすぐに気がついた。老婆は新年の挨拶はおろか、笑みさえ浮かべようとしなかった。不審げな目をまっすぐ慎一に向けてくる。

あきらかにいつもと違う雰囲気に、慎一はたじろいだ。欲しくもない文庫本に手を伸ばし、会計してもらう。このとき老婆はようやく柔らかく微笑んで、「そうだよね。君なわけがない。あけましておめでとうね」などとつぶやいた。

慎一は居心地が悪くて店を出た。冷たい外気に触れた瞬間、今度は何かに射貫かれたように全身の筋肉が硬直した。いつも通りモノクロの視界の隅に、色の伴う場所がある。なぜだろう。遠くへ引っ越したと聞いていたのに。

力の入らない足をなんとか奮い立たせ、だけど走り出したくなる衝動を懸命にこらえ、その場を去った。

しばらくは振り向きもせずに歩き続けたが、目的のバス停を目の前にして足が止まった。あれは本当に幸乃だったのか。そんな疑問がむくむくと湧いた。

仮に幸乃だったとしても、会って話したいとは思わない。話すことはないし、今の自分の姿はさらしたくない。そう心の中で唱えながら、せめて顔だけでも確認したいと、踵《きびす》を返した。そうして到着した店先で、高鳴る鼓動を抑え込んだ。

かすかに曇るガラスの向こうに、店内の様子がうかがえた。はじめは何が起きているかわからなかった。幸乃とよく似た格好をした女子が、母屋に入っていこうとする老婆にそっと近づいていくのだ。

息を殺して様子を見守った。彼女はなぜか老婆の背中に体当たりした。積み重なった本が次々と倒れ、轟音《ごうおん》が店の外にまで鳴り響く。慎一は目を見開いたまま、強く自分の腕を噛んだ。そうしていなければ、今にも叫びそうだった。

先ほどよりも身をかがめ、瞬《まばた》きもせずに店内を凝視した。あわてた様子で彼女に近づいていくのは、間違いなく幸乃だった。かわいらしい洋服に身を包み、うっすらと化粧までしている。こんな状況にもかかわらず、懐《なつ》かしさに胸を掻《か》きむしられそうになる。

老婆の姿は見えなかった。しゃがみ込んだ幸乃たちが何を話しているのかも聞こえない。どれくらいの間、中の様子を見つめていただろう。ふと目が乾き、瞬きをした次の瞬間、先に幸乃が立ち上がるのを視界に捉えた。あわてて隠れようとして、しかし再び射貫かれたように身動きがとれなくなる。

老婆を突き飛ばした女子が、なぜか一歩、二歩と、店の入口に近づいてくる。幸乃はあとに続こうとしない。それどころか彼女に優しく微笑みかけて、母屋の方に向かっていく。

顔を上気させた女子が扉の前まで歩み寄ったとき、やっと息を吸い込めた。今度は一瞬の躊躇もなく、地面を蹴《け》る。再び色を失った街の中を、慎一は脇目《わきめ》も振らず駆け抜けた。

その夜は不安で朝まで寝つけなかった。あの古書店でいったい何が起きたのか。慎一がようやくそれを知ったのは、事件があった日からおよそ一ヶ月後。勇気を振り絞って向かった店のレジには、知らない中年の男が座っていた。

目についた文庫本を棚から取り出し、慎一は本を差し出しながら問いかけた。

「あ、あの、いつものお、おばあさんは……？　僕、良くしてもらってて」

男は上目遣いで見つめてくる。

「ちょっと事件に巻き込まれちゃってね。ケガをしたんだ。何？　常連さん？」

「あ、あの、はい……」

「そうか。君みたいなしっかりした子もいるんだね。同じ中学生とは思えないよ」

「な、何が、あったんですか？」

「強盗だよ。強盗致傷事件。中学生が金を盗もうとして、見つけた母を突き飛ばしたんだ」

「は、は、犯人は、ひ、一人でしたか？」

「なんでそんなこと聞くの？」

「ぼ、僕の、と、友だちかもしれなくて。あの、が、学校に来てない子が、いるんです」

今度の沈黙は先ほどよりも長かった。慎一は身体の震えを懸命に抑え込む。「一人だよ」という言葉が出てくることを強く願い、そしてそう信じた。幸乃は何もやっていない。事件を起こしたのはあの女の方なのだ。

「ああ、一人だったよ」

男は汚らしい言葉を口にするように言った。祈りが通じた。そう安堵《あんど》したのもつかの間、男は信じられないようなことを付け足した。

「田中幸乃とかいう生徒だよ。あまり広めるべきじゃないのかもしれないけど、僕は本当に腹が立っていてね。まだ十三歳だから裁けないっていうんだ。金目当てに身体の悪い老人を狙う、あんな悪魔を。本当にそんなルールが必要なんだろうか。どうせ反省なんてしないくせに」

堰《せき》を切ったように語り出した男の声は、ほとんど耳に届かなかった。幸乃の無実を証明できるのは自分しかいないとわかっていた。

それと同時に、どうせ自分は震えているだけで何もしないのだろうということも、慎一はイヤになるくらい理解していた。

田中美智子に出所不明の噂話を伝えていたこと。自分もまた古書店の事件の当事者でありながら、真相を誰にも打ち明けなかったこと。その二つの出来事が慎一の心を長く鬱《ふさ》ぎ込ませ、学校に通う力を奪い、部屋から出る気力をも失わせた。

もちろん、すべて自分が招いたこととわかっていた。誰かを恨む権利はなく、当然母を憎むのも筋が違う。それでも苛立ちを解消する方法は他になかった。母を殴ることが唯一の他者との接点であり、生きていることを実感する術だった。

暴力は変わらず続いた。慎一が中学を出る頃も、時期を前後して両親が離婚したときも、八王子に住む祖母の家に母と二人で転がり込んでからも、追い出されるようにして近くのアパートで暮らし始めた日にも。

母はよく耐え抜いてくれたと思う。慎一に一人の部屋をあてがうために広めのアパートを借りてくれ、昼も夜もなく働いていた。いつからか感謝の気持ちが芽生えていったが、それを表現することはできないまま時間だけが過ぎていった。

高校には通わず、ほとんど外に出ないまま十九歳を迎えようとしていた頃には、さすがに母に手を出すことはなくなっていた。二人で食卓を囲むことが少しずつ増えていき、穏やかな時間が流れ始めた。直後に大学入学資格検定にパスし、通信制の大学に入学した。深夜のコンビニがせいぜいだった外出範囲は次第に広がり、神田にある大学のスクーリングにもなんとか通えるようになった。

古書店での出来事からようやく気持ちが解放されつつあった。幸乃は幸せにやっている。今は女子大生か、ＯＬか。そんな無意味な想像をすることで、どうにか自分の人生と折りあいをつけようとしていた。横浜で起きた放火殺人事件の報道を知ったのは、そんな頃だ。

はじめは事件そのものにも気づいていなかった。幸乃が世間を震撼《しんかん》させた事件の被告人だと最初に知ったのは、裁判が始まる一ヶ月前。久々にインターネットで彼女の名前を打ち込んでみると、それまでの何もヒットしなかった検索結果から一転、モニターには山のように事件の記事が表示された。

映し出される画像は間違いなく幸乃のものだった。事件の概要もくまなく読み込んだとき、誰もいない自室で慎一は激しく身体を震わせていた。

「ああ、まただ」

そんな言葉がひとりでに漏れた。幸乃はまた誰かをかばっている。そうでなくても、何らかの理由で罪をかぶることを決めている。その直感はほとんど確信に近かった。どれだけ記事を読んでも何一つピンと来ない。描かれた凶悪犯罪者像と、実際に知る幸乃という人間とが、どこまで行っても交わらない。

はじめは自分とは無関係のことだとやり過ごそうとした。しかし、疑念は一向に消え失せない。抱いた確信が本当なのか知りたくて、慎一は十年ぶりに横浜へ行くことを決めた。裁判を傍聴しようと思ったのだ。

初日から抽選には漏れ続けた。それでもめげずに足を運んだ五日目の法廷で、前日までよりずっと多い希望者が集まる中、慎一はついに傍聴券を引き当てた。

やけに冷静な気持ちだった。一向に昂ぶることのないまま、裁判所に足を踏み入れた。みなぎる緊張感はイヤでも伝わってきたが、慎一は尚《なお》も冷静だった。

それは長年姿を見たいと願っていた幸乃が入廷したときも、大方の予想通り死刑判決が下されたときも変わらなかった。仕切りで区切られた法廷内の向こう側とこちら側で、流れている空気がまったく違った。むしろ幸乃と断絶していることをあらためて確認できた気がして、安堵の息を吐きそうになったほどだ。

しかし、他人事《ひとごと》でいられるはずはなかった。退廷する際、幸乃は傍聴席を振り返った。そして慎一をまっすぐ見据えて、微笑んだ。思わずといったふうに。まるで幼少の頃まで時間が遡《さかのぼ》ったかのように。慎一はようやく自分のいる場所を思い出した。我に返ったときには、あわてて顔を伏せていた。

慎一があらためて事態をのみ込み、仲の良かった「幸乃ちゃん」の人生が閉じるのだという現実を突きつけられたのは、黄金色に燃えるいちょうの木を見上げたときだ。幼い頃の記憶がページをめくるように胸を過ぎった。

その瞬間はやり過ごすことに必死で、自分の心にも平気でウソを吐ける。事の重大さに気づいたときにはすでに遅く、失った何かを取り戻すことはもうできない。いつだってそうだった。中学生の頃から何も成長していない。自分自身に腹が立って仕方がなかった。叫び出したくなるのを懸命に抑え込んだ。

「幸乃ちゃんのためにできること……。僕が幸乃ちゃんにできること……」

あの日、マスコミでごった返す裁判所前の大通りで、心に刻むように何度も、何度も繰り返していた。


「いやぁ、それにしても見事に何もない部屋だね。俺、結構衝撃かも」

平日だというのにピンクのポロシャツを着た翔が、殺風景な部屋を眺めている。山手で再会した日以来、翔とは定期的に顔を合わせている。でも、今日のように突然家を訪ねられるのははじめてだ。

「え、ごめん。な、なんだっけ？」

「いや、だからこの部屋さ。テレビもないし。不便だったりしない？」

「ああ……。いや、べつに」

「ニュースとかも見られないじゃん」

「で、でも、パソコンがあれば事足りるから」

小さくかぶりを振った慎一に、翔は弱ったように首をすくめる。

「なんかごめんね。やっぱり迷惑だったよね。いきなり来たりして。でも、最近慎ちゃんなかなか連絡がつかないからさ。なんか俺のこと避けてる？」

「そんなことないよ。し、仕事がちょっと忙しくて」

「メールくらい返せるじゃん。俺、意外と傷ついてるよ」

「あ、あの、それは、ごめん」

「いや、ごめんっていうのもさ」

苦笑した翔の額から汗が流れ落ちた。九月も中旬に差しかかったが、外はまだ真夏の暑さを残している。

「今日、俺の誕生日なんだよね」

うちわで胸もとを扇ぎながら、翔は話題を変えた。

「俺の名前ってじいちゃんが付けてくれたものなんだけどさ。実は親父も違う名前を考えてたっていうんだよね。なんだかわかる？」

首をかしげた慎一に笑いかけて、翔はカレンダーに目を向けた。

「ケイタだよ。『敬う』っていう字に、『太い』で、敬太。俺の誕生日、昔は『敬老の日』で祝日だったんだ。超危なかったよ。まったく意味のない名前になるところだったからね。ハッピーマンデーかなんだか知らないけど、勝手にルール変えるなっていうんだよな」

慎一も釣られてカレンダーを見る。なんの印もない〈9月15日〉のマス目に、不意に色が伴った気がした。そういえば〝丘の探検隊〟のメンバーでお祝いしたことがあっただろうか。夏休みが明けて最初の祝日、胸を弾ませた記憶がよみがえる。

「ねぇ、慎ちゃんさ。来週の集会、参加してもらえないかな。やっぱり本当の幸乃ちゃんを知っている人間がいると、会の活気が違うんだ」

翔はようやく本題に触れた。思った通りの用件だった。身を乗り出す翔とは裏腹に、慎一の胸には暗い気持ちが広がっていく。

翔と再会した日から半年が過ぎた。この間、翔は慎一が感心するくらい幸乃のために動いていた。中でも特筆すべきは、同年代の弁護士仲間を多く巻き込み、五十人規模の支援団体を立ち上げたことだろう。

会の発足以来、翔は月に二度ほどのペースで集会を開いている。当初は慎一も積極的に参加していたが、いつからか足は遠のいた。さすがに自発的に集まっているだけのことはあり、会のメンバーには問題意識の高い人が多かった。現行の死刑制度の問題点に、各国の刑罰の状況、日本における起訴後の有罪率の異常な高さなど、部屋の前方に居座った弁護士たちが何か一言発するたびに、熱い議論が交わされる。自白の信憑性《しんぴょうせい》を疑い、幸乃の犯行そのものを疑う者も中にはいた。それは一瞬、慎一の心を弾ませるものではあったけれど、所詮《しょせん》は各論の中の一つに過ぎなかった。説得力はない。

司会の翔が不安げに見つめているのはわかっていた。だから前触れもなく「ねぇ、慎ちゃんも一言しゃべって」と提案されたときも、あまり驚きはしなかった。自分でも意外に思うほど緊張せず、慎一はマイクを通さずに声を張った。

伝えたかったのは、これまで誰にも明かしてこなかった中学時代のことだ。みんなが当然のように受け入れている古書店での強盗致傷事件に真犯人がいること、今日まで自分が見て見ぬフリをしてきたこと、何よりもそれまで盗みを働いていたのが自分自身であったことを、慎一は包み隠さず参加者たちに伝えた。

「ぼ、僕は、自分が許されたいとは、思っていません。で、でもこれが、あ、あの出来事の、真相です。同じように、た、た、田中幸乃さんが、放火したという前提でしゃべっている皆さんが、僕には不気味に、見えます」

いつも以上につっかえながら、慎一はケンカを売るつもりで語り続けた。「田中幸乃」を他の死刑囚の名に置き換えても成立する話し合いに、ずっと怒りを感じていた。

怒号が鳴り響くことを想像していたが、しばらくの静寂のあとに耳を打ったのは、割れんばかりの拍手の音だった。「よく話してくれた」という声もあとに続く。中には不快な思いを抱いた者もいただろうが、少なくとも慎一の目には全員同じような顔をしているように見えた。ひどく軽薄で、しらじらしい笑顔だ。

あの日以来、翔はあらためて古書店のことを尋ねてくることはなかった。一気に熱を帯びた公民館で抱いた孤独感がぶり返しそうになる。

翔の視線から逃れるように、慎一は壁のカレンダーに視線を戻した。

「そ、その日は夕方に会社の面接があるんだ。遅れるかもしれないけど、顔は出すよ」

〈9月15日〉のマス目を食い入るように見つめ、慎一は「誕生日おめでとう、翔ちゃん」とつけ足した。


会は前回出席したときよりもさらに参加者を増し、議論も熱気を孕んでいた。でも、あいかわらず幸乃の存在は置き去りにされたままだ。違和感は膨らむばかりで、慎一にはやはり意味のある場所とは思えなかった。

だからといって、不満ばかり言っていても仕方がない。幸乃の刑が確定してから、もう四年が過ぎようとしている。たまたま現法相がよく知られた「死刑制度反対派」ということで、ここ数年は死刑執行そのものが停止されているが、それだっていつまで保《も》つかわからない。

遅くとも来夏までには総選挙も控えている。法に定められた『六箇月』はおろか、刑確定から執行までの平均期間にいよいよ近づいてきているのだ。夜ベッドに横たわるたび、朝カーテンを開くたび、慎一は焦燥感に身を包まれる。

やれることは限られていたが、できることをするしかなかった。何より時間を割いたのは、やはり事件前の幸乃を知る者に会うことだ。とくに八田聡とはまめに連絡を取り合った。ほとんどが慎一からのメールに八田が返信をくれるという形だったが、まれに八田の方から電話をくれることもあった。

そういうとき、八田は必ず慎一に新しい情報をくれた。更新を止めているブログにこんな連絡が入った。こんな人が話を聞きたいと言ってきた。空振りに終わることがほとんどだったが、他にあてのない状況ではそれでもありがたかった。

そんな八田から久しぶりに連絡を受けたのは、最後に翔と会ってから季節を一つ越え、桜の花がほとんど散り去った四月の終わりのことだ。『明日、ちょっと会えるかな？』と電話で尋ねてきた八田の声はめずらしく緊迫していて、慎一は引っかかりを覚えた。八田の指定してきた待ち合わせ場所が中山駅だったということも、不安を増幅させる要因の一つだった。

　翌日、約束の正午より十分以上早く着いたにもかかわらず、八田は先に来て待っていた。

「やぁ、佐々木くん。久しぶりだね。っていうか、君ちょっと見違えたね」

　最近購入したばかりの春物のコートを見つめながら、八田は茶化すように言ってきた。ライターを名乗って会った日から、もう二年が過ぎている。

「ご、ごぶさたしています。あの、八田さん。遅くなりましたがおめでとうございます。お子さん、二人目。男の子。ご、ご丁寧にお手紙をいただいて」

　前もって考えていた挨拶を口にし、慎一は用意していた菓子包みを手渡した。八田の瞳に今度は怪訝《けげん》そうな色が浮かぶ。

「なんか君、ホントに変わったよね。前に会ったときとは別人みたいだ」

「そ、そうですか？」

「何か幸乃ちゃんのことでいいことあった？」

「いや、あの、それはまったく進展してないです。というより、ぼ、僕はもう自分が何をしようとしているのかもよくわかってなくて」

八田になら不思議と言いづらいことも伝えられる。最初に中学時代の罪を打ち明け、「幸乃は無実かもしれない」と明かすことができたのも八田だった。

八田は何かを思い出したように話題を変えた。

「ああ、そうだ。僕の方こそおめでとうを言わなくちゃね。就職、決まったんでしょ？　メールもらったままお祝いを言ってなかった。僕の方は何も用意していないんだけど」

この四月から慎一は晴れて東都ガスの関連会社に正社員として採用された。仕事内容は以前と変わらないが、昼に働けるだけでなんとなく社会に所属できた気がした。

「どう？　仕事は忙しい？」

「ど、どうですかね。責任は少し増えたかもしれません」

「佐々木くん、いくつになったんだっけ？」

「最近、三十歳になりました」

「そうか。ということは幸乃ちゃんもそんな歳《とし》になるんだね。とりあえずこの歳まで彼女が生きていられることを今は感謝するべきか」

八田は納得したようにうなずくと、いきなり真顔を取り戻した。

「ま、こんなところにいてもしょうがない。行こうか。君に見てもらいたいものがある」

八田は事件現場に向かって歩き出した。慎一も何度も通った道だ。アパートのオーナーの草部猛《くさべたけし》に会いにいったことは数知れず、約束のないまま周辺をほっつき歩き、近所の住民に不審がられたこともある。

どこにでもあるような街並みに、いつからか多くのことを感じ始めた。草部の証言や井上美香の亡《な》くなる直前の電話の内容から、事件当夜、幸乃が現場近くにいたことは間違いない。仮に慎一が思うように冤罪《えんざい》なのだとすれば、では彼女はどうしてこの街にいたのだろう。絶望を抱いていたことは間違いない。あるいは死に場所を探していたのではないのだろうか。このどこにでもありそうな街並みは、彼女の目にどう映っていたのだろう。

「あの、すみません。は、八田さん」

八田は慎一の数歩先を無言で歩いていた。会うたびに尋ねようと思いながら、ずっと聞き逃していたことがある。

「か、彼女の病気って、まだ治ってなかったんですよね？」

「病気？」

「はい。き、昨日またブログを読ませてもらって、何度か『気を失うように眠りに落ちて』っていう記述が、出てきますよね。そのことについて、な、何か聞いていますか？」

幼い頃、幸乃は気が昂ぶると意識を失うことがよくあった。動揺する周囲とは裏腹に、寝息を立てる本人は幸せそうで、何を感じていいかわからなかった。「この病気は今だけなの。大人になるまでには治るってお母さん言ってたから」と笑みを浮かべる幸乃を見て、きっと一生つき合っていく病気なんだと思ったのを覚えている。

八田は「ああ、そのことか」と力なく漏らし、首をひねった。

「直接彼女から何か聞いた覚えはないよ。実際に倒れるのを見たのは二回くらいかな。でも、それ以上に敬介に罵《のの》しられている姿が忘れられなくてさ。これはブログには載せてないけど、敬介は彼女が倒れることを許さなかった。根性見せろって、バカみたいな暴言をいっぱい浴びせて。彼女も倒れまいと唇を嚙《か》みしめてさ。結局、最後は力尽きるように寝入っちゃって、余計に敬介を怒らせるんだけど」

その画を想像するのは簡単だった。倒れる直前の青白い顔色も、相反する心地良さそうな寝息も、起きた直後に見せたであろうさびしげな表情も、すべて簡単に思い描くことができた。

八田は再び黙りこくってなだらかな坂を上っていった。さらに数分歩いたところでふと足を止めたのは、事件現場ではなかった。何者かによってペンキで『FUCK!』と塗りつぶされているものの、石のプレートに〈白梅児童公園〉と刻まれているのが読み取れる。

「ちょっと座ろう」

八田は入り口のそばにあったベンチに腰かけた。そしてすでに葉桜となっている木を見上げながら、切り出した。

「あの子、ここから電話をかけてきたっていうんだ。あの事件が起きる直前に。僕は出られなくてさ。そのことがずっと苦しかったよ。彼女の人生を変えてやれる唯一のチャンスだったのにって。自分の人生を変えることができたのにって」

八田の言葉はそこで途切れた。慎一は八田があえて「事件が起きる直前」と口にしたことに気づいていた。「起こす前」と言わないでくれる優しさがありがたい。

「実は僕も同じ夜にこの公園にいたんだよね」

「え……？」

「彼女が来ていた数時間後に。もちろん偶然だよ。今は引っ越しちゃったけど、あの頃、僕もこの近くに住んでたから。彼女が同じ場所から電話をかけてきてたなんて夢にも思ってなかったよ」

八田は桜の木から一度も目を離さず話し続けた。話のゴールが見えてこない。先ほど言っていた「見てもらいたいもの」が何なのかもわからない。

いつの間にか、先ほどまでいた家族連れの姿が消えていた。八田はゆっくりと慎一の目を覗《のぞ》き込む。そしてどこか挑発的に微笑んだ。

「佐々木くんさ、いい加減ビビってないで幸乃ちゃんに会いにいけば？」

とっさに言葉の出てこなかった慎一にかまわず、八田は続ける。

「君が彼女を冤罪と思ってるなら、そのことを直接伝えてくればいいじゃない。もうあまり時間はないよ。また後悔するつもりかよ」

「は、八田さんだって会いにいってないじゃないですか」

「僕と君とは違うでしょ」

「な、何が──」

「僕はもうあの子に人生を懸けられないもん。僕が守らなきゃいけない相手は他にいるから」

一度はハッキリと言い切ったが、八田はすぐに顔を伏せた。

「いや、違うな。僕の方は最初から命を懸ける立場になかったんだ。君とは明白に違うよ」

そして重そうに腰を持ち上げ、あらためて桜の木に目を向ける。

「あの判決の日にさ、もし彼女が僕の方を振り返っていたら、こんなふうに思っていたかわからない。でも、あの子は間違いなく君を見た。敬介にも見せたことのないような柔らかい顔をしてさ。ショックなくらいだったよ。あんなふうに微笑むことができる相手が一人でもいるんだもんね。ひょっとしたら本当に彼女はやってないのかもしれないよね」

八田の声がじんわりと胸に染みていく。今にもほだされそうになるのを自覚したが、慎一はすんでのところで首を振った。

「ぼ、僕には、まだ、あの子に会って伝えられることがありません」

「なんだよ、それ。昔のことを謝ってくればいいじゃないか」

「で、でも、僕はあの子に許されたいとは思っていません」

「それはウソだね。カッコつけてビビってることを隠すなよ。君は普通に許されたいと思ってるよ。じゃなかったら、こんなふうに動けるものか。つべこべ言わずに行ってこいよ」

いつになく力強い言葉だったが、その口調は優しかった。何も答えられない慎一の肩に手を置いて、八田は諭すようにうなずいた。

「今の君なら大丈夫だよ。ちゃんと向き合ってくればいい。君にはその資格があるんだから」

八田は再びベンチに腰を下ろすと、なぜか時計を気にし始めた。十三時四十五分。先ほどから風の音ばかり耳につく。

「あのさ、佐々木くんって幸乃ちゃんにどんなイメージを持ってる？」

八田は照れくさそうに鼻をかいた。

「イメージですか？　さぁ……。ち、小さい頃は、明るくて、屈託がないっていう感じでしたけど」

「へぇ、すごい。世間のイメージとは見事に逆だね。僕には無垢《むく》っていう印象が強いけど」

「そうなんですか」

あまり意味のあるやり取りとは思えず、慎一は焦れったさを覚えた。八田は弄《もてあそ》ぶようにくすりと笑う。

「ちなみに純粋とか無垢なとかって、英語でどういうか知ってる？」

「いや、あ、あの、八田さん」

「イノセントっていうんだ」

八田は遮るように言い放った。やはり意味がわからず、首をかしげることしかできなかった慎一を見て、八田はさらに顔をほころばせる。

「でね、その〝イノセント〟には〝無実の〟っていう意味もあるんだって。不思議だよね。どうして〝純粋〟と〝無実〟が同じ単語で表されるんだろうね」

八田は慎一の答えを待とうとしなかった。もう一度腕時計に目を落として「そろそろだ」と、立ち上がる。

「実は今日、僕は君に謝らなくちゃいけないことがあるんだ」

「謝ること？」

「うん。僕は今日を最後に彼女の物語から下りたいと思ってる。例のブログが奥さんに見つかっちゃって。もう更新はしてなかったし、そんなに問題にはならずに済んだんだけど、なんか頃合いかなと思ってさ。二人目も生まれたことだし」

「いや、で、でも、それは……」

八田は慎一の質問に先回りするように手を振った。

「悪いけど今日にでもブログは閉鎖するよ。そうすれば僕のところに新しい情報が入ってくることはもうなくなる。それと、君や丹下くんの連絡先を携帯から消そうとも思ってる。もう何年も連絡していないけど、敬介のも。もう幸乃ちゃんにかかわるすべてのことから切り離されたいんだ。物語から下りるっていうのは、そういうこと。僕にはやっぱり彼女の最期《さいご》を見届けることができそうにないよ」

慎一はようやく八田のすがしい表情の意味を知った。その思いを否定することはできないし、むしろ今までよくつき合ってくれたと感謝したいくらいだ。そう理解しつつ、気持ちは鬱いだ。数少ない理解者を失うことへの恐怖があった。

八田はその意を悟ったふうに鼻をすする。

「だから、今日は僕から君に最後の情報を提供するよ。僕にはなんとなく確信があるんだ」

そして力強い足取りで先を歩き出した。

「行こう。本当に時間だ」

慎一も静かにあとを追った。尋ねたいことは山のようにあったが、緊張感の漂う八田のうしろ姿がそれを許そうとしない。

来たときと同じように無言で歩き、ほんの数分行ったところで、八田は足を止めた。身を隠すようにした電柱の先に見えるのは、古い木造の民家だった。その軒先には街でよく見かけるキリスト教系の団体の看板がかかっている。

その扉を見つめながら、八田は声をひそめて語り始めた。

「二ヶ月くらい前だったかな。ブログに変な匿名《とくめい》メールが来てたんだ。『身内のことで誰にも明かせない秘密がある』とか、『今にも吐き出してしまいそうで恐い』とかさ。妙に切迫感のある文面だった。でもこっちからメールを返してみても、それ以降は音沙汰《おとさた》がなくて。だから、ちょっと違う内容のメールを送ってみたんだよね。『お身体《からだ》の具合は平気ですか?』って。そうしたらすぐに返信がきたよ」

八田は一度もつっかえずに言い切った。慎一の方はうまく呂律《ろれつ》が回らない。「な、な、なんて?」としぼり出した声もひどく上ずる。

八田は確認するようにうなずいた。

「『教会に通っているので心は落ち着いてます』ってさ。そのメールをもらったとき、誰かピンと来た。それで一ヶ月くらい前から何度か様子を見にきてたんだけど、ビンゴだったよ。毎週土曜にここに通っているのを突き止めた。いつも通りなら、そろそろ出てくる時間だよ」

慎一も八田が誰のことを言っているのかわかった。テレビで取材を受けるときに必ず首につけていたクロスのペンダントは、団体の信徒が身につけるものと言われている。「神様は絶対に許さない」といったヒステリックなコメントも、ネットではかなり話題になっていた。

二人とも押し黙って扉が開くのを待ち続けた。そしてついにその姿を確認したとき、八田は慎一の背中を叩《たた》いてこう言った。

「行ってきな。僕がしてやれるのはここまでだ。がんばるんだよ」

穏やかな表情を浮かべて建物から出てきたのは、事件直後に積極的にメディアに出てコメントしていた、白髪の老婆だった。

慎一は法廷でもその姿を目撃している。あの日は髪を金色に染めた少年をそばに従えていたはずだ。息をひそめるように周囲をうかがっていた彼らの様子は、熱の立ち込める法廷の中であきらかに浮いていて、強く印象に残っている。

老婆の目が吸い寄せられるようにこちらを向いた。当時よりかなり老《ふ》け込んでいるのが見て取れる。かすかに茶色い瞳《ひとみ》に、激しい動揺の色が浮かぶ。

「こ、こっちに来ないで！」

老婆もまた慎一の存在を認識しているようだった。数メートルの距離にまで近づいたとき、老婆はさらに声を張る。

「だから来ないでって！」

そのまま踵を返そうとした老婆の肩を、慎一は強引に引っつかんだ。彼女の顔が怯《ひる》んだように歪《ゆが》む。本当に今にも大声を出されそうで、少しずつ手に込めた力を抜いていく。

「お、お願いです。せめてこれだけ持っていってください。何か話したいことがあるなら、ここに連絡をください」

慎一は財布を取り出し、かつて自作した名刺を抜き取った。念のためにと一枚だけ入れておいた名刺は四隅が丸くなっている。老婆は不安そうに文字を見つめたあと、

「あなた、記者の人？」とか細い声で尋ねてきた。

「違います。僕は田中幸乃の古い友人です」

老婆の眉間《みけん》に敏感にシワが寄った。

「インターネットの人はあなたなの？」

「それも違います。でも、あれを書いた人は、知っています。今度からは、僕に連絡をいただけませんか。どんな些細《ささい》なことでも、かまいません。あ、あなたの知っていることが僕たちには必要なんです」

老婆はそれ以上のことは言わず、再び弱々しげに名刺に視線を落とした。その様子を慎一は祈るような気持ちで眺めていた。

待っていてくれた八田と中山駅で別れ、早々に家路に就いたその夜、慎一ははじめ

て幸乃に宛《あ》てて手紙を書いた。

書いては便せんを丸めて投げ捨て、また書いては捨ててを繰り返し、ようやく納得のいく手紙を書き終えたときには、すでに深夜になっていた。それでも慎一は携帯を手に取った。あまり気乗りはしなかったが、宛名の書き方を尋ねなければならなかった。

翔は数コールで電話に出てくれた。慎一からの数ヶ月ぶりの連絡を訝《いぶか》ることなく、歓迎の声を上げてくれる。慎一は単刀直入に手紙の件を切り出した。

『うっはー、マジかよ！ 慎ちゃん！ すっげぇ嬉《うれ》しいよ！』

酒を飲んでいるのだろうか。翔の口はいつも以上によく回る。ひとしきり喜んだあと、畳みかけるように言ってきた。

『いやぁ、でもさ、でもだよ、慎ちゃん。手紙もべつに悪くはないけど、そんなのまどろっこしいだけだって。もう直接会いにいこうよ』

「会いにいくことはできないよ」

『なんでだよ？』

「まだ彼女に会っても報告できることが何もない」

『は？ 何それ。ちょっとマジメすぎだって。拘置所に面会に来てる人たちなんて、意外ともっとアバウトだったりするんだぜ』
翔はケラケラと一人で笑い、最後に透き通った声で付け足した。
『いやぁ、まぁ、ブレてないけどね。全然変わってないね、慎ちゃんはさ』
翔にとっては何気ない一言だったに違いない。でも、友人の放ったその言葉は、猫の鋭い爪《つめ》のように慎一の心を引っ掻いた。

八田から教えられたアドレスに何度かメールをしてみたものの、老婆からの返信は一向に来なかった。時間が無為に過ぎていき、焦《あせ》りばかり募っていく。

夏には衆院選が行われ、野党が過半数超えの議席を獲得した。新しく法務大臣に任命されたのはタカ派として知られる若手の論客、「死刑存置派」の筆頭とも目される弁護士出身の男だ。停滞していた刑をただちに執行しようという新政権の腹づもりが読み取れた。

一気に三人もの死刑が執行されたのは、秋に入ってからのことだった。ニュースサイトでその件を知ったとき、慎一の身体は前触れもなく震え出した。その中に「田中幸乃」の名前はなかったものの、横っ面《つら》を叩かれたかのように目の前がちらついた。

わずか数行の記事を何度となく読み返したとき、慎一は現実に引き戻されたような感覚を抱いた。今さらながら、自分が一刻を争う状況に置かれていることを思い知った。もう明日かもしれないのだ。明日、幼なじみの命は絶たれるかもしれない。

幸乃に手紙を書く回数が増え、老婆にメールを出すことも多くなった。死刑執行のニュースを知って以来、迂闊《うかつ》にネットを見られなくなった。ましてや〈田中幸乃〉の名前を検索にかけることはいっさいなくなった。

焦燥感と怒り、無力感が日増しに膨らんでいく中で、新しい年を迎えた。幸乃が刑を宣告されてから六年目の春。携帯が鳴ることを毎日のように願いながら、それを恐れてもいた。ネットの記事と同様に、いつ、誰から、どのような情報がもたらされるかわからない。幸乃を救う新情報か、それとも死刑執行の一報か。期待と不安が胸の中に地層のように折り重なり、少しずつ慎一の心を蝕《むしば》んでいった。

久しぶりに緊張の走る電話を受けたのは、三月の終わりのことだった。柔らかい陽が草木を照らす土曜日。この日、慎一は前々から老婆の家を訪ねることを決めていた。

その準備をしていた最中に、携帯が鳴った。モニターに〈丹下翔〉の文字が映し出される。慎一は唇を一度嚙み、覚悟を決めてから通話ボタンをプッシュした。

『ああ、もしもし。慎ちゃん？』

翔の声に変わったところはなく、慎一はひとまず安堵する。

『慎ちゃん、今って家？』

「うん、家だけど」

『悪い。俺もう大口まで来てるんだ。ちょっと会えないかな。聞いてもらいたい話がある』

　声には有無を言わせない強さがあった。家に来るかと尋ねた慎一に、翔は駅で会うことを求めてきた。たまに行く喫茶店の名前を告げて、慎一は準備を急いだ。

　休日だというのに翔はスーツを着て待っていた。それより不思議だったのは、となりに見知らぬ男がいたことだ。歳は四十代なかばくらいだろうか。やはりスリーピースの、生地の良さそうな背広を着た男が何者なのか、言葉を交わさずとも慎一にはわかった。

「ああ、慎ちゃん。こちら、弁護士の濱中博《はまなかひろし》さん。テレビなんかで見たことあるかもしれないけど、最近協力してもらってるんだ」

　翔は挨拶《あいさつ》もそこそこに男を紹介してきた。言われてみれば見たことのある顔だ。部屋にテレビを置かない慎一でも知っているくらいなのだから、きっと有名な人なのだろう。

「はじめまして。濱中です」

男は活版で刷られた名刺を差し出し、うなずく程度に頭を下げた。「あ、あの」と名刺がない旨《むね》を伝えようとした慎一の顔を見もせず、いきなり本題に触れる。

「私は主に刑事事件を担当していましてね。これまでに二度無罪判決を勝ち取ったこともあります。ひょっとするとあなたの力になれるかもしれません」

濱中という男の話し方はひどく尊大で、冷たいものに思えた。救いを求めるように視線を翔に向けたが、翔の方は心を弾ませた様子で濱中を見つめている。

「慎ちゃんのこと話したら、是非話をしてみたいって。一パーセントでも冤罪の可能性を指摘する人がいるなら、それを信じてやることが弁護士の役目だろうって、叱《しか》られちゃったよ。これまでごめんね、慎ちゃん」

翔はどこかうっとりしたように頬を赤らめた。濱中はつまらなそうに笑い、テーブルの上にノートを広げる。

「ホントに杜撰《ずさん》だからね。この国の警察なんて信用に値しない。連中の捜査能力は本当に目も当てられない」

翔がうなずきながら説明をつけ加える。

「ちなみに濱中さんは加賀伸孝《かがのぶたか》と司法修習時代の同期なんだ」

「加賀って、あの？」

「うん、現法務大臣。若い頃二人は同じ事務所に所属していて、ライバルだったんだよ」

見てきたようなことを言う翔を、濱中は手で制す。その名を口にするのも汚《けが》らわしいといった雰囲気だ。神経質そうにくるくるとペンを回し、はじめて慎一に目を向けた。

「早速ですが、こちらからいくつか質問があります。聞かれたことに答えてください」

濱中が目配せすると、翔が書き込みのある資料を慎一の前に置いた。まるでアシスタントのような振る舞いに、慎一は違和感しか抱けない。

「まず、佐々木さんが彼女を冤罪だと思う理由についてお聞きします。そう思う具体的な理由として、第一に——」

「い、いや、ちょっと待って下さい。何なんですか、これ」

空気が瞬時に凍りついた。濱中は怪訝そうに慎一を見つめ、翔もせっかくの機会に何をしていると、不快そうな顔を隠そうとしなかった。そんな友人の心の内を突きつけられて、慎一は心底うんざりした。

「僕、話を聞いて欲しいなんて言っていないよ。信じてやるのが役目って、なんだよ、それ。そんなこと一度も頼んでないよ」

慎一は翔だけを見て言った。すぐに立ち込めた緊張のあと、濱中の面倒くさそうなため息が聞こえてきたが、関係ない。

翔もはじめて慎一を見据えた。瞳の中に少しずつ怒りが滲《にじ》んでいく。

「なんで怒ってるの？　言いたいことあるならハッキリ言えば？」

「べつに。言いたいことなんてないよ」

「っていうか、前から聞きたかったんだけど、慎ちゃんって何が不満なの？　俺のやってることってそんなに気に食わない？」

「そんなことないよ。翔ちゃんが翔ちゃんのやり方でがんばってるのはわかってる。ただ、僕とは方法が違うだけで」

「何が違うの？」

「いや、だから、それは」

一瞬、言葉に窮しそうになったとき、やり取りを眺めている濱中の顔が視界に入った。その他人事のような表情に、慎一は思わず気色ばむ。あらためて翔の顔に目を向け、覚悟を決めて口を開いた。

「ねぇ、翔ちゃん、今日がなんの日か知ってる？」

「今日？」と繰り返した翔の顔に、拍子抜けしたような様子が滲む。

「今日ってなんだよ？　だって、あの事件があったのはもう少し先だろ。あれはたしか――」

「違うよ、翔ちゃん。そうじゃない。三月二十六日。今日は幸乃ちゃんの誕生日だよ。僕たちの友だちの三十回目の誕生日なんだ。そんなことも覚えてない？」

しばらくの沈黙のあと、翔は力なくかぶりを振った。「そんな……」とつぶやいたまま、次の言葉は出てこない。慎一も他に言いたいことは見つからなかった。それだけで充分だ。

「また何かあったら必ず連絡するよ」

そう言って立ち上がった慎一に、翔はようやく苦々しげな息を吐いた。

「なんか慎ちゃん、変わったね」

「そうかな」

「うん。すごく自信たっぷりで。別人みたいだ」

一度はそう口にして、翔はすぐに言い直した。

「いや、小さい頃の慎ちゃんみたいなんだ」

まず濱中に謝罪し、次に翔に微笑《ほほえ》み返して、慎一は二人より先に店を出た。駅の改札を足早に抜け、中山へ向かう電車を待つ。が、先に到着したのは反対方面の電車だった。

ほんの一瞬躊躇《ちゅうちょ》して、慎一はそちらに飛び乗った。老婆《ろうば》と約束しているわけじゃない。どうせ実りの少ない予定ならば、何をしたって同じはずだ。

大口から東神奈川に出て、そこで京浜東北線に乗り換え、石川町で電車を降りた。洗練された元町の商店街を抜け、勾配のきつい坂を一気に上り、港の見える丘公園の脇に出たところで、慎一はようやく顔を上げた。

火照《ほて》った身体に、海から吹き上げる風が心地いい。かつての幸乃たちの家、翔と再会した喫茶店、母が立ち話をしていた路地、泣いて帰った中学時代の通学路、田中美智子に声をかけられた公園……。時代が混淆《こんこう》するいくつもの記憶が目の前を過ぎていく。

さらに二十分ほど歩いたところで、慎一は鬱蒼《うっそう》とした林の中に足を踏み入れた。以前は走って登れた土手に簡単に息が上がる。地面に落ちている花びらを目にして、気が急いた。

そして辿《たど》り着いた思い出の場所で、丘の秘密基地で、慎一の目に飛び込んできたのは、期待をはるかに上回る桃色の景色だった。「うわぁ」という子どものような声が漏れる。

桜の木々が春の風に揺れている。花びらは雪のように舞い、幹は優しい音を奏《かな》でている。すぐによみがえりそうになった明るい記憶に、しかし慎一は懸命に蓋《ふた》をした。額から汗が流れ落ちる。ふと我に返り、視線を移したその先に、横浜の街並みが広がって見える。雲の切れ間から柔らかな春の陽が差し、一面をオレンジ色に染めている。かつては希望しか見出《みいだ》すことのできなかった光景だ。

慎一は強く拳《こぶし》を握りしめた。それをこうして一人で見る日が来ることを、望んでも彼女を連れてこられない日が来ることを、あの頃は想像さえできなかった。

帰りの電車の中で慎一はカバンから便せんを取り出し、夢中で手紙を書き綴《つづ》った。すると、となりに座っていた中年女性から突然声をかけられた。

「お花見？　いいわね」

自分にかけられた言葉と気づき、首をひねった慎一に、女性は嬉しそうに目を細める。

「髪にいっぱいついてるわよ。失礼するわね」

女性は慎一の頭に手を伸ばした。「はい、これね」と言って手渡されたのは、数枚の桜の花びらだ。頭の中で何かが閃《ひらめ》いた。慎一は受け取ったそれを大切にポケットにしまった。

女性と話しているうちに、大口を越え、中山も通過した。女性は町田で降りていったが、慎一は電車に乗り続けた。母に会って、聞いてみたいことがあった。

終点の八王子に着いた頃には、街のネオンが瞬《またた》いていた。首尾良く家にいてくれた母は慎一の突然の帰宅に目を丸くした。

「これ、枯らさずに保存する方法ってあるかな？」

慎一のかかげた花びらを母は尚も怪訝そうに見つめていたが、しばらくすると合点がいったようにうなずいた。もちろん、母は慎一が幸乃のことで動いているのを知っている。

「それならロウで固めるっていうのはどうかな？　だったらいい方法があるんだけどね」

母は堰《せき》を切ったようにしゃべり始めた。ならばと花の方は母に任せて、慎一は手紙の続きを書くことにした。久しぶりに自室に籠《こ》もり、ひとたび便せんと向き合ったのを最後に、時間が飛んだ。

綴ったのは桜のことだけだった。かつて一緒に見た花について、一人で見てきた春の景色について。書いても、書いても、思いはあふれる。慎一は書いた文章を一度だけ読み返した。直したい箇所はたくさんあったが、目をつぶる。もう同じ熱量は込められない。ただ最後の文だけは意識してペンを走らせた。思いのすべてを言葉に託した。

『もう一度、君とあの景色を見ようと思っています。僕だけは信じてるから。僕には君が必要なんだ。必ず君をそこから出します。だから、そのときはどうか僕を許してください』

不思議と自信がみなぎっていた。そんな言葉を綴ったとき、母が瞳を輝かせながら部屋の戸を開けた。うすくコーティングした花びらと一緒に手にしているのは、茶封筒と、なぜかブランドものの香水だ。

「ちょっとアレンジしてもいい？」

慎一がうなずくのを確認して、母は桜の花びらに少しだけ香水を振りかける。嗅《か》いでみるとしっかりと春の匂《にお》いがした。彼女は気づいてくれるだろうか。香りとともに思いが届くことを強く願った。

幸乃から思ってもみない返信が届いたのは、それから数ヶ月が過ぎた梅雨の終わりだ。開封するまでは冷静でいられたし、読み始めてからも手は震えていなかった。だが、わずか数行の文面を最後まで読みきったとき、慎一は自分が泣くのをずっとこらえていたことをはじめて知った。涙が止めどなくあふれ出た。

彼女の手紙には生きることを放棄する内容が切々と綴られていた。それなのに、慎一は逆に幸乃の生きることへの執着を感じずにはいられなかった。かすかに懐《なつ》かしさを伴う文字はひたむきで、そう勘違いさせる力がたしかにあった。

もう本当に時間がない。そう思った次の瞬間には、慎一はパソコンを立ち上げていた。メールのアプリケーションを開き、すでに見慣れたアドレスを指定する。最初に無礼を詫《わ》びて、幸乃からはじめて手紙が届いた旨を記した上で、その一部を抜粋して本文に綴った。

『あの桜を見たくないといえば、うそになります。でも、それ以上に、私は一日も早くここで裁かれることを望んでいます。かかわってしまったすべての人たちの記憶からもいっそ消えられないかと、願う毎日です。生まれてきてしまって申し訳ないという法廷での思いに、今も変わりはありません』

裏目に出る可能性があることを自覚しつつ、老婆にも何かを感じ取って欲しかった。

例年よりもずっと暑い夏だった。九月に入っても一向に陽が陰る気配はなく、コンクリートから立ち上る熱気は不快でしかなかった。しかし三週目に入ったところで、ようやく恵みの雨が落ちてきた。

その雨は台風を連れてきた。渇水に悩まされていたのがウソのように、一転、窪地《くぼち》では冠水の被害に襲われた。

激しい風雨は三日間やまなかった。ようやく雨が上がり、太陽が顔を見せたとき、今度は季節が変わっていた。朝、仕事のためにアパートを出ると、雲一つない空は透き通り、風はからりと乾いていた。セミの鳴き声も大人しくなっていて、街は夏の喧《けん》噪《そう》を抜けていた。

その日の昼休み、慎一はいつものようにビル前の広場で文庫本を広げ、コンビニで購入したパンをつまんでいた。だがあまりの心地良さに、逆に読書に集中することができなかった。

仕方なく音楽でも聴こうと、カバンから携帯電話を取り出した。普段は滅多に光らない不在着信のランプが点滅している。慎一は息をのんだ。

履歴には横浜の市外局番〈045〉から始まる番号が二件残っている。留守電が入っていないことを確認してから、慎一は通話ボタンを押した。相手はすぐに電話に出た。

「あの、お電話いただいておりました。佐々木です」

数秒にも、数十秒にも感じられた沈黙のあとで、相手はか細く『江藤《えとう》です』と名乗った。くだんの老婆の声は疲弊したようにかすれている。

老婆は慎一に今すぐ会いたいと言ってきた。仕事中であることを伝えようとしたが、『また心変わりしてしまう前に』と言われてしまえば、了承するしかない。胸が音を立てていた。通話を終えた携帯のモニターに日時が表示される。十四時六分。九月十五日、木曜日――。

覚えのある日付だ。なんの日だったっけ？　と首をひねったのを最後に、慎一の意識は老婆のことへと飛んだ。

老婆は待ち合わせ場所に〈白梅児童公園〉を指定してきた。なんとか会社を早引けしてタクシーで向かうと、彼女はぽつんとベンチに座っていた。一年半前のあの日よりもさらに小さく、老け込んで見える。

「遅くなりました」と声をかけた慎一に、肩を震わせる。待ち合わせしていたことすら忘れていたという雰囲気だ。

「あ、ああ、佐々木さん」

老婆は独り言のようにつぶやいた。あの日、むき出しにされた敵愾心《てきがいしん》は微塵《みじん》もない。

深く頭を下げたかと思うと、「わざわざお呼び立てしまして」と、律儀な挨拶を口にする。

老婆は早口でまくし立てた。

「佐々木さんにこの場所に来ていただいたのには理由があります」

「理由、ですか？」

「はい。まずはここを見ていただきたいと思いました。すべてこの場所から始まったことだったんです」

老婆は丸まった背中を必死に伸ばすようにして、誰もいない園内を見渡した。老婆の声には慎一を緊張させるのに充分な力がある。

「あの、何があったんでしょうか。お話ししていただけますか？」

そううながした慎一に、老婆は小さく二度、三度とうなずいた。

「私には浩明《ひろあき》という孫がおりました。あの子が六歳のときに父親が他界し、小学校四年生のときに私の娘、慶子《けいこ》も病気で逝《い》きました。それから私たちは二人で生きてきました。もう二度と悲しい思いをさせたくないと、手塩にかけて育ててきたつもりです。あの子も優しい子だったのですが、中学校に上がった頃からでしょうか。悪い仲間たちと一緒にいるようになったのは」

老婆が歯痒《はがゆ》そうに口にしたとき、慎一は裁判所で目にした少年のことを思い出した。

「あの、いつか法廷に一緒にいた。金髪の」

老婆はイエスともノーとも言えない曖昧《あいまい》な表情を浮かべる。

「ハッキリ言って、手が付けられないと思った時期もあります。警察のご厄介になったこともありました。他人様《ひとさま》を傷つけない、絶対に私より先に死なないということだけを教え込んできたつもりでいたのですが、スクーターで事故に遭い、三日三晩、死の淵《ふち》をさまよったこともありました。さすがにあのときは私も怒って、やっと目を覚ましたあの子を怒鳴りつけました。あの子ももう絶対に心配かけないからと謝ってくれたのです」

老婆はそこで話を中断した。そして「ついてきていただいてよろしいでしょうか？」と慎一に確認して、公園の出口へ歩き出す。慎一は黙って従った。ペースは速くないが、足取りはしっかりしている。

「中学を出るとき、高校を中退するとき、知人の紹介で大工の仕事を始めたときと、節目、節目で、浩明は私にもうバカはやめると言いました。でも、ダメなんですね。一度悪の輪に足を踏み入れてしまうと、なかなか抜け出すことができないんです。それはもう本人の意思の及ばない問題です」

老婆は弁明するように声を張って、このとき久しぶりに慎一の目を覗き込んだ。うかがうような瞳はうっすらと赤らみ、不安そうに見える。

「先週、その孫の三回忌の法要を終えました」

「え？」

「二十三歳のときでした。やはりバイクでガードレールに突っ込んで。警察には事故と処理されましたが、私は違うと思っています。自殺だったのではないかと疑っています」

「自殺？」

「ええ。だって慶子を、あの子の母を失ったのとまったく同じ日だったんですよ。こんな偶然がありますか？　私はどれだけ大切な人を見送らなければいけないのでしょうか。私は神様を恨みました。もしかするとこれは我々が受けなければいけない罰だったのかもしれません。それくらいの罪を犯したことは承知しています。でも、私にとっては命にも等しい子だったんです。苦しくて仕方ありませんでした」

老婆の言葉は抽象的なことばかりで、慎一には理解することができなかった。老婆は厳しい表情で口をつぐんだ。風がそよぎ、長年の苦悩を感じさせる白髪をふわりと揺らす。

「ご存じかもしれませんが、私は『カナンの地平』の信徒です」

老婆は諦《あきら》めたように息を吐いた。

「慶子を亡《な》くした頃に知人の勧めで入信し、これまで信心を続けてまいりました。ですが、浩明は私がどれだけお願いしても入信してくれませんでした。それどころかひどく毛嫌いしていたのです。自分が死んでもカナン式の葬儀はしないでくれと、それもあの子の遺《のこ》した言葉です。仏式で法要を執り行ったのはそのためです」

「そんな遺言を残されていたのですか？」

「遺言というような大げさなものではありません。浩明のノートにあった言葉です。放火事件のあった頃から、毎日のように付けていたノートです」

ああ、ついに核心に触れられた。胸にそんな思いが過《よ》ぎった直後、老婆は立ち止まり、カバンから鍵《かぎ》の束を取り出した。

目の前の平屋の家に『江藤』という表札がかかっている。お世辞にもキレイとはいえない木造の民家。名前を隠そうとしているかのように表札も汚れきっている。

「どうぞ。お入りください」

老婆の言葉に従って、家に上がり、慎一はすぐに目を見開いた。最初に視界に入ったのは、部屋の広さにあきらかに見合っていない巨大な仏壇だ。いつか見た少年の遺影が置かれている。

　驚いたのはそれだけではない。わずか数畳の狭いリビングには、ところ狭しと他にも物があふれている。そのほとんどが宗教的な何かだった。十字架に磔《はりつけ》にされたキリストの銅像だけでいったい何体あるのだろう。

　キリスト像の合間を縫うようにして、真新しい仏像もいくつも置かれている。鼻に触れるのは線香と菊の匂い。二つの宗教が競うように室内に混在していることがひどく歪《いびつ》で、慎一は吐き気を催した。

「佐々木さんは、草部さんのことをご存じですか？」

　キッチンから麦茶を運んできた老婆が尋ねてきた。思ってもみないタイミングでその名が出てきて、慎一は言葉に窮しそうになる。

「あ、あの、例のアパートのオーナーの」

「ええ、草部猛さんです。あの方と、浩明には面識があったのです。といっても、草部さんの方はおそらく覚えてらっしゃらないと思いますが」

　老婆は慎一と向き合うようにして腰を下ろすと、床に山積みになっていたノートの束から一冊を抜き取った。

　そして唇をきつく嚙みしめ、ゆっくりと目を慎一に向ける。かたくなに信じ、ずっと探し求めていた言葉が、いともあっけなく耳を打った。

「あの事件の本当の犯人はあなたのご友人ではありません。浩明をはじめとする、あのグループの者たちです。田中幸乃さんではありません」

全身の毛がざわりと震えた。老婆は慎一から目を離さない。

「あの事件の起きる一週間ほど前だったでしょうか。あの子がひどく怒って帰ってきたことがありました。先ほどの白梅児童公園で仲間同士でボクシングの真似事《まねごと》をしていたら、知らない老人に一方的に叱られたと言うのです。もちろん、本当のことはわかりません。でも、もし仮に浩明の言っていることが事実なのだとすれば、たしかに怒るのはムリもない話でした。『お前たちは近所住民にとって迷惑なだけの存在だ』とか、『公園の落書きもどうせお前らの仕業だろう』とか、『どんな家庭で育ったのか見てみたい』とか、それはもう好き放題言われたようです。私はなだめるのに必死でした」

老婆は手に持ったノートをめくり始めた。その様子をぼうっと眺めながら、慎一はいつか見た新聞記事を思い出した。

それは事件当時、草部のコメントを紹介するほんの数行の中にあった『事件の一週間前にも近くの公園で少年グループの諍《いさか》いを収めるなど――』といった記述だ。真実がどちらであったにせよ、記事が一方的なものであったのは間違いない。

老婆は慎一の返事を待とうとせず、かすれる声で語り続けた。孫は老人の存在を知らなかったが、運悪くグループのリーダーが民生委員を務める草部とその家を知っていた。先輩の一人が仕返しすることを提案し、仲間たちはみな賛同した。アパート前に火を放とうと言い出したのは浩明の親友だった。灯油はその者と浩明の二人が調達した。二階の角部屋に「草部」という表札がかかっていた。それが草部と井上家によるストーカー対策とは知らず、実際に火を放ったのは一番可愛《かわい》がっている後輩だった。

もちろん草部を脅すためのものであって、誰にも殺意などなかった。空気が乾ききっていたのは不運でしかなく、あのような惨劇を想像する者はいなかった。その日の未明、帰宅した孫の様子はあきらかにおかしかったが、何が起きたのか言おうとはしなかった。老婆もまた深く尋ねようとしなかった……。

「翌朝、火事の件は『カナン』の知人から聞きました。ですが、恥ずかしながらそのときもまだ浩明と結びつけてはおりませんでした。さすがにおかしいと感じたのは、その日の夕方、田中さんが逮捕されたというニュースを一緒にテレビで見ていたときです。突然ボロボロと涙をこぼし始めて、あの子が変なことを言い出したんです」

「変なこと？」

うつむいたままの老婆の顔が苦しそうに歪んでいく。

「はい。『この人、たぶん死にたがってる』って」

一瞬の沈黙のあと、慎一は再び嘔吐《おうと》しそうになった。口にあふれる生ツバをのみ込み、問いかける。

「どういう意味ですか？」

「私も同じことを尋ねました。でも、あの子は首を横に振るだけで、その意味を言おうとはしませんでした。事件の真相を明かしてくれたのは、それからさらに数日後です。真っ青な顔をして突然『自首する』などと言ってきました。私には意味がわかりませんでした。だって、そうでしょう？　もう犯人は捕まっているんですよ。テレビに出ている人たちはみんな田中さんを批判しているし、過去の犯罪のこととか、つきまとい行為のこととかを取り上げて、みんな納得していたんです」

「それは、でも……」

「わかっております。浩明の様子は普通じゃありませんでしたから。でも、だからこそ私は絶対に認めることができませんでした。話を聞いてやることもしなかったのです。あの子には『絶対に何も言うな』とだけ言って、私はカメラの前で平気でウソを吐きましたし、法廷にも立ちました。なぜ罪をかぶってくれるのかわかりませんが、身代わりになってくれる人がいたんです。それに縋《すが》るのっておかしいですか？　田中さんに死刑判決が出たとき、申し訳ないですがホッとしました。もうこれで恐がる必要はなくなったのだと、少なくとも私は安堵《あんど》しておりました。だけど、浩明は違ったようです。あの子はさらに追い詰められていきました」

老婆の呼吸が落ち着くのを見計らって、慎一は冷静に質問した。

「どうしてお孫さんを一緒に連れていかれたのですか？」

「なんですか？」

「いや、法廷のような目立つ場所に連れ立っていくのが不思議な気がして。隠したかったんじゃないのかという純粋な疑問です」

「ああ、それは違います」

老婆は自嘲《じちょう》するように鼻をすすった。

「連れ立つも何も、私は裁判のことすらあの子に言っていませんでした。ましてや証言台に立ったことも、毎日傍聴していたことも。判決の日、あの子は突然やって来たんです。私はもちろん叱りましたよ。それなのに傍聴券まで引き当ててしまって。あのとき強引にでも一緒に帰ってれば良かったのだと、それも私の後悔の一つです」

そう言って、老婆は開いたノートを慎一の前に差し出してきた。真っ先に目に飛び込んできたのは、『田中さんに謝りたい』というひどく頼りない文字だった。

「それが判決の出た日の日記です」

老婆の言葉を聞き流しながら、慎一はページをめくる。変わるのは日付だけで、内容はほとんど同じだった。綴られているのは後悔の念ばかりだ。命を奪った家族への、一人残してしまった井上敬介への、アパートを半焼させられた草部猛への、必死に守ろうとしてくれた祖母への、そしてまた新たに自分が命を奪おうとしている幸乃への謝罪の言葉が、綿々と綴られている。老婆は否定するが、それはやはり遺書と読めるものだった。

慎一が日記を読んでいる間も、老婆は滔々《とうとう》と話し続けた。

「せめて、あの子が神様のもとへ行けますように。そう祈りながらも、真相を明かすことはできませんでした。ようやく覚悟が決まったのは先週、三回忌の法要を終えたときです。久しぶりに浩明の日記を押し入れから取り出し、読み返してみたら、自分がいったい何を守ろうとしていたのか、今さらながらわからなくなりました。結局、あの子を殺したのは私だったのではないかと空恐ろしくなったのです。あなたからのメールをまとめて読んだのもそのときです。幸乃さんからの手紙は、すみません、私にはやはりショックでした。そんな権利はないと知りながら、涙が止まりませんでした」

安堵感がようやく胸に広がった。ふと目を向けた窓の外に、街灯に照らされた銀杏《いちょう》の葉が揺れている。もう少しすればきっと黄金色に輝き出す。そして春には花を咲かせるのだろう。その頃はもう桜は散っているだろうか。

「一緒に来ていただけますか」

慎一は嚙みしめるように語りかけた。そう、自分たちは間に合ったのだ。次の春には一緒に桜を見ることができる。山手の丘から横浜の街を見下ろせる。きっと何かを取り戻せる。

老婆が毅然《きぜん》とうなずくのを確認し、慎一は拳を握りしめた。もう二度と大切なものを取りこぼすことのないように。

「たくさんの人の人生がこれから変わるんだと思います。多くの人にとってそれは望まないことかもしれません。あなたにとっても、ひょっとしたら幸乃ちゃんにとっても。それでも、僕はあなたを警察に連れていきます。もう決着をつけなきゃいけません。正義は一つじゃないかもしれないけど、真実は一つしかないはずです」

老婆の手がゆっくりと腿《もも》の上からずり落ちた。まるで土下座するような格好になって、老婆は深く頭を下げた。

心に刻むように、慎一は壁のカレンダーに目を向ける。九月十五日、運命の木曜日――。

ああ、そうだったのかと、慎一はこのときようやく腑《ふ》に落ちた。今日は彼の誕生日だ。ずっと引っかかっていたのはそのためだ。

老婆に先に許可を得て、慎一は携帯電話を手に取った。アドレス帳から〈丹下翔〉の名前を呼び出そうとしたとき、近くここに〈田中幸乃〉の項目が加わることを想像した。

「本当に間に合った」

無意識のままつぶやいた。これでようやく会いにいける。いや、そのときはもう塀の外でのことだろうか。

慎一は強く携帯を握りしめた。そうしていなければ、今にも脱力してしまいそうだった。

エピローグ　「死刑に処する――」

田中幸乃の死刑執行命令が伝えられたのは、東京を十数年ぶりという巨大台風が襲った九月十二日のことだった。

ただでさえ衝撃的な通達だった。うまく頭が働かず、すぐに言葉の出てこない私にうなずきかけて、直属の看守部長は気重そうに続けた。

「それについて、ちょっと佐渡山《さどやま》さんにお願いしたいことがある。私も上から命じられたことなんだ。悪く思わないでもらいたい」

そこまで言われてもまだ、私にはピンとこなかった。刑務官という仕事に就いて六年目。東京拘置所内の処遇部門に配属され、看守としてずっと女区を担当してきた。立ち会ってはいないものの、すでに一人の死刑囚を見送っているし、田中幸乃にその日が来ることも毎日のように想像していた。

再審請求をせず、恩赦も求めていない以上、いつ命令が下されてもおかしくない。

頭ではそう理解しつつも、ひどく唐突な気がした。なんとなく彼女の最期《さいご》は春がふさわしい気がしていたからだ。

看守部長は私を見つめ、小さく息を吐いた。

「すまないが、君にも連行を頼みたい」

「え？」

「すまない。これは上からの命令だ」

体内を巡っていた血が、トクンという音を立てた。次の瞬間、顔が赤く染まるのが自分でもわかった。

「ちょ、ちょっと待ってください。連行って、どういう意味ですか？」

「言葉の通りだ。君に田中幸乃を居室から連れ出してもらいたい」

「そんな、ありえないですよ。どうしてですか？　だって、私……」

女ですよ――？　その言葉を、ギリギリのところでかみ殺す。看守部長は目を伏せながらうなずいた。

「わかっている。私も一度はそうは ね除《の》けようとしたんだ。でも、上は前回のことを相当引きずっているらしくてな」

「前回のこと？」

「例の光山愛《みつやまあい》の一件だよ。あの件が上にはかなりのアレルギーになっているらしく」

私はたまらず眉《まゆ》をひそめた。保険金目的で男性四人を毒殺した光山が裁かれたのは、今から一年前のことだった。男性刑務官に連行された彼女は、刑場に向かう途中、そして死刑台に立たされてからも「誰かに触られた！」と叫び続けていたという。

本来、刑場で起きたことはトップシークレットの扱いだ。しかし光山の一件は瞬《また》く間に所内に噂《うわさ》が駆け巡り、外部にまで流出した。彼女の容姿が突出して優れていたのは拘置所にとっては不幸でしかなかった。一部の週刊誌が面白おかしく煽《あお》り、読者の興味を駆り立てた。上がアレルギー反応を見せるのも無理はない。

「もちろん君にだけお願いするわけじゃない。我々も一緒にいる。君にお願いしたいのは田中幸乃を居室から連れ出すこと、そして万一のために近くに控えていて欲しいということだけだ。現場に立ち会わせるつもりもない」

懇願するように言う看守部長を責める気にはならない。本人の言う通り、上から命じられたことは明白だ。それでも、何か言わずにはいられなかった。

「だからって、どうして私なんですか？　他にも女性の看守はいますよね」

女だから、というだけではない。明確なルールがあるわけではないものの、連行は十年以上勤務する中堅クラスの仕事と言われている。

「信頼できるのは君しかいないんだよ」

「そんなバカな。香山《かやま》さんは？　水口《みずぐち》さんだって」

「これはまだ内密なんだが、香山さんは妊娠中だ。水口さんの方は春にお父さんを亡《な》くされているだろう。喪に服している間は刑の執行に携わらせるわけにはいかないんだ」

「でも、他にも。たとえば——」

「もう同じことだよ、佐渡山さん。上だって熟考を重ねた末に、君に白羽の矢を立てたんだ。今回のことは例の拘置所改革の一環と思ってもらってかまわない。ある意味では君にとってもチャンスなんだ」

看守部長は切り札のように「チャンス」という単語を強調した。増えつつある女の凶悪犯罪者に対応するために、女性刑務官をこれまでよりも積極的に活用する——。

「拘置所・刑務所一貫改革」の旗印のもとに現法相が打ち出したとき、私は驚くのを通り越して、苦笑した。女の刑務官というのは、わざわざ改革を打ち出されるほど楽な仕事と見られていたのか。そう呆《あき》れていたはずだった。まさかこんなふうに自分にお鉢が回ってくるとは、あの頃は想像もしていなかった。

「君は田中幸乃と親しかったのか？」

看守部長は気を取り直すように首をひねった。

「いえ、もちろん親しいというわけじゃ」

「なら、しっかりと見届けるといい。これからこういう機会はもっと増える。ここで人の上に立とうと思うのなら、動じずにしっかりやってくれ」

このとき私が感じていたのは間違いなく怒りだった。ただ、それが誰に対する、どんな種類のものなのか、自分でも理解することができなかった。


その夜、私は恋人の新田《にった》春樹《はるき》と湯島《ゆしま》のバーで落ち合った。かつて春樹に「君って調子がいいとうちの方まで来るけど、悪いと湯島だよね」と、訳知り顔で指摘されたことがある。内心を見透かされているようで不満ではあったが、今は彼の住む代々木にまで出向きたいとは思わない。

幸いにもバーに他の客はいなかった。バラエティ番組を眺めていたマスターは、私が入店するとあわててリモコンを探し始めた。私は「べつにいいよ。待ち合わせ」とだけ口にした。

春樹は三十分ほどしてやってきた。いつも通り涼しげな顔をしているものの、あわてて来てくれたのはあきらかだ。

「何があった？　顔色悪いね」

「べつに。何もない。そっちはどうだったの？　なんか大切な仕事があったんでしょ？」

いきなり決めつけるように尋ねられ、私はつっけんどんに返してしまう。拘置所でのことは春樹といえども明かせない。

春樹と法廷で出会ってからもうすぐ八年、彼が都の職員を辞め、環境系のベンチャービジネスを始めてから三年が過ぎた。その間、彼は何度か結婚の話を持ち出してくれたが、私はその都度受け流してきた。

彼が結婚の話をするのは、私が仕事に行き詰まっているときと決まっている。ふっと幸せな気分に浸かりそうになるたび、私は年齢の近い死刑囚の顔を思い出した。滅多に見せない田中幸乃の笑顔がなぜか胸を過《よ》ぎるのだ。

春樹はマスターと一緒にテレビを観《み》て笑っている。私は頬杖《ほおづえ》をつきながら、なんとなく濡《ぬ》れたコースターに二つの名前を書き記す。

〈佐渡山瞳《ひとみ》〉

〈新田瞳〉

小さい頃は大嫌いだった重々しい名字から、望めばすぐにでも解放される。それだけで新しい人生が切り拓《ひら》かれていくような錯覚を抱く。

私は〈新田瞳〉の方の文字を、かすかな嫌悪感《けんおかん》を伴いながら眺めていた。春樹が小さく鼻で笑う。

「田中幸乃のこと?」

そう前触れもなく切り出され、私はたまらず顔をしかめた。グラスの氷が弾《はじ》けるような音を立てる。春樹は何かを確認するようにうなずいた。

「見当違いだったらごめんね。でも、君の様子あきらかにおかしいから」

「そんなことないよ。ちょっと疲れてるだけ」

「そう? なら、いいんだけど。ならいいんだけどさ」

そう言う春樹の目から疑いの色は消えていない。

「それなら一般論として聞いて欲しいんだけど、もし君が自分の手に負えないような任務を命じられたとして、それを君の心が拒みたいと思っているとするなら、僕は遠慮せずに拒むべきだと思うよ。たとえ逃げたと思われたとしても問題ない。それを責める人なんか無視してればいい」

春樹が淀《よど》みなく語った直後、窓の外から強い風の音が聞こえた。いっそすべてを明かしたいという気持ちに駆られた。そうすることで少しでも気が紛れるのだとすれば、本当に責められることではないはずだ。縋《すが》るようにそう思った。

でも、私は何も言えなかった。考えていたのは春樹との関係だ。死刑執行の現場に立ち会ったことがあると知っても尚《なお》、人は同じようにその人と向き合っていけるものなのだろうか。何かが変わるに決まっている。

もう一つ理由がある。彼女が生涯を通じて欲してきた「人とのつながり」が、ここで私が他の誰かに明かすことで少しでも希薄になるのだとすれば、私は一人で楽にはなれない。

「それなら私も一般論として答えるけど、もし自分がそういう任務を授かったとしたら、やっぱり私は逃げられないよ。最後までかかわり続けることでしか、その人に対する責任を果たせないと思うから。きっと逃げられ続けてきたと思うんだよね。私にとっての春樹みたいな人が、その人にはいなかったはずだから」

春樹は口をすぼめていたが、しばらくすると納得したようにうなずいた。

「もう一つ聞いてもいい？　一般論」

「うん、何？」

「死刑を回避する方法ってないものなの？」

春樹はやはり幸乃に死刑執行命令が出たことを疑っているようだ。より直接的な言い方に、私は確信する。

「それは何？　一度命令が下された者に対して？」

「そうだね」

「だとしたら、それはないかな。上からの命令は絶対だから。すごく縦割りだもん。少なくとも私みたいな末端の意見はかき消される」

「そうか。報われないな。結局、お役所なんだよな。でも、その方がいっそ裁かれる方も諦《あきら》めがつくのかもしれないね」

春樹が憂鬱《ゆううつ》そうにこぼしたとき、窓の外で激しい雷鳴が轟《とどろ》いた。マスターが外の様子を見るために扉を開く。すかさず風雨が店の中に吹き込んだ。生暖かい空気が、冷房で冷えきった私の身体を包みこむ。

この嵐《あらし》が拘置所を破壊してしまえばいいのに。バカみたいな考えとわかっていたが、それくらいしか方法は見つからない。たとえ刑の回避を願ってみても、私に止める術《すべ》はない。

「いや、でも——」

私は思わずつぶやいた。本当に方法はないのだろうか？　もちろんそれだって現実的な考えではないけれど、他に手がないわけじゃない。自分にしか救えない方法を私は知っているのではないだろうか。

春樹が食い入るように見つめていた。それに気づき、私は笑みを取り繕う。無理やり笑うことで、唐突に湧《わ》いて出た突飛な考えを封じ込めた。

幸乃がいつか見せた苦悶《くもん》の顔を、それと相反する幸せそうな表情を、必死に頭の中から打ち消した。


刑執行のことを誰にも明かせず、ほとんど眠ることのできないまま数日を過ごし、九月十五日、木曜の朝を迎えた。台風一過の空に雲はなく、空気は凜《りん》と澄んでいる。あまりの空の美しさが私には皮肉としか思えなかった。

五時過ぎに官舎を出て、いつもより重い足を引きずって拘置所に向かう。所内の雰囲気もいつもと違った。職員全員が同じ罪を共有するように、目の色は淀み、ひどくうつろで、挨拶《あいさつ》はよそよそしい。

簡単な全体ミーティングを終えたところで、看守部長に声をかけられた。会議室の重い扉を開くと、所長以下の幹部に加え、執行にかかわる連行担当や警備担当の刑務官もすでに準備を整えていた。

深夜勤務の若い担当看守から幸乃の今朝の様子について伝えられる。内容は問題なし。朝食も残さずに食べたという。会議室に落胆の空気が立ち込めるのを肌で感じる。

もし今日の死刑を回避することができるとしたら、ここが一番のチャンスだった。

刑事訴訟法の479条には、死刑囚が心神喪失状態にある場合には、刑の執行が停止されるという条文がある。そうでなくても慣例として、死刑囚が重病に罹患《りかん》している場合にはやはり刑の執行が停止されると言われている。

いっそ急病で倒れていたら。いや、想定外を何より嫌う役所のことだ。その場合であってさえ本当に執行が停止されるかどうかはわからない。でも、まさか首に縄をつけて死刑台に立たせるわけにはいかないだろう。

時刻は八時を回ろうとしていた。最後に所長から「それでは、十分前に各自所定の位置についてくれ。くれぐれも間違いのないように」という指示を受け、係の人間はいっせいに所内に散らばった。

私はすぐに一人になれる場所を探した。頭の奥がひどく熱っぽい。窓の外には昨日までの雨に濡れた民家の屋根が、朝の陽を反射させている。街中の塵《ちり》も埃《ほこり》もすべて洗い落とされたかのような清々《すがすが》しさに、私はあらためて皮肉を感じる。

「ああ、ここにいたか」

振り向くと、ともに幸乃を連行する警備担当官が立っていた。

「時間だ。そろそろ行こう」

屈強な男の瞳も曇って見えた。心臓が大きく脈打った瞬間、私は無理やり覚悟を決めた。

「はい」

私は自分のやれることをするだけだ。それは刑務官としての義務ではない。田中幸乃の人生にかかわった一人として、最後まで直視し続けることだ。何があろうと目を背けないと、私は自分に言い聞かせた。

九時を少し回ったとき、私は二人の男性刑務官を伴い、女子の未決囚と十数人の確定死刑囚がいる南舎房に足を踏み入れた。

目的の居室で、幸乃はなぜか右手に封筒を持ち、畳の上に正座していた。

「１２０４番、出房しなさい」

張りつめた空気を断ち切るように、他の房から笑い声とも泣き声ともつかない声が聞こえてくる。

幸乃はボンヤリとこちらを一瞥《いちべつ》して、すぐに持っていた便せんを封筒に戻そうとした。そのとき、中から桃色の紙切れが舞い落ちた。幸乃はそれを拾い上げると、こちらに背を向け、太陽に透かすように磨《す》りガラスの方に掲げた。

「田中さん、急いで。あなたを事務所に連れていきます」

私は思わず声を張る。幸乃はそれでもしばらくピンクの紙を眺めていたが、ようやく「はい」と返事をして、こちらを振り返った。きっとこれから起こることを悟っているはずなのに、その表情には濁りがない。幸乃は私を見つめたまま、紙片を左手に握り込んだ。そのことに私は気づいていたが、あえて何も言わなかった。

舎房を出たところで、肩を並べた幸乃の方から尋ねてきた。

「今日って祝日ではないですよね？」

扉の外で待機していた警備担当の男たちに緊張が走る。私は彼らを一度振り返り、大丈夫だというふうにうなずいた。

「どうして？」

「九月十五日。もう敬老の日ではないんですよね？　今日は私の友だちの誕生日なんです。大切な友だちです」

柔らかい笑みを浮かべた幸乃の横顔を、私は内心を探るように見つめた。どれだけ厭世《えんせい》的な死刑囚であったとしても、連行するときは取り乱す者がほとんどだ。そう先輩の看守から聞かされたことがある。幸乃にそんな気配は微塵《みじん》もない。落ち着いた表情は、むしろ普段より澄んだものにも感じられる。

「以前はそうでしたね。今は違います」

私にはそのことが不思議で、不満でもあった。このまま心静かに逝《い》かせてやることがきっと正解なのだろう。頭ではそう理解しつつ、心が拒絶したがっていた。私は取り乱してほしかったのだ。幸乃の生きることへの執着を見てみたかった。

しかし、幸乃の顔色は変わらない。「そうですよね」とうっすらと微笑《ほほえ》んだのを最後に、それ以上口を開こうともしなくなる。

渡り廊下を行く間も、エレベーターで地下へ下りる間も、幸乃に変化は見られなかった。これが死にゆく人間の顔なのか。人知れず抱き続けてきた思いが簡単に揺らぎそうになる。

幸乃はまっすぐ前を見つめていた。しかし陽の差さない廊下を無言で歩き、目指す刑場の扉が正面に見えてきたときだ。その呼吸がかすかに乱れ始めたことを、私は感じ取った。

幸乃は顔を青白くさせながら、周囲に悟られぬよう呼吸を整えていた。本当にこのときが訪れたのだと、私は拳《こぶし》を握りしめる。手のひらに爪《つめ》が食い込んだ。私は過去に何度か似た挙動を見たことがある。

最初は古い友人という弁護士の面会を受け入れたときだ。「罪と向き合うことから逃げるな」と繰り返した友人に、幸乃はめずらしく怒気を孕《はら》ませた。

私はその友人の言葉に期待した。固く閉ざされた幸乃の心を強引にでもこじ開けてくれることを期待し、そしてその願いは通じたのだ。幸乃はなんとか平静を装《よそお》って、その場では「もう来ないでください」と告げるだけだった。

しかし友人に頭を下げ、面会室を出た直後、幸乃はこらえきれなくなったように泣き崩れた。その声は次第に大きくなっていき、肩に置こうとした私の手を払いのけて、そのまま廊下にへたり込んだ。

私も一緒にしゃがみ込んで、かまわず幸乃の背中をさすった。幸乃は息苦しそうにもだえていた。あきらかにただ事ではなく、近くにいた看守にすぐに医師を呼ぶよう伝え、私は幸乃の名前を呼び続けた。幸乃は懸命に首を横に振り、なんとか口を開こうとした。

でも、彼女の声は届かなかった。「あ、あの……」としぼり出したのを最後に、幸乃は目をつぶり、私にもたれかかって寝息を立て始めた。その寝顔はあまりにも無防備で、年端《としは》のいかない少女のようで、私は動揺することを一瞬忘れて、か細い身体を抱きしめた。私の腕の中で、幸乃は幸せそうに眠っていた。

二度目は居室でのことだった。検閲の済んだ手紙を読みながら、このときも幸乃はこちらに向けた背中を震わせていた。「田中さん？」と異変に気づいた私に、幸乃は今にも泣き出しそうな顔をして振り返った。「あの、私、私……」と言いながら首をかしげ、数秒後にはやはり微笑むように眠りに落ちた。

幸乃を医務室に運んだあと、私は部屋に落ちたままの手紙を拾い上げた。綴《つづ》られていたのは花のことがほとんどだったが、最後の部分だけ内容が異なった。良くいえば几帳面《きちょうめん》な、悪くいえば神経質そうな硬質な文字には、たしかに血が通っていた。

『僕だけは信じてるから。僕には君が必要なんだ。必ず君をそこから出します。だから、そのときはどうか僕を許してください』

その内容に私は決して驚かなかった。ただ腑《ふ》に落ちる思いがしただけだ。それは私がずっと抱えてきた疑問の答えにも思えた。友人の弁護士との会話に出てきた名前、『佐々木慎一』の文字をボンヤリと見つめながら、私は一人うなずいた。

刑務所ではなく拘置所の、しかも処遇部門に配属されたのは運命的ではあったが、偶然だったとは思わない。

新聞やテレビの報道でもなければ、耳に入ってくるそれっぽい噂話でもない。私は五年半もの間、自分の目で田中幸乃という女を見続けてきた。そしてあの日、熱気の立ち込める横浜の裁判所で抱いた違和感をますます強めていったのだ。

幸乃は拘置所でも自分の人生をいっさい弁解しなかった。他の死刑囚のようにヒステリックに無実を叫ぶこともなければ、錯乱して暴れたことも一度もない。何よりも朝の見回り時、番号を呼ばれないことに安堵《あんど》する他の囚人とは違い、幸乃だけは失望の息を漏らしていた。

静かに運命を受け入れ、自分と向き合いながら日々を過ごすというのとも違う。そうした者たちに共通して見られる罪に対する後悔や、被害者に向けての反省の言葉、宗教への傾倒といったものが幸乃にはない。誰かを恨むことも、不運を嘆くこともなく、手紙を書くことも、弁護士と面会することも望まない。再審を請求せず、恩赦を求めようともしなかった。彼女はただ裁かれることを望み、その日が来るのをひたすら待ち続けているのだ。

幸乃は医務室から戻ってくると私に目配せし、照れくさそうに頭を下げた。

「昔から興奮するとこういうことがありました。ご迷惑をおかけしました」

「もう大丈夫なの？」

「はい。少し寝ていれば治ります。亡くなった母の遺伝なんです。意外に思われるかもしれないですけど、気持ちいいんです。根性がないから気を失うんだって、よく叱《しか》られてましたけど」

「ねぇ、田中さん」

このとき私の頭にあったのは手紙の一文だった。『必ず君をそこから出します』という言葉はまるで自らの意思を持ち、私に訴えかけてくるようだった。

私は震える手を懸命に抑え込み、幸乃の目を覗《のぞ》き込んだ。

「あなた、本当はやってないの？」

「え？」

「ごめんね。これ」

私は背後に隠していた手紙を幸乃に差し出した。力なく見開かれていた瞳に、怒りがふっと宿った気がした。幸乃があわてたようにそれを引ったくった瞬間、長く燻《くすぶ》っていた私の疑問は確信に変わった。

この人は罪なんて犯していない――。ただ死ぬことを強く望んでいた女のもとに、そのチャンスが舞い降りてきただけだ。

生きることに絶望し、でも薬で死ぬことに失敗した女が、直後にまったく違う形で命を絶つ方法を授かった。他人に迷惑をかけることを極度に恐れ、その日が来るのをひたすら耐えて待ち続けている。そう考えれば、すべてのことが腑に落ちた。すべての疑問に説明がつけられる。

もちろん、確証は得られない。私には彼女のために為すべきことが見つからない。幸乃自身が生きることを望まないのだ。自分に何ができるというのだろう。

あの日の私にはまだ想像することができなかった。


目的の鉄扉を目の前に控えた頃には、幸乃の息はあきらかに荒くなっていた。倒れた二度の場面とあまりにも状況が酷似していて、私は「興奮すると――」という言葉を思い出さずにはいられなかった。

このときの私の頭の中にあったのは、例の刑事訴訟法の条文だ。心神喪失の状態にあるときは……、心神喪失の状態にあるときは……と、何度も胸の中で繰り返す。

私はそっと目を伏せた。冷たい空気と、線香の匂《にお》いに、焦《あせ》りは限界まで達していた。

「そのピンクの紙、どこまで持っていくつもり？」

刑場の扉を開き、十数段の階段がそびえ立つように目の前に現れたとき、私は無意識のまま口を開いていた。

一定のペースで歩いていた幸乃の足が止まった。不安そうな色を瞳に湛《たた》え、真っ青な顔をこちらに向ける。

幸乃の呼吸はさらに乱れた。私は畳みかけるように一気に言った。

「あなたの左手にあるものよ。何を隠したまま逝こうとしているの？　あなたが死ねばそれでいいの？　私はずっと不満だった。あなたに言いたかったことがある」

視界には幸乃しか映らなかった。背後にいる看守の存在も忘れかけた。「どうした、佐渡山くん」という声も、ほとんど耳に入らない。

幸乃は両手で耳をふさぎ、聞きたくないというふうに首を振る。そのましゃがみこんだ幸乃に寄り添うフリをし、私も冷たい床に膝《ひざ》をつく。

目をつぶって必死に呼吸を整えようとする幸乃の右腕をつかみ取り、私はゆっくりとその手を耳からはぎ取った。

そして顔をしかめる幸乃の耳もとで、今度は気持ちをコントロールしてささやいた。

「傲慢《ごうまん》よ。あなたを必要としている人はたしかにいるのに、それでも死に抗《あらが》おうとしないのは傲慢だ」

倒れて、倒れて、倒れて、倒れて……。私は心の中で祈り続ける。それは「生きて」と懇願することに等しかった。幸乃はこれまでよりも激しく首を横に振り、許しを乞《こ》うような目で私を見つめた。

たとえこの瞬間を乗り越えられたとしても、刑そのものが回避されるわけじゃない。

私のしたこともきっと問題視されるだろう。そんなことは百も承知の上で、でも今じゃないという思いは膨らんでいく一方だ。

私は彼女に今を生き延びさせなければならなかった。きっとこの瞬間も、友人たちは幸乃のために尽力しているはずなのだ。手紙の言葉が覚悟のないものだったとは思えない。この瞬間を逃げ延びることにしか、誰にとっても未来はない。

幸乃の呼吸はこれ以上ないほど荒くなり、額には汗が滲《にじ》んでいる。彼女の弱々しい表情に、そして自分がやろうとしていることに、私は今さら怯《ひる》みそうになる。でもその恐怖を、私はもう少しだ、もう少し……と、自分に言い聞かせることで押し殺した。

数秒か、数十秒か、幸乃と視線が交わり合っていた。幸乃は大きくつばをのみ込み、逃げるように視線を逸らす。倒れた二度の場面とも、彼女は最後に何かを伝えようと口を開きかけた。幸乃の唇がかすかに震えている。本当にあと少しだった。この先にある一つの画を、私はハッキリと想像することができた。

しかし「ねぇ、田中さん」と、その細い肩に手を回そうとしたときだ。覚悟を持って幸乃にとどめを刺そうとしたとき、私は背後から羽交い締めにされた。誰かに口を押さえつけられ、激しい怒声が耳を打つ。幸乃と私の二人しかいなかったはずの世界に、突然数人の男たちが乱入してきた。

幸乃の顔に一瞬安堵の色が差したことを、私は見逃さなかった。ヤニの臭いのするゴツゴツとした手の中で、私は懸命に叫び続ける。でも、その声はもう幸乃に届かない。

あわてて身体を引き起こそうとした刑務官を、幸乃は触らないでと手で制した。もう口を開こうとはせず、顔も上げずに、幸乃は四つん這《ば》いになったまま呼吸を整えようと努めている。慎重に、もっと慎重に。判断を求めた若い警備担当官に、上司の刑務官は「少し待とう」と小声で応じた。

幸乃の呼吸の音だけが耳を打つ時間は、数分にわたり続いた。六年間の拘置所生活ではじめて見せる彼女の抗おうとする姿に、周りを取り囲んだ者たちは息をのんで見守るしかなかった。それは私が望み続けていた光景に近かった。ただ、彼女が立ち向かおうとするものだけが、望んだものと違っていた。

一進一退を繰り返しながら、幸乃は確実に落ち着きを取り戻していった。顔は血色を帯びていき、呼吸のリズムも次第に安定していく。

私は取り返しのつかない場面を突きつけられているような気持ちになり、目の前が霞《かす》んで見えた。でも、決して視線を逸らさなかった。私は見届けなければいけないのだ。彼女が死ぬために生きようとする姿を、この目に焼きつけなければならなかった。

最後にうなるような声を上げて、幸乃は上体を起こした。自分の居場所をたしかめるように目を瞬《またた》かせ、握っていた拳を開く。幸乃はしばらく手の中のものを見つめていた。そして何かを思い出したように微笑んだ。

幸乃は立ち上がると、まず上官に向けて頭を下げた。

「申し訳ありません。もう大丈夫です」

そう透き通った声で言い、天井に目を向ける。少し迷う素振りを見せたあと、今度は私を振り返った。

「もう恐いんですよ。佐渡山さん」

その声が全身に染《し》み渡っていく。

「もし本当に私を必要としてくれる人がいるんだとしたら、もうその人に見捨てられるのが恐いんです」

そして幸乃は微笑みながら、ゆっくりと私から視線を逸らした。

「それは何年もここで堪え忍ぶことより、死ぬことよりずっと恐いことなんです」

そう繰り返す彼女は、驚くほどキレイだった。いつか誰かに最期の瞬間を尋ねられたら、このことを伝えよう。願いを叶《かな》えようとした幸乃は間違いなく美しかった。私は場違いにもそんなことを感じていた。

それからはベルトコンベアーの上を行くように、機械的に事は進んだ。幸乃はたしかな足取りで階段を上っていき、教誨室《きょうかいしつ》へと入っていく。待機していた数人の刑務官に視界を阻《はば》まれ、廊下で待たされた私に中の様子をうかがい知ることはできなかった。でも、幸乃が毅《き》然《ぜん》とした態度で対応していることは想像できた。

しばらくすると僧侶《そうりょ》による読経《どきょう》が聞こえてきた。彼女には意味のない、なんの救いにもなり得ない声。数分後に部屋から出てきた幸乃の様子は、先ほどと何も変わっていない。表情は穏やかなままだった。

再び刑場の廊下を行く間、幸乃はまっすぐ前だけを見据えていた。もう私の顔を見ることはない。私の存在など最初から知らないというふうに、凛とした雰囲気を湛えている。大切な何かを守るように、左の拳だけが握られている。

前室と呼ばれる部屋では、所長をはじめとする幹部の人間が控えていた。

「１２０４番、田中幸乃くん。君に法務大臣より死刑執行の命令が下された。残念だがここでお別れだ。何か言い残すことはあるか」

「いいえ、ありません」

「なら、ご家族に向けて手紙を書くといい。君にはたしかお祖母さんがいたはずだね」

「それも結構です。祖母には、もう思いを伝えてきたつもりです。他に手紙を送る相手はおりません」

　それからは中の声も聞こえなくなった。前室と執行室はカーテンで仕切られているだけだ。もう二度と幸乃が私の前に姿を現すことはない。

　とても静かな時間だった。廊下には物音一つ聞こえない。その静寂から逃れるように、私はゆっくりと目をつぶる。

　瞼《まぶた》の裏に、部屋にいる幸乃の姿が浮かび上がった。幸乃は身を任せるように目隠しされ、素直に手錠をはめられる。執行室との仕切りのカーテンがそっと開かれるが、彼女にはその音しか聞こえない。

　刑務官に導かれ、幸乃は執行室へ歩いていく。誘導されたのは約一メートル四方、赤い枠で縁取られた踏み板の上だ。

　そこで係の者によって足を固く縛られたとき、幸乃は息を吐きながら宙を見上げた。もちろんその目には何も映らないが、彼女は誇示するように胸を張る。笑みをこぼしそうになるのを一生懸命こらえている。

　ロープが細い首に巻かれる。想像の中の幸乃ははじめて白い歯を見せた。やっとここに辿《たど》り着けたと、ついにこのときを迎えたのだと、透き通った笑みを浮かべている。

そんな甘美なイメージを打ち砕くように、轟音《ごうおん》が耳を打つ。貫くようにしてその意味が全身を打ちつけた。想像の中の音じゃない——。そう理解したとき、私は目を開け、前室の扉に手をかけた。私の肩に、となりにいた警備担当官が手を置いた。

私は叫びたくなる衝動を抑え、彼の手を払いのけた。そうして飛び込んだ部屋で、開かれた踏み板を視界に捉《とら》えた。鉄製のリングに通された太いロープがそこから垂れ、ギイ、ギイと、獣の咆哮《ほうこう》のような音を立てている。

呆然《ぼうぜん》と歩み寄ろうとして、今度こそ私は背後から取り押さえられた。一気に腰から力が脱けていく。歯を食いしばろうとしたが、もう力は入らない。

少しずつ小さくなっていくロープの音は、そのまま田中幸乃の命が消えていくことを象徴していた。そして再び部屋が完全な静けさを取り戻したとき、私は一人の女があっけなくこの世界から消え去ったことを突きつけられた。

傍目には何も変わらない。冷たい空気も、立ち込める線香の匂いもそのままだ。でも、彼女はもういない。誰かに迷惑をかけることを何よりも恐れていた女は、決して最後に取り乱すことなく、その誰かたちによって裁かれた。

周囲が少しずつ騒がしくなっていく。震え続ける足腰に鞭《むち》を打って、私も執行室の階下の部屋へと向かう。

すでに棺に収められた幸乃より先に、私は例のものを探そうとした。でも、どこを見渡してみても、目を凝らしてみても、ピンクの紙切れは見つからない。幸乃はあれを握りしめたまま最期のときを迎えることができたのだろうか。きっとそうだと思ったとき、前触れもなく花の香りが鼻先に触れた気がした。

いつか読んだ手紙の一節が脳裏を過ぎる。丘の上に咲き乱れる桜の木の画が、唐突に目の前に浮かび上がる。私はあの紙切れの正体をようやく知った。幸乃が最期に何に縋ろうとしたのかを知ったのだ。

私はゆっくりと棺に歩み寄り、中を覗き込んだ。菊の花束が胸の上に手向けられているが、彼女には似合っていない。彼女にふさわしいのは左手の中の花、満開に咲き乱れる桜の花だ。

棺の中の幸乃の表情には一点の曇りもなかった。生きたいというかすかな衝動を、死にたいという強い願いで封じ込めた。少女のように微笑む彼女に、私はどんな言葉をかけたらいいのだろう。「おつかれさま」か、「さようなら」か。

きっと「おめでとう」なのだと知りながら、私はその言葉をかみ殺した。

◆

いくつもの行動を問題視され、早々に謹慎を言い渡されたその夜、私は官舎で待機しておけという上官の命令を無視し、湯島に向かった。

数日前と同じようにマスターはバラエティ番組を眺めていた。やはり数日前と同じように「そのままでいいよ。待ち合わせ」とだけ言って、私はたいして飲めもしないくせに先日春樹が飲んでいたのと同じウイスキーを注文する。

一時間ほどして店の扉が軋《きし》むような音を立てた。仕立てのいいスーツを着た四十代の男とまだ若い女が寄り添うようにして入店してくる。いちゃいちゃと仲睦《むつ》まじい二人は、身にまとう空気がまったく違う。不倫だと周囲に気づかれていることに、本人たちだけが気づいていない。

リモコンを手に取ったマスターに、男の方が「ああ、付けてていいよ。その代わりNHKに変えてもらっていい？」と尋ねた。

マスターは弱ったという目を私に向ける。法務大臣から田中幸乃の死刑執行の発表があったのは、今日の夕方のことだった。私はマスターにうなずいた。幸乃の件がどう報じられているのかも知りたかった。

ちょうど九時のニュースが始まったとき、春樹も店にやってきた。テレビでニュースをやっているのを見て、敏感に顔をしかめる。

「どうする？　店、替える？」

カップルに聞こえないように小声で尋ねてくる春樹に、私は小さく首を振った。

「ううん、大丈夫。それより仕事どうだった？」

「それが今日は散々でさ。久しぶりに最初から最後まで英語で交渉してきたよ。頭フル回転だった。やっぱり英語できる人雇わなきゃダメだよなぁ。ＴＯＥＩＣ６００点台じゃ太刀打ちできないよ」

春樹は必要以上に明るく振る舞い、続けた。

「あれ、そういえば君ってたしか帰国子女じゃなかったっけ？」

「五歳までね。しかもいたのはフランスだし。ちなみにＴＯＥＩＣは５５０点ですけど」

「それでもいいよ。俺の会社入りなよ」

「それもいいかもね。もう夫婦で稼いじゃおっか」

素直に答えた私に、春樹は自分で言っておきながら不思議そうに眉をひそめた。思わず出た言葉だったが、その気持ちにウソはない。私はもう自分の仕事に思い残すことはない。幸乃は私に深い傷を残していったが、同じように大きな解放感も与えてくれた。

そして今日もう一つ、私には仕事を辞める理由ができた。いや、辞めなくちゃいけない理由と言った方が正しいのだろう。

「私、ある人にあることを伝えなくちゃいけなくてさ。どこに住んでいる、どんな人なのかもわからないけど。名前しか知らない人なんだけど、伝えなくちゃいけないことができちゃったんだ。でも、それは刑務官のままではできなくて」

そう言いながらも、私はある男の顔をハッキリと頭に思い描けた。棺の中で浮かべていた幸乃の柔らかい笑みを、私はたしかに見たことがあった。それは倒れた二度のときよりずっと前、横浜地方裁判所で、彼女に死刑の判決が下された日だ。

退廷するとき、幸乃は吸い寄せられるように傍聴席を振り返った。そして人混みの中から誰かを見つけ、安心したように微笑んだ。あの日は気づけなかったが、幸乃が誰を見たのか、今の私にはもうわかる。きっとあの男が「慎ちゃん」なのだ。佐々木慎一に間違いない。

顔を隠すような大きなマスクをしていた慎一は、怯《おび》えたように幸乃を見つめていた。

それこそ二人が身にまとっていた空気は寸分違わず同じだった。あの二人が桜の舞い散る丘の上に立っていたら……。その画をイメージするのは簡単だ。

何も伝わらないであろう抽象的な言葉に、春樹は深くうなずいた。「なるほど。じゃあ、近いうちに面接だな」などと冗談めかした口調で言い、それ以上深く尋ねることはなく、のんびりとテレビに視線を戻す。

幸乃の件が報じられる気配は一向になかった。更新されるように起きる凶悪事件の前では、過去に世間を賑《にぎ》わした人間の生き死になどたいした価値はないのだろう。

天気予報が終わり、違うキャスターがスポーツニュースを伝え始めた頃には、私の頭の中は幸乃のことでいっぱいになっていた。すでに二杯目の酒も空になっている。空いたグラスを見つめながら、私は深いため息を吐く。

心の傷と、解放感。その二つとともに私の中に取り残されたのは、やはり一貫して感じていた怒りだった。

でも、その感情の正体がどうしてもつかめない。私はいったい何に、誰に対してこんなに憤《いきどお》っているのだろう。真犯人か、警察か、裁判のシステムか、死刑制度そのものか、結局救うことのできなかった彼女の友人たちに対してか、それとも幸乃自身に対してか。

すべて当てはまる気がする一方で、すべて的外れだという思いも拭《ぬぐ》えない。ただ一つたしかなのは、どの方向に怒りの刃《やいば》を投げつけてみても、結局はブーメランのように自分のもとに戻ってくるということだ。私自身、一度は幸乃を凶悪犯罪者と決めつけていたのだから。

ふと牙《きば》を剝《む》くべき相手の影を捉えた気がした。だがその矢先、眺めていたニュースキャスターの顔に緊張が走った。

「先ほど入ってきたニュースです」

私は幸乃のことを報じるのではないかと身構えた。でも、画面に映し出されたのは見覚えのない田園風景と、水路の脇《わき》に横たわる自転車の映像だった。キャスターは顔を強《こわ》ばらせたまま、埼玉県で誘拐《ゆうかい》事件が起きたこと、協定によって報道を自粛していたこと、そして犯人が逮捕されたことを立て続けに説明した。

画面に容疑者の女の写真が大映しにされた。目の下が窪《くぼ》み、唇は薄幸そうに青白い。髪の毛はパサつき、顔には深いシワが刻まれている。名前の横に記された（44）という年齢以上に、老いを感じさせる女だった。

「悪そうな女」

少しの沈黙のあと、席を二つ挟んだカップルの男が小馬鹿にしたようにつぶやいた。

女の方は品のない笑い声を上げる。

「なんかこんな事件、前にもあったよね。っていうか、この女、見たことない？」

「さぁ、どうだろう。そういうタイプなんじゃないの？」

「タイプって？」

「だから、なんていうかさ……。やってそうじゃん。いかにもさ」

いつかと似たような言葉を聞いたとき、全身の毛が震えた。ハッキリとした敵意を抱いて、私は彼らに身体を向けた。

それなのに私は何も言えなかった。ただ小さく息をのんだだけだった。女の方が怪《け》訝《げん》そうに睨《にら》んでくる。私は首を振って、その視線を受け流した。結局、刃は自分のもとに返ってきた。

「全然違うかもしれないのにね」と、私は小声でつぶやいた。自分が突拍子もないことを言っているのはわかっていたが、言葉を止められない。

「なんかいかにもだなってさ、私も間違いなくそう思ってたんだ。何も知らないくせに。自分勝手に決めつけて」

カップルが帰っていくのを見届けてから、私は切り出した。不思議そうに首をひねる春樹を無視して。怒りの刃を、今度はきちんと自分に向けて。

「不倫なんかじゃないかもしれないのにね。夫婦かもしれないし、恋人かもしれない。親子かもしれないし、兄妹なのかもしれない。そんなこと私にはわからない。わからないくせに決めつけた。全然ダメだ。全然成長してないよ」

そう懺悔《ざんげ》するようにつぶやいて、私は呆《ほう》けたような春樹に視線を戻す。

「面接、来年の春なんてどう？」

「春？」

「うん、桜の咲く頃にさ。横浜に行ってみようよ。私、山手っていう街を見てみたい。一回も行ったことがないんだよね」

春樹は不思議なのを通り越し、不満そうな表情を浮かべていた。その顔がツボに入り、私ははじめて小さく笑い、なんとなく春の横浜に思いを馳《は》せた。

想像の中の山手の丘は、慎一が手紙に描写した景色にしっかりと沿っていた。小高い山の上に桜の花が咲き乱れている。ピンクの濃い花びらが雪のように舞っている。その太い幹に沿うようにして、銀杏《いちょう》の木々が立ち並ぶ。

私と春樹のすぐそばで二人の子どもが遊んでいる。身体の小さな女の子と、気の弱そうな男の子だ。二人が誰なのか、私は知らない。だけど、この子たちの未来が輝かしいものであることを私はちゃんと知っている。きっとボタンはかけ違わない。彼らは道を誤らない。

　二人は手を取り合って桜のトンネルを駆けていく。何も不安などなさそうに。屈託なく笑いながら。

　トンネルの先に見えるのは太陽に輝く青い海。我先にと競いながら、二人はトンネルのゴールを目指していく。

　少しずつ小さくなっていく笑い声とともに、二つの影は完全に光の中に溶け込んだ。花が優しい音を立てる。

　春の風に吹かれて、見上げた桜は二人の未来を祝福するようにそよいでいる。

　ふと我に返って目を向けたテレビに、モノクロの幸乃の顔が映っていた。女性の事務的なナレーションが耳を打った。

『田中幸乃死刑囚は横浜市出身の三十歳。かつてつき合っていた恋人から別れを告げられたことに激昂《げっこう》し、元恋人の家族が住むアパートに火を放ち、妻と幼児二人の三人を焼死させた。二〇一〇年の秋に横浜地方裁判所で死刑判決を受けたあとは罪を悔やみ、拘置所では静かにそのときを待っていたという――』

〈主な参考文献〉

『横浜コトブキ・フィリピーノ』レイ・ベントゥーラ著、森本麻衣子訳（現代書館）
『生きなおす、ことば』大沢敏郎（太郎次郎社エディタス）
『女赤ひげドヤ街に純情す』佐伯輝子（一光社）
『獄中結婚　異様なラブレター』石原伸司（恒友出版）
『横浜・寿町と外国人』山本薫子（福村出版）
『はだかのデラシネ』中田志郎（マルジュ社）
『かながわの記憶』神奈川新聞編集局編・著（神奈川新聞社）
『宅間守精神鑑定書』岡江晃（亜紀書房）
『平気で冤罪をつくる人たち』井上薫（ＰＨＰ新書）
『冤罪と裁判』今村核（講談社現代新書）
『冤罪はこうして作られる』小田中聰樹（講談社現代新書）
『死刑と正義』森炎（講談社現代新書）
『死刑絶対肯定論』美達大和（新潮新書）
『自白の心理学』浜田寿美男（岩波新書）
『訊問の罠』菅家利和・佐藤博史（角川ｏｎｅテーマ21）
『少年をいかに罰するか』宮崎哲弥・藤井誠二（講談社＋α文庫）
『死刑でいいです』池谷孝司編・著（共同通信社）
『絞首刑』青木理（講談社）
『争うは本意ならねど』木村元彦（集英社インターナショナル）

『あの時、バスは止まっていた』山下洋平（ソフトバンククリエイティブ）
『冤罪　ある日、私は犯人にされた』菅家利和（朝日新聞出版）
『突然、僕は殺人犯にされた』スマイリーキクチ（竹書房）
『心にナイフをしのばせて』奥野修司（文藝春秋）
『されど我、処刑を望まず』福田ますみ（現代書館）
『反冤罪』鎌田慧（創森社）
『狭山事件』鎌田慧（草思社）
『裁かれるのは我なり』山平重樹（双葉社）
『はけないズボンで死刑判決』袴田《はかまだ》事件弁護団編（現代人文社）
『死刑』森達也（朝日出版社）
『元刑務官が明かす死刑のすべて』坂本敏夫（文春文庫）
『講座社会学2　家族』目黒依子・渡辺秀樹編（東京大学出版会）
『家族依存症』斎藤学（新潮文庫）
『母という病』岡田尊司（ポプラ社）
『ポイズン・ママ』小川雅代（文藝春秋）
『ＳＩＧＨＴ（ＶＯＬ46）』（ロッキング・オン）
『冤罪Ｆｉｌｅ（ＮＯ11）』（宙出版）
『未解決事件ファイル　真犯人に告ぐ！』（週刊朝日ムック）

三宅・山崎法律事務所、弁護士・中山達樹さんをはじめ、取材、相談に応じてくださった皆さまに、この場を借りて御礼申し上げます。

解説

辻村深月

『イノセント・デイズ』が刊行になった年、その書評を多くの媒体で目にした。

本書がミステリの要素を含むことから、評者は皆、ストーリーの詳細について慎重に言葉を選びつつ、この話が一人の女性の転落を描いていること、その女性が凶悪な事件を起こして今まさに裁かれようとしている物語であることを共通に伝えていた。

そして、もうひとつ。この話が、著者である早見さんの新境地であり、これまでの彼の小説——『ひゃくはち』や『ぼくたちの家族』といった青春小説や家族小説とはまったく色合いが違う、ということも書かれていた。

どの書評からも只《ただ》ならぬ熱を感じた。それは、この話を読んでほしい、という強烈な思いの熱だ。その熱に煽《あお》られるようにして、私もまた、本書を手にした一人だった。

田中幸乃《ゆきの》。

早見さんが描いた、ひとりの女の子。年としては女性と呼ぶ方がふさわしいけれど、私は彼女を、あえて、女の子と呼びたい。

彼女の物語は、まず、「主文、被告人を——」と告げられるプロローグからスタートする。そして、透き通った空の下、今、まさに彼女の死刑が執行されようとしている。

その後の構成は鮮やかだ。

放火によって元恋人の妻と一歳の双子の命を奪い、マスコミから「整形シンデレラ」と呼ばれた凶悪犯。その裁判で法廷に響いた判決理由。彼女が傍からどう見られてきたのかという、その生い立ちや犯行経緯を一文ずつで表した言葉が各章のタイトルにつけられ、「彼女の歴史」を語っていく。一行で切って捨てられてしまった彼女の歴史とは一体なんだったのか。彼女の周囲にいて、彼女を見ていた人たちの視点から、彼らが見た「実際」が語られていく。

読み進めて、読者はすぐに気づくはずだ。田中幸乃が繊細で傷つきやすくて優しく、それゆえに不器用で流されやすい普通の女の子であることを。判決理由とのあまりの落差に驚きながら、だから読む手が止められなくなる。この子が追い詰められてしまったのはどうしてなのか。誰がどんな方法で彼女を追い詰めたのか。なぜ、彼女は放火などしたのか。本当に彼女がやったのか——。多くの謎《なぞ》によって先を読ませる本書は、第68回日本推理作家協会賞を受賞した。

真相が気になる、というミステリとしてのリーダビリティはもちろん本作の魅力だ。しかし、読者がそれ以上に読み進める動機としたのは、もっと別の、より切実な思いではないだろうか。それは、田中幸乃を信じたい、という思い。読みながら、その気持ちがどんどん強くなっていく。救いたい、と思うようになっていく。

※ここから先は、本編のラストに言及しています。未読の方は、どうか読了後に。

この話が刊行された直後、作品のよさを伝える声の一方で、この小説を「暗い」という言葉で表す声を聞いた。「暗い」、あるいは「救いがない」。

本書を読了したばかりで今この文章を読んでいる読者の中にも、ひょっとしたら同じ感想を持つ人がいるかもしれない。信じたい、救いたいという気持ちで読み続けてきた読者にとって、田中幸乃が死刑を免れることができなかった結末がそれくらい衝撃的であることは想像に難くない。

けれど、少し待ってほしい。

私は、この小説を「救いがない」とは読まなかった。

むしろ、田中幸乃の最後の瞬間に一番大きく心が震え、この瞬間のために自分はこれまで彼女の物語を読んできたのだ、とすべての謎が解かれた思いだった。だからこそこの小説は「ミステリ」と呼ばれるにふさわしい。

優しく、人に傷つけられても自分は人を傷つけることはせず、流され、耐えて、いろんなことを飲み込んできた彼女は、ある意味では自分の人生について責任を負うことをずっと避けてきた。こうしたい、という意志を滅多に見せることはなく、ただ、周囲の人間の思いや立場を映して流す。見る人の鏡のようだった彼女が、最後の最後で自分自身の輪郭を取り戻すのだ。

幸乃は、大事な局面でいつも呼吸の発作に襲われ、気を失ってしまう。その発作によって、〝凶悪犯〟にだってなってしまった。その嵐《あらし》のような発作に、彼女は最後の最後で、身体を四つん這《ば》いにして抗《あらが》うのだ。

死にたい、という明確な意志の力によって。

これまで誰を恨むことも、不運を嘆くこともなかった彼女が、生まれて初めて、自分の意志で生きようとする。

私は見届けなければいけないのだ。彼女が死ぬために生きようとする姿を、この目

に焼きつけなければならなかった。（444ページ）

この一文を見た時に、胸の真ん中を強く摑《つか》まれ、揺さぶられた。少し読み進めて息を吸い、この場面のために著者は彼女の物語をこれまで書き紡《つむ》いだのだと圧倒された。

読者の心は、おそらく、彼女を見守ってきた女性刑務官と近い。彼女を救いたいと願う人がいるにもかかわらず、自ら死を選ぼうとする田中幸乃は傲慢《ごうまん》に見えるかもしれない。しかし、彼女に「生きていてほしい」と望む気持ちもまた傲慢でないとどうして言えるだろう。

ずっと自分を消し、幽霊のように実体のなかった彼女が唯一《ゆいいつ》意志を見せ、抗おうとしたその瞬間が、たとえ自分の死を望むためのものだったからといって、それを間違っているなんて誰にも言わせたくない。

幸乃の姿を見て、私はそう感じた。

彼女の絶望がそれほどまでに強かったのだとしても、凄絶《せいぜつ》な発作に耐え、死に向かう意志の強さは美しく、身がよじれるほどに悲しいけれど、心を打たれる。目が逸《そ》らせなかった。頑張って、と思ってしまう。初めて見せた彼女の意志が、どうか届きますように、と。それは彼女の死を望んでいるというわけではもちろんない。むしろ生きることを強く望んできたのに、それでもこんな気持ちにさせられる。

彼女の抵抗が死という冷たく暗いものに向かう行為である以上、その姿に感動という言葉は当てはまらないのかもしれないが、この時の私の震えに少しでも近いものを選ぶと、この言葉が一番近い。

〝感動〟や〝失望〟、〝明るい〟や〝暗い〟、〝幸せ〟や〝不幸〟といった言葉だけでは片づけられない、名付けられない感情や事柄を時に描くのが小説であり、物語であるとするなら、早見さんが描こうとしたものはおそらく、それらを超越した〝何か〟が起こる瞬間そのものなのだ。それは、わかりやすい〝救い〟の瞬間すら凌駕《りょうが》する。

私は本書のラスト、幸乃の後ろにその〝何か〟を見た。私だけでなく、多くの人が見たはずだ。だからこそ、あの年の本書にまつわる書評の多くにあんなにも熱が宿ったのだと思う。

小説は、救いや暗さといった一語だけで終わらない。各章に掲げられた田中幸乃の判決理由の一文に、彼女の人生が収まらないことと、それは似ている。

本書が刊行された当初、単行本の帯にはこうあった。

「ひとりの男だけが、味方であり続ける。」

本書を読み終えた読者には、皆、この「男」が誰であるか、もうお分かりだろう。

しかし、同時にこうも思うのではないだろうか。

田中幸乃を見守り、味方であり続けたのは、誰よりも、著者の早見和真《かずまさ》その人だと。

早見さんが描いた田中幸乃の最後の力の強さ。私たち読者が見た〝何か〟の瞬間。

著者はおそらく、田中幸乃の人生を〝転落〟なんていう突き放した言葉で捉《とら》えたことは一度もなかったはずだ。それがどれだけ誤解や悪意に彩《いろど》られた道のりだったとしても、彼女を貶《おとし》めたり、不幸にしたいとはただの一度も考えなかったであろうことが、筆致の端々から痛いほど伝わる。田中幸乃という一人の女の子に寄り添い、励まし、自分自身も傷つきながら、彼女を物語の最後の瞬間まで導いていった。その手を一度も離さなかった。

〝暗い〟や〝明るい〟、〝幸せ〟や〝不幸〟という一語だけの概念を超越した場所で彼女を救おうと格闘し、味方であり続けたひとりの作家の誠実さの熱。それこそが『イノセント・デイズ』という作品を支える根幹だと、私は思う。

早見さんの小説の魅力は、その熱さにある。これまで読んだ早見さんのどの青春小説にも家族小説にも職業小説にも、それは共通している。

本書は確かにいろんな意味で、早見さんの新境地であるかもしれない。けれど、登場人物に寄り添うあのひたむきな熱さは変わらない。激しく熱いだけでなく、哀《かな》しみや怒り、絶望にも似た、こんな静かで凄絶な熱もあるのだと、『イノセント・デイズ』を思い出す時、いつも思う。

（二〇一六年一二月、作家）

この作品は平成二十六年八月新潮社より刊行された。

津村記久子著

とにかくうちに帰ります

うちに帰りたい。切ないぐらいに、恋をするように。豪雨による帰宅困難者の心模様を描く表題作ほか、日々の共感にあふれた全六編。

西加奈子著

白いしるし

好きすぎて、怖いくらいの恋に落ちた。でも彼は私だけのものにはならなくて……ひりつく記憶を引きずり出す、超全身恋愛小説。

村田沙耶香著

タダイマトビラ

帰りませんか、まがい物の家族がいない世界へ……。いま文学は人間の想像力の向こう側に躍り出る。新次元家族小説、ここに誕生！

篠田節子著

銀婚式

男は家庭も職場も失った。混迷する日本経済を背景に、もがきながら生きるビジネスマンの「仕事と家族」を描き万感胸に迫る傑作。

乃南アサ著

すずの爪あと
―乃南アサ短編傑作選―

愛しあえない男女、寄り添えない夫婦、そして生まれる殺意。不条理ゆえにリアルな心理を描いた、短編の名手による傑作短編11編。

柚木麻子著

本屋さんのダイアナ

私の名は、大穴《ダイアナ》。最悪な名前も金髪もはしばみ色の瞳も大嫌いだった。あの子に出会うまでは。最強のガール・ミーツ・ガール小説！

今野敏著　宰領　—隠蔽捜査5—

与党の大物議員が誘拐された！　警視庁と神奈川県警の合同指揮本部を率いることになったのは、信念と頭脳の警察官僚・竜崎伸也。

佐々木譲著　警官の条件

覚醒剤流通ルート解明を焦る若き警部・安城和也の犯した失策。追放された〝悪徳警官〟加賀谷、異例の復職。『警官の血』沸騰の続篇。

安東能明著　広域指定

午後九時、未帰宅者の第一報。所轄の綾瀬署をはじめ、捜査一課、千葉県警——警察官僚までを巻き込む女児失踪事件の扉が開いた！

横山秀夫著　看守眼

刑事になる夢に破れ、まもなく退職をむかえる留置管理係が、証拠不十分で釈放された男を追う理由とは。著者渾身のミステリ短篇集。

西村京太郎著　十津川警部　時効なき殺人

会社社長の失踪、そして彼の親友の殺害。二つの事件をつなぐ鍵は三十五年前の洞爺湖に。旅情あふれるミステリー＆サスペンス！

誉田哲也著　ドンナ ビアンカ

外食企業役員と店長が誘拐された。捜査線上に浮かんだのは中国人女性。所轄を生きる女刑事・魚住久江が事件の真実と人生を追う！

J・グリシャム
白石朗訳

汚染訴訟（上・下）

ニューヨークの一流法律事務所を解雇され、アパラチア山脈の田舎町に移り住んだエリート女弁護士が石炭会社の不正に立ち向かう！

S・キング
白石朗訳

セル（上・下）

携帯《セル》で人間が怪物に!? 突如人類を襲う恐怖に、クレイは息子を救おうと必死の旅を続けるが——父と子の絆を描く、巨匠の会心作。

J・アーチャー
戸田裕之訳

剣より強し（上・下）
—クリフトン年代記 第5部—

ソ連の言論封殺と闘うハリー。宿敵と法廷で対峙するエマ。セブの人生にも危機が迫る……全ての運命が激変するシリーズ第5部。

M・グリーニー
田村源二訳

米朝開戦（1〜4）

北朝鮮が突然ICBMを発射！ 核弾頭の開発は、いよいよ最終段階に達したのか……。アジアの危機にジャック・ライアンが挑む。

T・R・スミス
田口俊樹訳

偽りの楽園（上・下）

母が告白した、厳寒の北欧で開かれた狂乱の宴。閉ざされた農場に蔓延る犯罪と陰謀とは。『チャイルド44』を凌ぐ著者最新作！

T・パーカー
沢木耕太郎訳

殺人者たちの午後

人はなぜ人を殺すのか。殺人を犯した後、人はどう生きるのか……。魂のほの暗い底から静かに聞こえてきた声を沢木耕太郎が訳出。

S・シン
青木 薫訳
フェルマーの最終定理
数学界最大の超難問はどうやって解かれたのか？　3世紀にわたって苦闘を続けた数学者たちの挫折と栄光、証明に至る感動のドラマ。

D・オシア
糸川 洋訳
ポアンカレ予想
「宇宙の形はほぼ球体」!?　百年の難問ポアンカレ予想を解いた天才の閃きを、数学の歴史ドラマで読み解ける入門書、待望の文庫化。

T・トウェイツ
村井理子訳
ゼロからトースターを作ってみた結果
トースターくらいなら原材料から自分で作れるんじゃね？　と思いたった著者の、汗と笑いの9ケ月！（結末は真面目な文明論です）

B・ブライソン
楡井浩一訳
人類が知っていることすべての短い歴史（上・下）
科学は退屈じゃない！　科学が大の苦手だったユーモア・コラムニストが徹底して調べて書いた極上サイエンス・エンターテイメント。

D・ボダニス
吉田三知世訳
電気革命
—モールス、ファラデー、チューリング—
電信から脳科学まで、電気をめぐる研究と実用化の歴史は劇的すぎる数多の人間ドラマの集積だった！　愛と信仰と野心の科学近代史。

M・クマール
青木 薫訳
量子革命
—アインシュタインとボーア、偉大なる頭脳の激突—
現代の科学技術を支える量子論はニュートン以来の古典的世界像をどう一変させたのか？量子の謎に挑んだ天才物理学者たちの百年史。

イノセント・デイズ

新潮文庫　は－68－1

平成二十九年三月一日発行
平成二十九年十月五日十八刷

著者　早《はや》見《み》和《かず》真《まさ》

発行者　佐藤隆信

発行所　株式会社新潮社
郵便番号　一六二―八七一一
東京都新宿区矢来町七一
電話　編集部(〇三)三二六六―五四四〇
　　　読者係(〇三)三二六六―五一一一
http://www.shinchosha.co.jp

価格はカバーに表示してあります。

乱丁・落丁本は、ご面倒ですが小社読者係宛ご送付ください。送料小社負担にてお取替えいたします。

印刷・大日本印刷株式会社　製本・憲専堂製本株式会社

ISBN978-4-10-120691-2 C0193